新潮文庫

王妃 マリー・アントワネット

上巻

遠藤周作著

王妃マリー・アントワネット 上巻

迎える者と迎えられる者

「間ぬけ」

パン屋のおかみはマルグリットを大声で怒鳴りつけた。

「いいかい。何回、教えたら掃除がちゃんと、できるんだい。言っとくけどさ、これ以上、役たたずなら、店を出ていってもらうから」

少女は泣きもせず、上眼づかいに女主人を睨《にら》んでいる。その強情な態度がおかみをますます腹だたせた。

この時、客が入ってきた。黒い喪服を着たフーコ夫人だった。

「あら」

おかみは急に笑顔をつくって、

「ちょうど、焼きたてが、できたばかりですよ」

「やれやれ、助かった」

フーコ夫人は溜息《ためいき》をついた。

「パンひとつ買うのに、今日はストラスブールの街を歩きまわらなくちゃ、と思ったわ。どの店も今日は開けてないんだから」

「ほんとですよ」

おかみはうなずいた。

「うちの国の王子さまがよその国の小娘と結婚したからと言って、こちとらの貧しい暮し向きは変るわけじゃなし……。奥さん、何という名です？ そのオーストリアの小娘は……」

「マリー・アントワネット」

「へえ、大袈裟《おおげさ》な名だ。しかしねえ、二人はまだ顔を合わせたことも、つき合ったこともないんでしょ。それでよく、おたがい、結婚できるもんだ。考えてみれば、尊い家に生れるのも不自由ですねえ」

大教会の鐘がなった。その荘重な響きに応えるようにストラスブールのあちこちの教会の鐘楼から軽《かろ》やかな音がひびいてきた。

「あと三時間したら、その外国の王女さまがここにお着きになるという合図ですよ」

フーコ夫人は鐘音の数を指を折って数えるとおかみに説明した。

「あなた、見物に行かないの」

「行きませんよ、馬鹿馬鹿しい」

おかみは肩をすぼめ、馬鹿にしたように答えた。

だがそのくせ、フーコ夫人が店を出ていくと、彼女は急にそわそわとして店のなかを片附けはじめた。

「マルグリット、もう少したったら、あたしは出かけるから……お前、留守番しておくれ。怠けるんじゃないよ」

ストラスブール大聖堂前の広場には既に群集がつめかけていた。群集のなかにはサールブールやサベルヌのような離れた町から来た連中もいる。祭りの時に使うアルザス風の服をわざわざ着た一群の男女もまじっている。押しあう群集を馬にのった兵士が怒鳴りつけて整理する。午後三時にマリー・アントワネット姫を乗せた馬車とその一行とがここ大聖堂広場に到着するというのに、既に昼から群集は集まってきている。

真昼から彼等がつめかけたのは、自分たちの国の皇太子と結婚し、将来、仏蘭西《フランス》国王の妃となるオーストリアの娘を見たいためだけではなかった。あと二時間でその姿をここにあらわす若い姫は幾世紀にわたる戦乱に疲れはてたこれら民衆にとっては平和の象徴でもあったからである。

そう、彼等の仏蘭西とこの姫のオーストリアとは長い長い間、干戈《かんか》をまじえてきた。一七三三年にはポーランド王位継承をめぐって二年間戦い、一七四〇年にはオーストリアの王位継承問題からやはり二年間、争ってきた。そしておのれの愚行と戦費の重さに気づいた両国はやっと目がさめた。イギリスやプロイセンのような新興国を抑えるためにも、両国が手を握るほうが得なのだ。その友好の徴《しるし》としてフランス国王、ルイ十五世の孫とオーストリア女帝、マリア・テレジアの末娘とが結婚するのが望ましいのだ。

五月の薫風のなかに美しいブロンドの髪とあどけない顔をもったオーストリアの姫があらわれる。彼女は今、二つの国にとっても、この仏蘭西の民衆にとっても、小さな天使《アンジュ》のように見えてくる。間もなく姿をみせるその天使を悦ばせるために人々は花売りの商人から争って花を買う。楽隊も既に広場で待機している。

だが仏蘭西人たちはどんなことにも一応は吝《けち》をつけねば承知しない。一方ではこのように熱狂しているくせに、男たちはこの姫について野卑な話をそっと囁《ささや》きあっている。

「知っているかい。オーストリアからフランスに入る国境でよ、あのお姫さんが何をなさったと思う。身につけた衣裳《いしょう》も下着もみんな、ぬいでさ、仏蘭西のものに着がえる儀式があったんだぞ」

「本当かね。じゃあお姫さんは……」

「生れたままの丸裸を、……みんなの見ている前でよ……」

笑い声が起り、まわりの女たちが軽蔑《けいべつ》したようにふりかえった。

特別席として設けられた場所では、この市の上流階級の婦人たちが、やがてその前で跪《ひざまず》き頭をさげねばならぬその少女に関する情報を交換しあっている。

「お気の毒に……仏蘭西語はあまり、おできにならないそうですよ。御勉強のほうは、お小さい時からお好きじゃなかったようですね」

「じゃあ、どうなさるのかしら。この国にいらっして……陛下や殿下に御挨拶なさる時……」

「皇太子殿下とは別に仏蘭西語でお話になる必要はないんじゃありません？ 花婿と花嫁と

は別の言葉で……」

ここでも忍び笑いが起る。

パン屋のおかみはそうした群集のなかで、できるだけ見やすい場所を見つけようと歩きまわっていた。

パン屋の女中、マルグリットもそっと店をぬけだして、これらの人ごみのなかにひそかにまじっていた。そばには、利にさとい物売りたちが菓子や砂糖水や花束をならべた屋台を出し、母親につれられた子供が、その菓子をほしいとせがんでいる。

大教会の鐘がふたたび重々しく五つ鳴った。群集は歓声をあげ、手をならした。マリー・アントワネット姫とその行列は既にストラスブールのすぐ間近まで来られたという合図なのだ。その合図に応えて、街のすべての教会の鐘もなりひびいた。

「いったい、幾つなんだい。お姫さんは」

マルグリットのそばで、男が女房らしい女にたずねている。

「十四歳？　え、そんなに小さいのか」

十五歳のマルグリットはその男の声に突然、足をとめた。十四歳。十四歳。十四歳。自分とたった一つしか違わぬ女の子のために、これだけの人々が集まってくる。市長も司教たちも大聖堂の前で整列している。子供たちが花を入れた籠をかかえて待機している。街のすべての教会という教会の鐘が鳴る。

彼女はこの瞬間、間もなくあらわれるその十四歳の姫に妬《ねた》ましさを感じた。

（いやな子……）

その姫にくらべて自分は何というみじめさだろう。孤児院からパン屋のおかみに引きとられて、毎日毎日、パンを焼く竈《かまど》の前に灰まみれになってしゃがみ、店の掃除をし、洗濯をさせられる。マルグリットはマリー・アントワネットが憎くなった。嫌いになった……。

午後二時五十分。

遠くで祝砲が轟《とどろ》いた。ストラスブールのすべての教会の鐘の音が交錯して鳴りひびいた。広場から街をかこむ城壁まで並んだ群集からいっせいに歓呼の叫び声があがった。それらすべての音に驚いて大聖堂の屋根にとまった鳩の群れが五月の午後の空に双曲線を描きながら舞い散った。

楽隊が音楽を奏ではじめた。市長も司教たちも上流階級の男女も直立して行列の来るのを待った。

まず銀色の兜《かぶと》を陽にきらめかせ、銀色の槍を右手に持った騎馬兵たちが広場にあらわれた。そしてその背後から太鼓をならし、喇叭《ラッパ》を吹き、角笛を空にむけた軍楽隊がつづいた。幾台もの馬車がくる。それぞれの馬車には白く浮きだされた貴族たちの紋章がある。

群集たちのなかから溜息とも吐息ともつかぬ声が洩れ、それは波のように広場に拡がっていく。

遂にあらわれた。ガラス張りで金色に縁どられたオーストリア王女の馬車が。

灰色がかったブロンドの髪の姫が微笑《ほほえ》みながら軽く手を振っておられる。人々は酔ったように声をあげた。これほど可憐《かれん》で、これほど愛らしい姫だとは、誰一人として想像もしていなかったからだ。

少女たちがその馬車の車輪にむけて花びらを投げる。まかれた花びらの上を馬車は進む。小さなスイス親衛隊の服装をした少年たちがその馬車と並んで生真面目に行進していく。姫は楽しそうに微笑んでおられる。まだ十四歳だというのに、彼女はこの群集の嵐のような歓声も、街をあげての歓迎にも臆せず、ひるまず、無邪気に楽しんでおられるのだ。

「万歳《ヴィーヴ》、マリー・アントワネット姫」
「万歳《ヴィーヴ》、我々の王女《プランセス》」

群集の背の間からマルグリットはその微笑んだ姫の顔をきつい眼で見つめていた。

「嫌いだわ。あんな子は」

彼女は心のなかで呪《のろ》いの言葉をくりかえしていた。

「あんな子は……早く、死んじゃえばいい。早く、殺されたらいい」

その夜、ストラスブール市は王女マリー・アントワネットの眼を楽しませるため、街を流れるイル河に、花を飾り蠟燭《ろうそく》をともした舟をあまた流した。蠟燭のゆらぐ火影《ほかげ》が河面《かわも》に映え、川岸に集まった群集は大司教館のテラスにあらわれた彼女の姿を見て、また歓呼の叫びをあげた。

街に到着してからも、この十四歳の王女には休む暇などなかった。次々と挨拶にくる市長や聖職者たち、鷲《わし》のような顔の老婦人たちに微笑み、首をややかしげ、たどたどしい仏蘭西語で話しかけ、それから夕刻から始まった長い退屈な晩餐会《ばんさんかい》にも軽やかに嬉しげに振舞い――だが、まだ義務が終ったわけではなかった。晩餐会のあと、観劇会が催された。仏蘭西語がまだよく理解できぬ王女に、その芝居が面白かったか、どうか、わからない。だが彼女はそこでも微笑み、嬉しげな様子をみせていた。

観劇が終ると、既に真夜中ちかくになっていた。それでも彼女にはまだ休息することが許されない。舞踏場ではこの地方独特の舞踊を王女に披露するため、皆が待ちかまえているからだ。

この時刻、もう、とっくにパン屋の女中、マルグリットは屋根裏部屋で眠りこけていた。眠る前、この娘は今日の午後、人々の肩ごしにかい間みた王女の顔を思いだし、ふたたび妬ましさと羨《うらや》ましさとを嚙《か》みしめた……。

ストラスブールのあとナンシー、シャロン、ランス、ソワンソンと行く先々で王女は熱狂的な人々に囲まれる。どの街でも同じような顔をもった男が同じような歓迎の挨拶をした。どの街でも同じような飾りつけと同じような晩餐会や演説があった。どの街でも王女は同じように愛らしく微笑み、同じように楽しげに振舞った。

王女にとってそれらの行事はすべて苦痛だったのだろうか。いや、必ずしもそうとは言えない。彼女は彼女なりに充分、満足していたのである。自分だけが皆から注目され、自分のためだけに異国の民衆も貴族も集まり、手をふり声をあげている。それは十四歳の少女の虚栄心をやはり満足させたのだ。

（もう、わたくしは大人なのだわ）と。

ソワンソンからコンピエーニュの森に向う馬車のなかで彼女は金糸の刺繡《ししゅう》で飾られた肘《ひじ》かけ椅子に体を休めながら、自分の今おかれた境遇をゆっくり楽しんだ。馬車には二つの部屋があり、そのどちらも内部は華麗な寝室になっていた。

窓から見える五月の仏蘭西はうつくしかった。たかいポプラが川にそって並び、その梢《こずえ》のむこうに綿をちぎったような巻雲がひとつ、ふたつ、浮んでいる。小川のほとりの牧場で牛の群れが草をはみ、耕作地では農夫の一家が鍬《くわ》を動かすのをやめて通過する馬車と馬の行列に手をふった。

王女はもう自分がウィーンの王宮《ホーフブルグ》で子供扱いにされる小さなプランセスではなくなったことが嬉しかった。二十日前までは彼女は母マリア・テレジア女王の厳格な躾《しつけ》と勉強とを毎日、強いられていたのだ。

面倒臭かった独逸《ドイツ》語と仏蘭西語の学習。養育係の神父と女官とは踊りと歴史のほかは興味をもたない彼女にいつも溜息をついていた。大嫌いだった習字。それに母の女王陛下は甘えん坊のこの末っ子に身分ある者の持たねばならぬ心構えをいつも、きびしく言いきかせた。

（でも……もう、その年齢《とし》は終ったんだわ）

さむいオーストリア。さむい王宮。王女さま、それをなさってはなりませぬ。王女さま、お楽しみはお控えくださいますよう。王女さま、お声をたててお笑いになるのは品がありませぬ。

馬車の振動に身をまかせ、ポプラの樹に縁どられた路《みち》を走りながら、王女はその小さな頭で明日、コンピェーニュの森で仏蘭西王ルイ十五世と共に自分を待っておられる皇太子のお姿を思い描こうとした。

（どんな方かしら）

自分が一生を托《たく》す人、自分の夫となる方。彼女はそのひとの姿を三枚の版画と二枚の肖像画でしか知らない。ウィーン駐在の仏蘭西大使はそれらを彼女に恭しく見せながら、

「未来の国王にふさわしい方と存じます」

と言った。

その人はひょっとすると、……彼女は昨年の冬のある出来事を思いだす。彼女は王宮の庭園で一人の少年と遊んでいた。少年は宮廷楽団のコンサート・マスターの子供だった。

眼の大きな、利口そうなその子は王女の気に入った。女官たちの眼を逃れて二人は大理石を敷きつめた廻廊《かいろう》で鬼ごっこをした。

「ぼくは作曲をするんだ」

少年は誇らしげに言った。

「いつか、ぼくの作曲を聞かせてあげるよ」

「ほんとう？」

「ぼくらは結婚しようよ。君はいつか、ぼくのお嫁さんになるんだよ」

「ええ」

その子の名は……たしかアマデウス・モツアルトと言った。

あの利口そうな、眼の大きな少年。その少年の面影を王女は明日、出会うであろう仏蘭西皇太子の上にいつか重ねあわせていた。それほど王女の心にはまだ幼々《おさなおさな》したものが残っていたのである。


近衛《このえ》兵《へい》、軽騎兵の馬が二列に整列し、士官も兵も剣を胸にあてたまま、静かに行列が森の路にあらわれるのを待っていた。

ルイ十五世とその一族は儀装馬車の前にたち、その両側には盛装した貴族、女官が並んでいる。色とりどりの彼等の服装がみどり色の樹々のなかに鮮やかに浮きあがる。

森の遠くから角笛の音が聞えた。人々は耳をすます。その耳に森の奥からかすかにひびいてくる蹄《ひづめ》の規則ただしい音が伝わってくる。王女を乗せた王室出迎えの馬車が、近づいているのだ。

ルイ十五世は満足したように孫である皇太子をふりかえった。

「どうだ、嬉しいか」

小肥りの皇太子はかすかに何かを答えたがその声は王には聞えない。王の顔には若い頃の美男子だった面影がまだ残っているものの、既にその眼《ま》ぶたはふくらみ、皺《しわ》がより、その乱れた生活の疲労がにじみ出ていた。

王の三人の娘たち——皇太子にとっては叔母にあたる老嬢たちは、この時、たがいに顔をみあわせ、眼くばせをした。その意地悪げな表情をした彼女たちは、やがては王妃となるオーストリアの娘を王宮の笑い者にするか、それとも利用しようかと、ひそかに相談しあっていたのである。

士官が剣を五月の陽光にきらめかせながら斜めにあげた。と、喇叭手が喇叭を口にあてた。ブルボン王家の紋章をあざやかにつけた馬車が今、樹《こ》だちの間をぬい、こちらに向ってくる。太鼓が鳴る。喇叭がいっせいに響きわたる。馬車はゆっくりと停《とま》った。

その扉に鬘《かつら》をつけ、長い白い靴下をはいた儀典係が手をかけた。人々は固唾《かたず》をのみ、その扉のなかから今、姿をあらわす少女を見守った。

マリー・アントワネット王女は馬車からおりると可愛い首をかしげ、微笑んだ。

軽やかに、優雅に、一歩、一歩、王の前に近づき、膝《ひざ》をまげ、小さな頭をさげた。王は見ほれたように愛くるしいその顔に眼をおとし、両手で彼女を抱きおこし、

「国王の祝福と愛とをこめて……」

皆に聞えるように言うと笑いながら、その頰に口づけをした。

アントワネットも微笑んだまま、視線を王の傍らにぼんやり立っている小肥りの皇太子に移した。この人が……今日から自分のすべてを托するお方なのだ。

泣きはらしたように、まぶたのはれた青年。小肥りで、足もみじかい。近視なのか、眼のひかりも鈍く、どこか遠くか、あるいは自分とは関係のないものを見るように、彼女を眺めている。そして彼は彼女の手をとり、義務的にその顔を近づけた。

この時、一匹の虫が羽音をたてながら飛んできた。虫は皇太子のやや汗ばんだ顔のまわりを鈍い音をたてて飛びまわっている。当惑したような表情で彼はじっと立っていた。

この瞬間、王女のながい間の空想がすべて崩れおちた。夢をそそる何ものもないこの青年と自分は一生、暮さねばならぬことがわかったのである。

ふたたび喇叭が鳴りひびいた。士官の剣は五月の陽光にきらめき、兵士たちは銃を国王一族と自分たちの皇太子妃になるマリー・アントワネットに捧《ささ》げた。

「さあ《アロン》」

ルイ十五世は茫然としている王女を緊張しているのだと思った。彼はわざと親しげに彼女に腕をかし、馬車にむかって歩きはじめた。皇太子や三人の内親王がそれにつづき、少し距離をおいて出迎えた侍従、貴族、貴婦人の群れが動きはじめた。

王女はふたたび、あの愛らしい微笑を薔薇《ばら》色の頬にとり戻していた。だが誰一人としてこの十四歳の少女が婚約者から受けた最初の感情をおしはかれる筈はなかった。ひとびとには、どんなことがあっても微笑むこと――それが義務だとマリー・アントワネットは母からいつも教えられていたのである。

パン屋の女中マルグリットは竈に薪を放りこみながら、眼を幾度もこすった。薪が湿っているせいか、洩れてくる煙のため泪《なみだ》がしきりに出るのだ。

「なにをぐずぐずしているのさ」

おかみは階段の上で大声をたてた。

「竈に火をつけるだけでそんな手間がかかるのかい。まだ掃除もすませてないんだろ。雨にも濡れずこの家にいられるのは、誰のお蔭《かげ》だと思っているんだ」

鬼婆、とマルグリットは心のなかで怒鳴りかえした。

こみあげてくる怒りを抑えるため、彼女はようやくついた炎を睨みつける。紅の炎のなかに馬車が動いている。騎馬の兵士たちが進んでいる。馬車のなかに淡い空色の衣裳を着た王女が首をかしげ、手をふっている。

(あの子は働かなくていい。あの子は何でも買える。あの子は何でもできる)

マルグリットはそう、ひとりごとを言う。こうやって王女の姿を炎のなかに思い描きながら、自分の手の届かぬ自由をすべて持っている存在を妬むことが、この頃のマルグリットの生き甲斐《がい》にさえなりつつあった……。

いや、王女マリー・アントワネットには自由はなかった。もし自由があれば彼女は母マリア・テレジアに手紙を書き、気の進まぬ仏蘭西皇太子との結婚を考えなおしてほしいと頼んだかもしれない。もし王女マリー・アントワネットがパン屋のマルグリットと同じような庶民だったら、あまり好きにもなれない青年の手から逃げだすこともできた筈だ。

だが王女は王女なのだ。オーストリア王女と仏蘭西皇太子の結婚はあたり前の娘と青年との関係とはちがっていた。それは国と国との約束であり、政治のとり決めでもあったのだ。眼にみえぬ大きな力と運命から王女は逃れられぬ。きめられた軌道の外に飛び出ることは許されない。

五月十六日。晴れていた。雲一つなかった。

ヴェルサイユのルイ十四世教会は盛装した貴族や貴婦人たちで埋められた。咳《せき》の音、大きな手巾《ハンカチ》で鼻をかむ音が内陣のあちこちから聞えた。彼等はさきほどから皇太子ルイ・オーギュストと王女、マリー・アントワネットの結婚式をじっと待っているのである。

荘厳な光の束が正面と左右の色硝子《ビトロォ》の窓からさしこんでくる。オルガンの音がひくく、静かに内陣にながれている。

午後一時。

そのオルガンの音が突然、急激に高まった。少年合唱隊の合唱が波のようにうねり、押し寄せてきた。それを合図のように貴族たちは起立して、赤い帽子をかぶり、長い杖《つえ》を持ったエーモン大司教を先頭に入場してきた王室一族に稲穂のように頭をさげた。

大司教のうしろから国王がにこやかに一同に会釈される。その背後に花婿と花嫁が続く。金の刺繡で飾られたビロードの服をまとった皇太子はむしろ、この服を着ることにさえ当惑したような表情である。まるでこの結婚式も自分とは関係がないような顔つきなのだ。それは愛嬌《あいきょう》よく貴族たちに会釈する国王とはあまりに対照的で、また真白な衣裳に身を包み、優雅に微笑みながら祭壇に近づいていく王女アントワネットの可憐さをかえって浮びあがらせていた。

「なんて可愛いんでしょう《ケル・ミニオンヌ》」

人々の眼は皇太子ではなくこの花嫁にだけ集まった。心中ひそかに軽蔑していたオーストリアの王女がこれほど魅力ある花嫁になろうとは誰も思っていなかったのだ。「なんて美《ケル・ベル・》しいんでしょう《ケル・シャルマント》」あちこちで同じような囁きが泉のように起った。十四歳の少女はこの日、教会を埋めたすべての貴族たちの心をつかんでいた。

だがその教会のなかで一人の肉づきのいい女性だけがこの花嫁を一瞬――一瞬だが挑むような眼ざしで見つめた。国王ルイ十五世の愛人であるデュ・バリー夫人である。

下層階級に生れながら、貴族の男と結婚し、その男と別れ、更にルイ十五世の眼にとまって、この好色な王の愛人となりあがった彼女は当然、王宮《パレ》のなかで口さがない貴婦人たちから蔭口をきかれていた。だが寝室で王の肉体と心とをつかんでいる彼女に正面から歯向える女たちはいない。

そのデュ・バリー夫人も自分と同じように盛装した人々にまじって祭壇に進む小さな花嫁を眺めた。ダイヤひとつ以外にはその白い花嫁衣裳には何もつけていない。

にもかかわらず、王女の全身にはデュ・バリー夫人が既に失った若い生命力と若い美しさが泉のように溢《あふ》れている。夫人が持とうとして持てない生来の優雅さと気品とがどんな動きからも感じられる。あさの草花のような可憐な微笑み。若鹿のような軽やかな足どりがある。

夫人は一瞬、この少女に不安と敵意を感じた。ひょっとすると、この少女が明日から自分を王宮から追い出す強力な敵になるかもしれぬ。自分を国王から引き離そうとする策動家たちのいい道具になるかもしれぬ。

夫人は自分が挑むような眼で十四歳の王女を見つめていたのを感じた。彼女は馬鹿ではなかった。急いでその挑戦的な表情をかくし、彼女は他の貴族たちと同じように顔に祝福の笑いをつくった。

この結婚式のあと王や王族、そしてその時から彼女の生涯の夫となった皇太子との結婚誓約書にマリー・アントワネットが署名したたどたどしい文字が今なお保存されている。マリー・アントワネット・ジョゼファ・ジャンヌと書かれた稚拙なその署名。

この署名を彼女は成婚ミサのあとに書いた。そのミサのはじまる前、豪奢《ごうしゃ》な祭衣をまとった大司教は十三の銀貨と結婚指輪を祝福して皇太子に手わたしておごそかに訊《たず》ねた。

「汝はこの女を娶《めと》り、生涯の妻となすか」

金で縁どりした赤ビロードの敷物《カレ》に皇太子と王女とは跪き、王女の銀色の衣裳の袖が月光のように敷物の上に流れる。

「はい《ウイ》」

皇太子はにぶい声で答えた。

「汝はこの男に仕え、生涯の夫となすか」

王女は愛らしく無邪気にうなずく。この瞬間、二人は死ぬまで神以外に何ものも別《わか》つことはできぬ、というあの誓約をしてしまったのだ。この瞬間、二人は自分たちのこれからの運命について何ひとつ知らなかった。自分たちの未来に予想もしないような悲劇が起るとはまったく考えもしなかった。

アントワネットの可愛い薬指に指輪がはめられた時、合唱団がたからかに祝婚讃歌《さんか》を歌いはじめた。

ミサのあとヴェルサイユ教区の司祭が結婚記録簿をもってきた。国王に続いてマリー・アントワネットがペンをとった。彼女はたどたどしく自分の名をそこに書く。この時ペンからインクが落ち、羊皮紙の上にきたない染みをつけた。まるでそれはこの結婚の不幸を暗示し、幻滅した青年と生涯を共にさせられる彼女の心をあらわしているようだった……。

それから——。

そう、それからその日一日はヴェルサイユの宮殿は群集と貴族たちの人なみでごったがえした。この日は庶民《ジャン・ドュ・コマン》たちまでが、ヴェルサイユの庭園に入ることを許されたからだ。夜になってから大仕掛の花火が打ちあげられることになっていたのだが、夕方、突然、雨がふりはじめた。雨あしはその勢いを強め、群集は樹々のかげに避難したものの、やがて諦《あきら》めて引きあげていった。

雨がやがてあがった。宮殿の「観劇の間」から煌々《こうこう》たる光が洩れ、その光がまだ滴《しずく》の落ちている樹木の葉や叢《くさむら》をいきいきと浮びあがらせている。「観劇の間」では大晩餐会《グラン・クヴェール》が開かれているのだ。

国王ルイ十五世は上機嫌だった。彼は自分のテーブルに着座した二十人の陪食者に次々と語りかけ、冗談を言い、軽口をたたいた。花婿の皇太子はこの日はじめて満足そうな眼をして次々と運ばれる料理をながめ、忙しげに口を動かしていた。

その皇太子を花嫁のマリー・アントワネットは茫然として眺めていた。夢中になって食べているこの男。口を動かすたびに、そのこめかみまでが忙しげに動く。この男が自分の生涯の夫なのだ。

「どうされた」国王はその花嫁にたずねる。

「お疲れか」

「いいえ」

彼女は急いで頬に微笑をつくり、隣席のダルトワ伯爵におぼつかない仏蘭西語で話しかける。

「巴里をよく、御存知でいらっしゃいますか……」

国王は不安げに皇太子を見つめる。ひたすら食べているこの孫。孫は一体、今夜、寝床のなかで花嫁を悦ばす方法《すべ》を知っているのだろうか。

「もう、よされたほうがいい」国王はそっと囁く。「今夜のために、胃をもたれさせぬように……」

驚いたように皇太子は顔をあげた。

「え。なぜでしょう。わたくしは満腹したほうが、よく眠れるのですが」

その声を列席者は聞く。女性たちはとも角、男の貴族たちは顔をみあわせ、それから笑いを嚙み殺したのだった。

鹿の園

ながい晩餐会が終った時はもう真夜中ちかかった。

晩餐会の場所にあてられた「観劇の間」から国王と皇太子、そして皇太子妃になったばかりのマリー・アントワネット、内親王たちが貴族たちの敬礼を受けながら退出した。

余談だが当時の王室風俗として、王や王族が食事する様子を拝観することが貴族たちに許されていた。この日も直接、食卓につらなった者のほか、そうした拝観の客たちが廻廊にひしめいているのである。

その間をぬって国王ルイ十五世は、左右に皇太子とマリー・アントワネットを伴って初夜の寝室に連れていく。この日、最後の儀式を行うためである。

儀式というのは花婿である皇太子に寝衣をわたすことである。それはやがて自分のあとを継ぐ者の初夜を国王が認めるという証《あかし》だった。

一方、皇太子妃であるマリー・アントワネットの着がえを手伝うのは、最近、結婚をしたばかりの最も身分の高い貴婦人と決められていた。だから、この夜、シャルトル夫人がこの儀式を行った。

廻廊の貴族たちはこの二つの光景を拝観する権利を許されていたが、しかし国王が寝室を出ていかれたあとは残ることはできない。残ったのは今日の結婚式のミサをたてたフランスの大司教だけである。

大司教はおごそかに今日の花婿と花嫁とが初夜をおくる豪華なベッドに聖水をかけ、それを祝聖した。祝聖が終ると彼はうやうやしく手を合わせたまま寝室から退出した。鬘をかぶり、長い靴下をはいた従僕が寝室の扉をしめた。扉が重々しい音をたててしまうと、あとは深い静寂が残り、床《とこ》を共にする二人だけがとり残された。

十四歳のマリー・アントワネットがこの夜、どれほどの性的知識を持っていたか、誰にもわからない。おそらく彼女は当時、この年齢の並みの少女ほどにも性について何も知らず、知らされないように教育されてきたのであろう。それを教えるのはウィーンにいる母のテレジア女帝でもなく、また養育係の女官でもなかった。まして家庭教師ではあるが終生、独身を守る神父でもなかった。教えることのできるのはただ彼女とこの夜、同じ床に寝る夫だけだった筈である。

だがその夫――皇太子ルイ・オーギュストは眠そうに彼女を見て、儀礼的ないたわりの言葉を二つ、三つ、かけただけだった。たどたどしい仏蘭西《フランス》語でマリー・アントワネットはそれに答えた。彼女はむしろ寝衣のままの自分を見られることを恥ずかしがって、身をかたくしていた。十四歳の少女はまだ夫を燃えあがらせる方法《すべ》も知らず、また愛の言葉を言うほど仏蘭西語を習得していなかったのだ。ただ彼女は本能的にこの夜、なにかがあるのだと予感していた筈である。

その何かが、何なのかわからぬまま、マリー・アントワネットはそっと床に身を入れた。そして息をのみ、小さな胸の鼓動を感じながら待っていた……。

だが――。

だが蠟燭の火を無器用に吹き消した皇太子は、

「おやすみ」

そう言うと小肥りのあつい肉体を彼女のそばに横たえ、まもなく鼾《いびき》さえかいて眠りはじめた。

失望とそれから安心感とがマリー・アントワネットにも眠りをあたえた。今日の一日はこの少女にはあまりに長すぎ、あまりに多くのことがありすぎたのである。

マリー・アントワネットについて語る者はこの初夜の翌日、皇太子が灰色のクロース装幀《そうてい》の日記にしるした有名な一語を必ず引用する。

「書くことなし《リャン》」

皇太子はそう日記に書いたのだ。書くことなし、とは自分の結婚の日さえも彼にとって毎日のそれと同じような義務と儀礼の一日にすぎなかったという意味なのか、それとも私的な秘密や夜のひめごとをそこに記述することを避けたのか——それは誰にもわからない。

一方、その翌朝、ひとびとの前にあらわれた皇太子妃の顔は相変らず無邪気で、その頰に愛らしい微笑《ほほえ》みをたやさなかった。彼女はその日、あまたの廷臣たちや貴族にあらためて紹介され、その祝詞を受け、夜は「ペルセウス」というオペラを観劇した。退屈なそのオペラの間、マリー・アントワネットがあくびを怺《こら》えていることは誰にもわかった。だが昨日から埃《ほこり》のようにその心を覆いはじめた失望感に誰一人、気づくものはなかった。

性については何も知らぬ十四歳の娘でも、自分をはじめて抱いてくれる男には何かを夢み、何かを期待する。だが他の多くの人々を見るような眼つきで彼女を眺め、結婚の晩餐会ではひたすら食べつづけている夫からは、甘い陶酔をえることはできない。

そう、食べながら、こめかみまで動かしている男、床を共にしながら何もせず鼾をかいて眠ってしまう男、そんな男にしびれるような情熱を持つことは彼女にはできなかった。だがその男こそ未来の仏蘭西国王であり、マリー・アントワネットはその新妻なのだ。もはやレールは敷かれ、彼女の人生はそのレールの上を走ることだけに決められている。

翌日の夜も二人は勿論《もちろん》、ヴェルサイユ宮殿の豪奢な寝室の、豪華な寝台で共に寝た。だが何もなく、何もせず——時折、ふとった体を動かし、鼾を中断させる夫に背をむけて、彼女もまた、たった独りきりの夜を送った。そして次の朝は昨日と同じように、貴族たちの前で微笑み、うなずき、話しかけた……。

好奇心にみちた廷臣たちは数日後、花嫁が時折みせる淋しげな表情に気づく。

「お二人は……まだ、本当の御結婚をなさっていないようだぞ」

笑いをこらえ、表面は心配そうに彼等はそっと囁《ささや》きあう。噂《うわさ》はたちまち、宮殿のなかを波紋のように拡がっていく。

「御存知か。皇太子は今朝早く寝室を出られ、狩りに出られたことを」

「妃殿下《プランセス》を残されてか」

「そして、そのとり残された妃殿下はな……仔犬《こいぬ》とお一人で、遊んでおられた」

彼等はまた皇太子夫妻の寝室を掃除する下僕や女たちに金を与え、根ほり葉ほり、何か気づかなかったか、と訊ねる。

ウィーンの王宮でマリー・アントワネットの家庭教師を勤め、このヴェルサイユ宮殿にもつき添ってきたヴェルモン神父も噂を耳にした。彼はあわてて、婉曲《えんきょく》な手紙を書き送った。

「皇太子殿下は突然、すみやかに成長なされたため、かえって御体質が弱くなられ、たぶん、そのゆえと思われますが、その晩熟の御本能はまだ、まったく目ざめておられぬように見受けられます」

報告を受けたアントワネットの母、テレジアはみずから筆をとって、娘に妻としての仕え方を教える。あまりに皇太子に慇懃《いんぎん》でも、はじらってもいけません。辛抱づよく彼をあやし、励ましなさい——おそらく、これが母として書ける精一杯の表現だったろう。

あわれな皇太子、ルイ・オーギュスト。彼は決して新妻を嫌っていたのではなかった。その生涯をみると彼は善良すぎるほど善良な男である。善良ゆえに愚鈍にみえる——そんな性格の人間があるとすれば彼もその一人だったろう。

たしかに彼には子供の時から、やや利発とはみえぬ行動をする時があった。ミサの時、たった一人、拍子はずれの大声で聖歌を歌ったり、基督《キリスト》教徒が基督の神聖な体として口にうけるミサのパンをナイフで切って食べたなどという話が残っている。

だが考えてみると、そういう奇行や愚行も多くの子供にはよく見うけられることなのだ。それだけで彼を愚鈍な人間と決めつけるのは酷だと言えるだろう。彼はただ幼年時代や少年時代、普通の男の子たちより甘やかされて育ったため精神成長が遅かったと考えたほうがいい。

精神成長が遅い彼は十五歳でまだ女性にそれほど好奇心も興味も感じていなかった。オーストリアの王女を自分の花嫁として迎えても、まるで長い間、離れていた腹ちがいの妹に会った程度にしか考えなかったのであろう。

そして肉体の欲望のほうは——この時期にはまだわからなかったのだが、彼が包茎だったことを侍医が気づくようになる。しかしその包茎を彼が手術によって治したのは結婚してから数年後、既に彼が仏蘭西国王になってからだった。

こうして結婚最初の夜から皇太子夫妻はあまりに幼い、あまりに無知な形でその生活を続けていかねばならなかった。彼等は廷臣や貴族たちのひそかな笑いや蔭口の対象となっていたのである。

だが、それらの笑いや蔭口のなかで皇太子妃マリー・アントワネットは無邪気に微笑み、無邪気に人々に話しかけていた。彼女にはそうすることが天性のようだった。時折、さびしげに一人、仔犬と戯れることがあっても、彼女はむしろ、あかるい天真爛漫《らんまん》な女性にみえたのである。

皇太子の結婚式を祝う行事は一週間つづけられた。式の三日後にヴェルサイユ宮殿のなかで大舞踏会があった。盛装した貴族や貴婦人が夕刻から続々と集まった。あまたの燭台《しよくだい》の光に照らされた舞踏会場で彼等は宮廷附《づ》きの楽団の奏でるメヌエットに手を組み、華やかにおどった。

皇太子は慣例によって客の前で新妻と一曲、おどらねばならない。人々はつまずき、リズムにあわない彼の動きに笑いを嚙《か》みころした。そして肥った体に汗をかいた皇太子が宮廷でとりわけ舞踏の名手といわれたシャルトル公爵の手に妻を委《ゆだ》ねた時、一同はマリー・アントワネットの軽《かろ》やかな、たくみなステップに眼をみはった。上気した面《おも》ながの顔を心持ち、上に向け、皇太子妃は嬉しげにシャルトル公爵のリードに身を委《まか》せている。

皇太子といえば、ただ、それをぼんやり突っ立って眺めているだけである。このあまりに対照的な夫妻の姿が人々の眼をひいた。囁きや忍び笑いの声があちこちからそっと洩れた。

舞踏会が終りかける頃、貴族や貴婦人たちは次々と廻廊《かいろう》やテラスにむかって動きはじめた。大花火大会がはじまるからである。

五月の涼しい夜空に花びらのように花火がうちあがる。感嘆の声が宮廷の庭園に拡がった。

皇太子の紋章をそのまま火で描いた花火、風車のようにまわる花火、星のように空に散る花火。どよめきと笑い声が青葉の匂いを含んだ風にのって宮殿の庭園を流れる運河まで届いてくる。その運河のそばでは宮廷附きの楽隊が音楽をかなでていた。

祝宴、オペラ観劇、バレエ観劇、次々と皇太子の婚姻を祝う行事は毎日、くりひろげられた。

人々の噂や蔭口にかかわらず、皇太子妃アントワネットはいつも楽しげである。定められた催しものの一つ、一つに彼女は少女のように悦びながら出席した。楽しさを装っているのではなく、彼女は生来、はなやかなもの、享楽的なことが嫌いではなかったのだ。

もちろん、そんな彼女もむつかしい芝居に出席させられる時は退屈して、扇で口をかくしながら、そっとあくびをすることもあった。しかし、それだって夜、宮殿に戻り、皇太子と寝室でさし向いになるよりはましだった。

(わるい方《かた》じゃない)

彼女は夫が決して意地悪な青年でないことを感じていた。いや、逆に彼は彼女が今まで会ったことのないほど、お人好しで善良な人間なのだ。何を言っても怒らない。何をしても腹をたてない。

だがその善良さがアントワネットをかえって退屈がらせる。結婚してもう一週間になるが、二人きりになった時、この若夫婦は一度も心から話しあったことはない。すべての愛しあった恋人が味わうあの何時《いつ》までも二人だけでいたいという気持、夜を徹して語りあかしたいと思うあの感情を味わったこともない。

「つかれましたか」

「いいえ」

「ここの生活は気に入りましたか」

「はい」

夜、寝室を共にしている時でさえも、夫婦の会話はそれで途切れ、沈黙がつづき、そして皇太子は芯《しん》から眠そうに、あくびをすると、

「明日は狩りに行きます。私は早く起きるが、あなたはそのまま眠っていてください」

ひとりごとのように呟《つぶや》くと金の燭台の火を消すのだ。やがて、あの鼾がはじまる。高くなり、低くなり、マリー・アントワネットを寝つかせないあの鼾。彼女に舞踏会の夜おどったシャルトル公爵の端正な横顔をふと思い出させる鼾がいつまでも続くのだ……。

結婚式のすべての行事は終った。そして国王も貴族たちもふたたびヴェルサイユ宮殿の宮廷生活に戻った。
ヴェルサイユ宮殿――。今日でもここを訪れた者たちは今から約三百年前にこれほど豪奢な建築物が巴里《パリ》の郊外に建てられたことに驚くだろう。それは「朕は国家なり」と豪語できたほどの力を持った独裁王ルイ十四世の作品である。あまたの富を使い、あまたの労力を用い、沼を埋め、樹を植え、石を運ばせ、彼はここに権力と栄光の象徴である大宮殿をつくっ

た。宮殿のまわりを精緻《せいち》きわまりない庭園で囲んだ。

そこに集う貴族三千人、従者四千人、彼等は彼等だけにとって天国とも言うべきこの宮殿で独自の会話、独自の作法を使用して、いわゆる「宮廷生活」を行った。彼等は鏡をはりめぐらせた部屋や大理石の廊下を、きらびやかな衣裳《いしょう》をまとって歩き、めぐり、囁き、蔭口をきき、陰謀をたくらんだ。その衣《きぬ》ずれの音、その囁きの声を今は空虚になった宮殿に立つ時、我々はまだ聞くような気がする。

国王は勿論、皇太子と皇太子妃アントワネットの日常生活がはじまった。我々にとって珍妙な話だが、朝、国王が目ざめる時、貴族たちはこの寝室を覗《のぞ》くことができたのである。着がえする国王、洗面する国王、そして祈る国王の姿を貴族たちは恭しく眺めていたのだった。

皇太子妃マリー・アントワネットの日常は九時半か、十時の起床からはじまった。着がえをすまし、朝の祈りをする。そして朝食は一人ですませ（夫の皇太子は既にこの時刻、狩りに出ているか、彼の趣味である鍛冶《かじ》工場に出かけている）、義理の叔母、内親王の部屋に行く。そこで国王陛下の引見を受けることもある。十一時、髪の美容。十二時、朝のミサのため教会に行く。この時は戻ってきた皇太子と同行する。皇太子と共に昼餐《ちゅうさん》。午後三時頃までは夫と共に過すか、彼女は自分の部屋で自由にすごす。夕方には語学の勉強やピアノや歌の稽古、そしてそのあとはふたたび内親王たちと話をするか、散歩をする。九時、晩餐。十一時に就寝。

「これがわたくしの一日のきまりです」と彼女は手紙に書いている。

だがこの頃のマリー・アントワネットにはまだ子供の部分が残っていた。彼女は夕方、習わねばならぬ語学の勉強が好きではなかった。教師のヴェルモン神父が定刻に部屋にあらわれても、彼女はほとんど勉強に身を入れようとはしなかった。

それよりも彼女は夫の弟たち、自分とほぼ同じ年のプロヴァンス伯爵、アルトワ伯爵と芝居ごっこをして遊ぶほうが楽しかった。そんな時の彼女は、既に人妻となった女というより、まだ無邪気な女の子のようにさえ見えた。

だがその彼女にはひとつ、気がかりなことがあった。それは自分の結婚式のあとのさまざまな行事や催しの時、多くの貴婦人たちにまじって一人の女性が時折じっと自分を見ていたことだった。

幾分ほっそりとした女性である。だがその顔かたちにはゆたかな薔薇《ばら》のような魅力が発散していて他の貴婦人たちより目だったのだ。誰かに囁きかける時、笑いながら肯《うなず》く時、成熟した女の色気がある。

その女性が時折、自分をじっと見た。ただ見るだけでなく、好奇心のこもった眼で見る。

それだけではない。

そのまわりを、いつも、何人かの貴族や貴婦人がとりまいている。宮廷の高官たちもそのそばに寄ると恭しい態度をとる。

(いったい、あの方はどなたかしら)

彼女にはそれがふしぎだった。最初、彼女はそれを女官長のノワイユ伯爵夫人にたずねてみた。

と、このきびしい女官長の顔が一瞬、こわばった。

「あの方は……」

と女官長は口ごもった。

「あの方は……つまり、国王陛下を楽しませる方でございます」

国王陛下を楽しませる。この意味がよくわからなかったマリー・アントワネットは無邪気に叫んだ。

「では、私も、あの方の競争相手になれますわね……」

国王ルイ十五世が自分を可愛がってくれているとマリー・アントワネットは思っていたのだ。

だが間もなく、彼女はもう一つのふしぎなことを知った。その女性――デュ・バリー伯爵夫人は人妻の身でありながら、このヴェルサイユ宮殿で寝起きしている。しかもその部屋は国王の寝所の上にあるのだ。

ある夜、彼女はなにげなく自分の疑問を夫にたずねてみた。

夫は例によって、ぼんやりと、妻を見た。嘘の言えぬこの善良な青年は当惑げに、

「彼女は……国王陛下と寝室を共にする女性です」

そう答えた。

言いようのない嫌悪感がマリー・アントワネットの背を走った。まだ幼い彼女には女性が

夫ではない男（それがたとえ国王であれ）と同じ床で眠るなどは考えられなかったのだ。

彼女はこの時の嫌悪感を夫の叔母たちにうちあけた。そしてその女性が生れながらの貴族出身ではなく、巴里のいかがわしい商売の家の娘だったことを教えられた……。

ヴェルサイユ宮殿は太陽王、ルイ十四世以来、ある見方をすれば、王とそれをとりまく愛妾《しょう》たち、貴族と貴婦人たちの愛欲の火が燃えては消え、くろい炎をあげては灰となる情熱の世界でもあった。

ルイ十四世は王妃マリー・テレーズがありながら少なくとも四人の恋人を次々ととりかえた。最初の恋人は弟の妻、アンリエット・ダングルデール夫人。英国国王の娘として生れ、ルイ十四世の弟のフィリップと結婚したが、サド的な趣味を持ったこの夫とはうまくいかず、兄の国王と不義な関係を結ぶようになった。後に彼女は何者かに毒殺されたと伝えられている。

第二番目の恋人はルイーズ・ラ・ヴァリエール夫人。やや片足が悪かったようだが、楚々《そそ》たる美人で、無口で慎《つつま》しやかで、だが舞踏はとびきりうまかった。彼女は王との不義の恋に苦しみ、幾度も修道院に逃げている。そしてそのたびごとにルイ十四世から連れ戻されたが、遂に修道女として生涯を終えるようになる。

三番目の恋人はモンテスパン夫人である。若く結婚した彼女は、放蕩者《ほうとうもの》の夫から財産を奪われたためか、かえって野望に燃えて宮廷に入り、進んで国王に接近しようとした。今も残る夫人の肖像画をみると、豊かな体、肉づきのいい顔、すべてが成熟しきった女の魅力を発散しているが、彼女もそれなりの自信があったのであろう。

夫人はそのためにあえて黒ミサに出ることも辞さなかった。黒ミサとは基督教のミサとはまったく反対に、悪魔に魂を売るかわり、この世での利益と望みのすべてをかなえてもらう儀式である。そんな努力までして彼女は、王の恋人だったルイーズ・ラ・ヴァリエール夫人に勝ち、その寵愛《ちょうあい》を受けるようになった。ラ・ヴァリエール夫人は、悲しく修道院に生涯を捧《さき》げるべく、ヴェルサイユを去っていった。

だがこうしてかち獲た恋の勝利も十年つづいただけで、彼女もまた国王の寵愛を失うようになった。苦しんだモンテスパン夫人は、ふたたび黒ミサに出席し、生れたての捨て児を買ってこれを犠牲にし、自分の豊満な肉体を惜しげもなく全裸にして祭壇に横たえた。だが、この黒ミサ出席が発覚して彼女も永遠に宮廷から見捨てられてしまった……。

このルイ十四世の血を受けてか、ルイ十五世も国王となってから、多くの女性との浮名を次々と流しつづけた。彼が愛人たちとつくったハレムにも似た好色の世界は世に「鹿の園」と言われている。その「鹿の園」に最後に登場し、王をしっかりと摑《つか》まえて離さなくなったのがデュ・バリー夫人なのだ。

国王は夫人に溺《おぼ》れた。時には生娘のように時には淫婦のように王の心と肉体とを楽しませるこの女の虜になった。ながい間の好色の生活がたたり、むかしは端麗だったその顔がかえって老醜を感じさせるこの国王の衰えた肉欲も彼女にだけはかきたてられたのだ。

王は自分の寝所の上に彼女の寝室をつくった。それはヴェルサイユ宮殿のなかで公然の秘密になっていた。

ルイ十五世の寵愛を受けているデュ・バリー夫人のまわりには、出世欲にかられた廷臣や彼女におもねる貴婦人たちが集まるようになった。寝室でのむつ言のなかで夫人が国王の耳に吹きこむ言葉が、宮廷の政治を支配することもあるからだ。

「わたくし、あの方を……好きになれませんわ」

唇をとがらせるようにしてマリー・アントワネットが三人の内親王たちに、そう訴えた時、彼女たちは思わず顔をみあわせた。

内親王たちは言うまでもなくルイ十五世の娘たちである。国王には四人の娘がいたが、次女のルイーズは女子修道院のなかでも最もきびしいカルメル会の修道女になっていた。そしてヴェルサイユの宮殿には、若い頃の美貌を失い、雑巾のようにひからびて、意地悪になってしまった長女のアデライード、愚かだが善良な三女のヴィクトワール、そしてあまりに醜い四女のソフィの三人が住んでいた。

三人の内親王たちの部屋には結婚以来、マリー・アントワネットが毎日挨拶に来る。彼女たちの部屋で着がえもする。一緒に教会にもいく。食事前、トランプやゲームにもこの義理の叔母たちと興ずる。ほとんど毎晩、共に夜の食事をとる。三人の内親王たちは今は皇太子妃と一日の半分をすごすほど結びついていた。

「あの方と言うと？」

内親王たちは小さなマリー・アントワネットが誰のことを言っているのか、知りながら、わざと気づかぬふりをして、

「あの……デュ・バリー夫人のことかしら」

「ええ、もちろん。だって、いけないことですわ」

無邪気に顔を紅潮させて、マリー・アントワネットはかた言の仏蘭西語で自分の気持をのべはじめる。

「あの方はまるで、女王さまのように、お振舞いですもの」

「そうですよ」

長女のアデライード内親王は重々しくうなずき、

「お偉いのね。わたしたちが考えていることを、あなたはこの宮殿に来られて、すぐ、おわかりになったのですよ。もちろん国王陛下のお振舞いも決して良いとは言えません。でも、それはもともと、あのデュ・バリー夫人がそう仕向けたのですよ。悪いのは……本当はあの女性なのです」

「どうして」

小鳥のように首をかしげて、マリー・アントワネットは義理の叔母たちに、

「あの方に御忠告なさらないのですか。どうして、正しい道に戻るよう、おっしゃらないのですか」

「わたしたちに？」

眼くばせをしてアデライード内親王はわざと悲しげに眼を伏せた。

「それができると、お考えになるの？ わたしたちは内親王ですけれど……今のあなたに比べればこの宮廷では何の力もないのですよ。正しいことと思っても、力がないために何もできないのが、今のわたしたちの立場なのですよ」

マリー・アントワネットはまばたきをして三人の内親王たちをじっと見る。アデライードの妹たちは刺繡《ししゅう》をしながら黙っている。

「あなたなら」

アデライードは顔をあげ、力をこめて、

「わたしたちを助けてくださると思うわ。あなたはやがて未来の王妃におなりになる方なのですから」

「どういう風にでしょう」

「あの方に、自分が考えているほどの力がないことを教えてやって頂きたいわ、いえ、少なくとも貴族たちがあの女性をこわがらないように、して頂きたいの」

他の内親王たちは何も言わない。その沈黙が彼女たちも姉の意見に賛成しているようにみえた。

「でも、わたくしには……どうすればよいのか、わかりませんわ」

マリー・アントワネットは困ったように下をむいた。彼女はこの時、結婚前、ウィーンの王宮で母マリア・テレジアから何時も言われていた言葉を思いだした。

「いいですか。仏蘭西に行ったら、皇太子妃として次のことだけはお守りなさい。政治に干渉しないこと。他人に余計な世話をやかないこと。この二つさえ守っていれば、あなたは誰からも憎まれません」

だがその言葉が胸に甦《よみがえ》っても、アデライード内親王の「あなたなら、わたしたちを助けてくださると思うわ」という頼みは彼女の自尊心と虚栄心とをくすぐった。

「それに……あのデュ・バリー夫人は……いかがわしい家の生れなのですよ。だからみだらな血が、生れながらにあの女性の体を流れていると思いますよ」

アデライード内親王は皇太子妃の怒りに油をそそぐよう、宮殿で噂になっているデュ・バリー夫人の暗い秘密の過去を教えた。爵位を手に入れるために、デュ・バリーという貴族と結婚し、結婚するとすぐわかれ、手にした爵位を利用して、このヴェルサイユ宮殿に出入りしてきた女性だと言った。

「わたくし……」

とマリー・アントワネットは決心したように内親王たちに誓った。

「今日から、二度と、あの方とは口もききませんわ。会釈もいたしません」

「そう。そうして頂ければ、貴族たちもあなたが皇太子妃だ、ということを改めて知るでしょうね。そして、あの女性はきっと自分の思いあがりを恥じるでしょうね」

マリー・アントワネットが昼食の着がえをするために自分たちの部屋を出ていくと、アデライード内親王は笑いながら妹たちにこう言った。

「これから、面白く、なりますよ」

マリー・アントワネットは内親王たちの仕掛けた罠《わな》に何も気づかなかった。その夜、彼女の決心を聞かされた皇太子はそれに反対する気力もなく、ただ困惑したような表情をみせて黙っただけだった。

彼女は自分が善いことをするのだ、と思っていた。自分の力で内親王たちの悲しみを救い、宮廷の人々に正しいことを教えてやれるのだと考えた。

別の運命

朝がたの冷気がマルグリットの眼をさまさせた。彼女は乾いた藁《わら》に埋まった体を起して鼠のように怯《おび》えた眼でまわりを見まわした。

(あたし、逃げてきたんだわ)

その時、彼女は自分がもうあのパン屋の竈《かまど》の隅で寝ているのではないことに気がついた。そして昨夜からの出来事のひとつ、ひとつが頭にはっきりと甦った。

そう。彼女はあのパン屋から真夜中、逃げ出したのだ。真夜中、おかみさんが夜の食事に葡萄酒を飲みすぎて、だらしなく口をあけたまま眠りこけていた。その隙に大急ぎで自分の下着を包み、それを持って素早く店を出た。その情景のひとつ、ひとつが眼に浮んだ。死んだような夜の広場だった。見まわりの警吏が二人灯をともしたカンテラを持って辻々《つじつじ》を歩いていて、その警吏に見つからないよう、街をかこむ城壁にそって城門の一つにたどりついた。大教会の鐘が十なれば、その城門はしまる。彼女はすぐ叢《くさむら》のなかに身をかくして、警吏が軋《きし》んだ音をたてて門をしめるのを聴いた。

巴里に行こう。彼女はここから巴里まで、どれほどの道のりか、知らなかった。しかし巴里にはどんなことがあっても行こう。巴里にはすべての楽しみがあり、すべての贅沢《ぜいたく》があることはマルグリットも人から聞いて知っていた。どんな貧しい者もあの街にいけば、偶然のチャンスに恵まれ、今までのみじめな生活から抜け出られる、と教えられたこともあった。

もうパン屋の竈のそばで、おかみさんに怒鳴られ、叱られるのはたくさんだった。

(わたしだって……楽しみたいわ。わたしだって奇麗な着物を着たいわ)

まぶたに、あの日、金色の馬車でストラスブールにあらわれた少女マリー・アントワネットの顔がまた浮んだ。神さまはどうしてあの女の子にこの世のすべての倖《しあわ》せを与え、この自分にはみじめで、あわれな毎日をくださったのか、マルグリットにはわからない。彼女はそんな神さまを恨み、神さまを恨むと共に、マリー・アントワネットを憎んだ。

城門を出て三時間、足が茨《いばら》で傷つき、くたくたになるまで歩いた。肥しの臭い。畠《はたけ》の臭い。いくつもの寝しずまった村を通りすぎ、そして、もう歩けなくなった時、一軒の農家の納屋にもぐりこんだ。そして藁のなかに身を入れて、石のように眠りこけてしまったのだ……。

朝がきた。その藁を体につけたまま、彼女はそっと納屋の戸をあけた。

既に夜の黒い雲は割れて、空も地面も金色にそまっている。鶏小屋で鶏がないていた。

彼女はさっきから空腹をおぼえていた。咽喉《のど》も乾いていた。音をたてぬよう、鶏小屋に近づき、板の割目に手を入れて転がっている卵をとろうとした。鶏たちが怯えて、やかましく騒ぎはじめた。

手のなかの卵はまだあったかかった。彼女がその卵をポケットに入れた時、背後で物音がした。

驚いてふりむくと、農家の戸があいて上半身、裸の男が出てきた。間ぬけた、びっくりした顔をして男はマルグリットを見ると、

「おお《モン・デユウ》」

と大声をあげた。

マルグリットは走りだした。朝露で湿った畠を駆けて、息をきらしながら山毛欅《ぶな》の林に飛びこんだ。男はもう追いかけてはこなかった。

卵の端を石でわり、それを口にあてて吸いこんだ。吸いこみながら彼女は山猫のように眼を光らせ、まわりを見まわした。

街道の食堂「金獅子亭《リーオ》」で一人の商人風の男がテーブルに向きあっていた。空はよく晴れ、

小羊の毛のような巻雲がぽっかりと浮んでいた。

紳士はゆっくりとパンにパテをぬり、骨つきの羊の肉を器用に切り、それからテーブルの上においた葡萄酒の瓶《びん》をとってグラスになみなみとついだ。

いかにも食べることが好きそうな男だった。彼は今、前におかれた料理に満足のように手をこすりあわせた。

その満足そうな顔をあげて、ふと、街道のほうに眼をやった彼は、一人のうす汚い小娘が樹にもたれて、こっちをじっと見つめているのに気がついた。

よほど、ひもじいらしい、この小娘は自分が食事しようとする様子を羨《うらや》ましそうに眺めている。

「ほう……」

男は面白そうに彼女を見かえし、それからおもむろにナイフとフォークを手にとった。そして骨つきの小羊の肉を頬ばると、うまそうにその頬を動かしはじめた。

彼の考えは当っていた。小娘は樹にもたれたまま、喰い入るような眼で彼の手の動きを見ている。彼女が唾を飲みこみ溜息《ためいき》をつく音までが、ここまで聞えてくるようである。

ゆっくり舌つづみを打ちながら、男は肉をたいらげた。そしてナプキンで口をふき、葡萄酒をごくり、ごくりと咽喉をならしながら飲んだ。飲み終るともう一度、窓の外に眼をやった。

彼女がまだ立っているのを見ると、彼は頬に笑いをうかべ、指をならして店の主人をよんだ。

「勘定をたのむ。それからな、パンにバターをたっぷりぬって、くれないかね」

「パンにバターを？」

「そうだ」

勘定を払い、主人が手わたしたパンを受けとると彼は店を出た。

男が歩く姿を小娘は眼で追っていたが、

「お嬢さん《マムアゼール》」

急に足をとめた彼が笑いながら、

「よほど、お腹《なか》がすいているようだね。もしよかったら、このパンを食べないか」

そう言うと小娘は警戒したように樹のかげにかくれた。

「心配しなさんな。何も悪いことはせん。ただ、お前さんに、このパンをあげようと思っただけだ」

おずおずとパンを受けとった彼女は今度は野良犬のように、口を動かしはじめた。

「どうしたんだ。養ってくれる親はいないのか」

小娘が返事もせず、パンを食べ続けているので、

「家もないのか。仕事もないのか。それは困ったもんだ」

男はそう言ったまま、面白そうに彼女を見つめていた。

「どうやら、どこかを追い出されて行く当てもないらしいな。そうだろ」

彼はしばらく考えていたが、

「なんなら……わたしが助けてあげようか。わたしは今から巴里に戻るが……その巴里で働き口を見つけてあげよう」

微笑しながら彼女の肩に手をおいた。

瞬間、小娘ははじかれたように飛びさがった。

「そうか。そんならいい」

男は肩をすぼめた。そして巴里に向う馬車の待合室のほうに歩いていった。

だが彼は感じていた。この小娘がきっと自分のあとについてくるのを知っていた。

「ほれ、ごらん」

突然、うしろをふりむいて彼は声をたてて笑いだした。

「好運は逃がすんじゃないよ。路《みち》にいつも金貨は落ちていないんだから。さあ、おいで。巴里に行ったことはあるのか」

小娘は首をふった。

「大きな、素晴らしい町だぞ。働き口など、いくらでもあるさ。それにお前さんの悦びそうな美しいものを売っている店もたくさんある。だからな、正直で真面目に働けば、お前さんもきっと、ましな生活ができる。その上いい男とも結婚できるかもしれないよ」

彼女はもう逃げもせず、男の話に聞き耳をたてていた。男の声と言葉とは、まるで催眠術のように彼女の心をしびれさせ、夢想をかきたてた。

「わたしはね、善良な基督教徒《キリスト》だ。今、はやりの無神論者《アテ》や自由主義者《リベルタン》じゃない。毎日曜、ノートルダムの教会に出かけて、神父さんがまわす袋にきちんと寄附の金を入れる男さ。道でこうして出会ったお前さんを助けようという気持になったのも……まあ、それが神さまの教えだからだ」

馬車が乾いた路を音をたてながらあらわれた。とまった馬の体には汗が流れ、その口から泡が出ていた。若い御者は葡萄酒をひっかけに金獅子亭《リーオ》に姿を消した。やがて彼は皮袋を口にあてながら戻ってきた。

　ウィーンの姫さま、やってきた
　まもなく王妃《レーヌ》になるんだとさ
　おかげで戦争《ゲール》も終ったし
　おかげで生活《ヴィー》も楽になる

彼は流行歌を歌うと大声で、

「さあ、馬車に乗っとくれ」

男は小娘を促した。

「これからはお前さんも倖せになれるさ」

こうして……マルグリットは巴里に向う馬車にのりこんだ。

巴里までの四日間の旅――。

ラロック氏は――それがマルグリットを巴里に連れていくと約束した男の名だった――やさしかった。紳士的だった。

リュネビル、ナンシー、シャロン、そうした行くさきざきの町で彼はマルグリットを自分と同じ食卓に坐らせ、自分が食べるものと同じ料理を食べさせてくれた。ナンシーの町ではぼろをまとっていた彼女のために、小ざっぱりした服まで買ってくれた。

それに夜を送る旅籠《はたご》屋で彼は基督教徒らしく別々の部屋をとり、マルグリットに指一本、ふれようとしなかった。

「巴里で真面目に働けばな、お前もいい生活を送れるようになる。そして、いい男と結婚できるようになるさ」

ラロック氏は馬車のなかでも、旅籠屋でもいつもこの訓戒をくりかえす。マルグリットの心のなかで氷のように固かったものが少しずつ溶けて、今は素直にうなずくようにさえなっていた。

四日の後、セザンヌであたらしい馬にとりかえた馬車はようやく待望の巴里の街に入った。

「さあ、巴里《ヴォアラ・パリ》だぞ」

ラロック氏はマルグリットの肩に手をおいた。目を丸くした彼女は雑踏する人と馬車との群れに圧倒されていた。ストラスブールの街などでは想像もできぬ活気が、むんむんと通りにみちている。泥だらけの辻に市《いち》がたっていて、客をよぶ声が四方八方からひびいてくる。客が動きまわっている。

当時の巴里は人口五十万をはるかに超えていた。街は城壁にかこまれ、あまたの城門を通じて外部に出入りできるようになっていた。もし現在の日本人旅客が当時の巴里の広さを知りたければ、あのシャンゼリゼ通りが西端になり、サン・タントワーヌ街が東端の門にぶつかっていたと考えるとよい。だがこの頃、城外にもあたらしく庶民の町が拡がりつつあった。モンマルトルやラ・ルウルやヴォージラールなどは当時、城外にあって、少しずつ大きくなった下町だったのである。

巴里に着いたラロック氏は、すぐさまマルグリットを連れて花の都の最も華やかな女王通り《クール・ラ・レーヌ》を案内してくれた。それはチュイルリー宮殿のそばから現在のアルマ広場までのセーヌ河にそった路で、当時の巴里のなかでもとりわけ洒落《しゃれ》た通りだった。

この通りにはうつくしく楡《にれ》の木が植えられ、片側には流行の品々をならべた三、四階建ての商店や工房がずらりと並んでいた。そしてそれらの商店の前を長い帽子を乙にかぶった伊達男《だておとこ》たちが、あちこちに立ってそばを通る婦人たちを眼で追っていた。

「どうだね」

ラロック氏は得意そうに、ただもう口をぽかんとあけて周りを見まわしているマルグリットに話しかけた。

「今、あの馬車をおりた令嬢を見てみなさい。実に洒落た衣裳《いしょう》を着てるじゃないか。この巴里じゃ、あんな衣裳もすぐ手にはいる。お前だって……もうすぐ、着られるさ」

マルグリットの胸は悦びのあまり、風船のようにふくらんだ。催眠術にでもかかったように、彼女は次々と自分の前をすぎていく男や女たちの顔と服装とを眺めまわした。ストラスブールのような田舎町ではとても着る人のない、大胆で、華やかな衣裳をまとった彼等を見るだけでも、もうたまらなく倖せだった。

「巴里に来て……よかったろう。な」

満足そうにラロック氏は囁《ささや》いた。

彼はマルグリットの腕をとって、この女王通りからサン・トノレ街に向う小さな路に入った。

「そうそう……お前の働き口を見つけなくちゃならないな。幸い、親切な人を私は知っているが……」

やがてオテル・オルレアンと金文字で書いた旅館の扉を押した彼は、

「今日は《ボン・ジュール》」

誰もいない帳場で怒鳴ると、

「この家ではみんな、このラロックさんをお忘れのようだな」

この声をきいたのか、奥の部屋から、真白に化粧をした肥った女が扇を手にもってあらわれた。

「まあ、ピエール《モン・デュウ》」

彼女はそう叫ぶと、むきだしの腕をラロック氏の首にまわしてキスをした。

「いつ、戻ってきたのさ」

「たった今。一人じゃないよ。コブつきだ」

そして彼は笑いながらマルグリットを横眼でみて、

「あんたに、この娘さんを頼もうと思ったんでねえ」

「で、寄ったわけ。用がなければ来てくれないんだね」

しかし人のよさそうなこの肥った女は、笑いながらラロック氏の肩ごしに眼をつぶってみせた。

「でもねえ。あんたの頼みなら断わるわけにいかないからね。いいこと。わたしの名は、マダム・ラパン。みんな兎のおばさんと呼んでくれているよ。あんたの名は」

「マルグリット」

三人は帳場の奥の部屋に入った。それは兎のおばさんの居間で、壁には大きな鏡や船や黒人の絵が飾ってあり、まるい机の上にはジプシーの使う極彩色のトランプが散らばっていた。

兎のおばさんは機嫌よく、ラロック氏とマルグリットに李《すもも》の果実酒をふるまってくれた。

そしてラロック氏とたあいもない話をかわしながら、時々、チラッ、チラッとマルグリットを観察した。その眼は市で仔牛《こうし》を値ぶみする牛買いのようだった。

「そろそろ、さよならを言うかな」

一時間ほど時間をつぶすと、ラロック氏は欠伸《あくび》をしながら立ちあがった。そして何もわからず、彼と一緒に帰ろうとするマルグリットに、

「いやいや、お前は今日から、ここに住んでいいんだよ。面倒はみんな、この兎のおばさんが見てくれるからな。真面目にやれば……きっと、いいことがあるさ」

旅の間、言いきかせていた言葉をくりかえした。

「心配なんだよねえ」と兎のおばさんも慰めてくれた。「でも、ここの仕事はむつかしいもんじゃないよ。そう、花嫁学校だと思えばいい。いろんなことを勉強できる女の学校にちがいないんだから」

その日からマルグリットはこの兎のおばさんの「オテル・オルレアン」で生活するようになった。

おばさんは優しくって親切だった。パン屋のおかみのように怒鳴ったり、叩いたりしない。それどころか、マルグリットの今日までの身の上話をきくと、涙を目にいっぱいためて大きなハンカチで鼻をかみ、

「人間、いつも寒い日や雨の日とは限らないよ、晴れた日も必ずやってくるよ」

と自分に言いきかせるように呟《つぶや》いた。

マルグリットは最初の一週間ほどは、この小さな旅館の掃除をしたり、おばさんと客のた

め朝御飯をつくった。しかしはじめの頃はその朝御飯を部屋に運ぶのは、いつも兎のおばさんだった。

客のなかには泊るのではなく、夜あらわれて真夜中、出ていく男もいた。夕方になるとかならず、三、四人の女がおばさんの居間に入って、彼女とトランプをしたり、占いを見てもらったりしていた。だがその女たちは客がくると一人ずつ、居間から姿を消していった。マルグリットには彼女たちが何者であり、また客が来るたび、なぜ姿を消していくのかが、よく、わからなかった……。

一週間ほどたったある日、真夜中ちかく、ホテルの前で一台の馬車のとまる音がした。長い帽子を片手に持ち、肩飾りのついた胴衣《ブルボワン》と飾りひものある半ズボンを着て、半長靴《はんちょうか》をはいた男が扉を押して店に入ってきた。男の顔の色はひどく青白く、暗い影があった。

「おや、まあ、お殿さま」

兎のおばさんは帳場から大袈裟《おおげさ》に両手をひろげて迎え出た。

「長いこと、おいでにならないので、どうされたかと思っていましたよ」

男は唇をすこし歪《ゆが》めて皮肉に微笑した。

「例の失敗で……少し温和《おとな》しく、していなければならなかったのだ」

「本当に御運が悪う、ございましたねえ」

二人は燭台《しょくだい》を持って立っているマルグリットには眼もくれず、ひそひそと何かを話しあっていた。

やがて男を部屋に案内したおばさんは溜息をつきながら戻ってくると、

「困ったねえ」

と呟いた。

「侯爵さまのお世話をする女の子が、今夜は来ていないんだよ」

「侯爵《ムッシュ・ド・マルキ》さま？」

マルグリットはびっくりして小さな声をあげた。今の顔の青白い、暗い微笑をする男が侯爵さまとは思いもしなかったのである。

「そうだよ。あの方はアビニオンの近くに御領地をお持ちの……サド侯爵さまだよ。王さまや皇太子さまともお近づきさ。わたしたちとは身分が違うんだよ。その方のお世話をするだけでも光栄な話じゃないか……ねえ、マルグリット」

兎のおばさんは、いつもより、もっと優しい声をだした。

「あんた、行ってくれないかい。あのかたの部屋に……」

兎のおばさんは、陶器の水差しとそれから、なぜか紐《ひも》のついた皮袋とをマルグリットにわたした。

「ねえ、これを侯爵さまの部屋に運んでいって頂戴」

言われるままマルグリットは階段をのぼった。燭台がなかったから階段はひどく暗い。侯爵の部屋は突きあたりにある。

その部屋の扉を叩くと、

「誰だ《キ・エ・ラ》」

というひくい声が聞えた。名を言うと、鍵《かぎ》をまわす音がした。

サド侯爵は既に上衣《うわぎ》をぬいでズボンの上に真白な胴衣だけをつけていた。彼は暗い眼でじっとマルグリットの頭から足のさきまで見た。舐《な》めまわすようなその視線に彼女は思わず、体を震わせた。

「お入り」

侯爵の声にマルグリットはなにか抗《あらが》いがたい力を感じた。夢遊病者のように彼女は部屋のなかに入った。

部屋は侯爵の声のように暗く、陰気だった。金の飾りのついた寝台の上に大きなレースの蚊帳がたれさがり、その横のテーブルの上には侯爵がたった今、使ったらしい鵞《が》ペンと何枚かの紙片が散らばっていた。

「今まで会ったことがないが……あたらしい女の子か」

と侯爵はその鵞ペンを弄《もてあそ》びながらたずねた。

「どこから来た」

「ストラスブール……」

「逃げてきたのだな」

侯爵は虚空の一点を見ながら、まるでひとりごとのように呟いた。それからゆっくり、マルグリットに視線をむけて、

「怯えることはない。わたしは別にお前をとがめているのでもなければ、警察《フリック》に突きだすわけでもない。この私だって……つい、この間までは国王の警察に追われていた身だからね」

「警察に？」

マルグリットは眼を丸くした。侯爵という身分たかい人が自分たち貧しい者たちと同じように警察につかまるなど、とても考えられもしなかったのである。

(この人が……何かを盗むなんて)

十五歳の彼女のあわれな頭は警察といえば窃盗か万引としか結びつかなかった。

「わたしか……わたしは破廉恥罪で追われたのだ」

サド侯爵はそう説明すると、血色のない唇にひきつったような笑いを浮べた。

「侯爵さまが……」

「侯爵さまが……」サド侯爵は嘲《あざけ》るようにマルグリットの言葉をくりかえした。「わたしはたしかに侯爵だ。だがわたしは侯爵などよりも自由人《リベルタン》なのだ。リベルタン。お前にはこの意味がわかるか」

サド侯爵はまるで熱にうかされた者が譫言《うわごと》を言うようにひとりでしゃべりはじめた。それはマルグリットに聞かせるためではなく、自分の想念をまとめるために語り続けているのだった。

「わたしはこの社会を憎んでいる。この社会がくだらぬ秩序とくだらぬ宗教とで支えられているからだ。あの基督教は人間のすべての自由、すべての可能性を我々から奪《と》りあげてしまった。そしてやくざな正義、やくざな道徳律で人間を縛っている。この社会の秩序も同じことだ。神の意志の具現者は国王。その国王を助けるのが貴族。だからその秩序を乱す者は神の秩序を乱す者ということになる。わたしが警察に追われたのも、その秩序を攪乱《かくらん》したからだと言う。だが本当の秩序というのは、そんなやくざな秩序ではない。自然をみるといい。自然にはそんなくだらぬ秩序ではなく、もっと純粋、もっと生命力にみちみちた秩序がある。その秩序とは支配する者と……支配される者、主人と奴隷となのだ」

マルグリットは茫然として侯爵の口の動きを見つめていた。何を言っているのか、彼女にはさっぱりわからなかった。

（この人は……病気かしら）

侯爵は突然、口をつぐんだ。彼はこの時、はじめて自分の前に一人の小娘がいるのに気づいたように、

「お前は王制が好きか」

「王制？」

「国王や王妃や……皇太子や皇太子妃を。あの偽善的な連中が好きか」

マルグリットにはなぜ、こんなむつかしい質問をサド侯爵がしてきたのか理解できなかった。彼女は怯え、戸惑い、そして首をふった。

「あの子は……嫌い」

「あの子？」

「マリー・アントワネット」

侯爵の唇にゆがんだ微笑がゆっくりと浮んだ。

「そうか。嫌いか。お前は……どうやら、わたしと同じ意見らしいな」

彼はポケットから、まるい金貨をひとつ取りだした。

「褒美《ほうび》にこの金貨をやろう」

マルグリットはあとずさりをして、喰いいるような眼で侯爵の二本の指にはさまれた金貨を見つめた。

「嘘！」

「嘘ではない。ただし、お前が良い子であればだが……つまり、わたしの言うことに素直に従えばだが……」

「なにをすればいいの」

「その皮袋をおかし」

侯爵は兎のおばさんがマルグリットにわたした皮袋を受けとると、そのなかに白い、長い指を入れた。そして蛇つかいが蛇を籠からとり出すように長い麻縄を引きずり出した。

「お前は……」

彼はかすれた声で命じた。

「お前は……ただ、私にこの紐で……寝台《ベッド》に縛られるだけでいい。そうすれば……この金貨はお前のものになる。……ただ縛られるだけ。ただ縛られるだけ……」

しゃべりながら侯爵の眼が異様にギラギラと光り、その声が上擦りはじめたのにマルグリットは気づいた。狂人。そう狂人にちがいないと彼女は思った。

「嫌《いや》よ。嫌《いや》……」

彼女は恐怖にかられ、扉まで退《さが》っていった。

「この金貨がいらないのか」

「いらない」

「馬鹿だ。お前は」侯爵の顔は怒りのために紅潮し、その唇には唾が溜《たま》った。「お前もまた、やがて来る新しい世界の靴に踏みにじられていい虫けらの一匹だ。お前には何もわかっていない。間もなく、この社会などひっくりかえす革命がやってくる。人々は正義だの平等だの益《やく》たいもない言葉を使って国王や王妃や皇太子や皇太子妃を殺すだろう。だが誰一人として本心では社会の正義も平等も信じてはいないのだ。たしかなのはあたらしい支配者とそれに支配される奴隷ができるだけだ。お前のような奴は生れながらの奴隷。性根《しょうね》の底まで奴隷。そのあたらしい時代にも奴隷として生きるだけにすぎぬ女だ」

両手をひろげ、侯爵は眼を光らせながら彼女に近よってきた。その右手にはさきほどの麻縄が妖《あや》しくからみついていた。

夢中で部屋を飛び出たマルグリットは転ぶように暗い階段を駆けおりた。何かに蹴《け》つまずいて大きな音がした。

「どうしたんだね」

帳場に腰かけていた兎のおばさんがびっくりして立ちあがった。マルグリットは泣きじゃくりながらおばさんの胸に顔を埋《うず》めた。

「おう、おう、可哀想に」

兎のおばさんは彼女をだきしめながら、

「侯爵さまじゃあ、やっぱり刺激が強かったろうね。無理もないよ。まだ初めてなんだから。そのうちに馴れるさ。あの方だって普通のお客よりはずっと高いお金をくださるんだ……」

彼女はマルグリットをそこに残すと、旅館を出ていった。まもなく一人の女を何処《どこ》からか連れてきた。

「イボンヌ。たのむわよ。この子じゃあ、とても駄目なんだから」

「いいわよ。そのかわり料金は、はずんで頂戴よ」

イボンヌと呼ばれたその女は片目をつぶってみせると、階段をゆっくりのぼっていった。間もなく侯爵の部屋から異様な声が聞えてきた。猫のうなるような、低い……ながい呻《うめ》き声である。

この旅館がどんな種類の家か、十五歳のマルグリットにもやっとわかった。兎のおばさんがなぜ優しいのか、ラロック氏が「真面目に働けば、いい衣裳も買えるようになる」と言った意味も彼女は想像できたのだった……。

新婚の日々

夫の叔母たちとデュ・バリー夫人のことで約束をしたマリー・アントワネットはその夜、ウィーンの母、マリア・テレジア女帝に手紙を書いた。

「国王ともあろうお方が、あの愚かで無作法な女《ひと》であるデュ・バリー夫人へ興味を抱かれていると知って、わたくしはあわれでなりませんでした」

鵞ペンを走らせながら彼女はウィーンを出発する前に、くどいほどこの母がくりかえした幾つかの戒めの一つを思いだした。

「お前は仏蘭西《フランス》の王宮に入っても、いいですか、政治に口出しをしてはいけませんよ。そして他人に干渉してもなりません。気品ある皇太子妃《プランセス》はいつも争いのなかで、どちらにも味方しないものです」

その言葉を記憶に甦《よみがえ》らせた彼女はあわてて次のように書きくわえた。

「でも母上、わたくしはどちらの側にたっても、決してあのデュ・バリー夫人のことなどで失敗は致しません。御安心なさってくださいませ」

だが、手紙をルイ王家の金色の紋章のついた封筒に入れた途端、マリー・アントワネットは今、書いた言葉をすっかり忘れてしまったのだった……。

翌日の夕暮、ヴェルサイユ宮殿のあちこちの廻廊《かいろう》で、貴族や貴婦人たちはたった一つの話題で夢中になっていた。

「見たか。今日、あの時のデュ・バリー伯爵夫人の顔色を」

「それが……、見ておらぬのだ。詳しく教えてくれないか」

「いいとも。今日、謁見の間《ま》で……」

今日、謁見の間であたらしく着任したヴァチカン大使の謁見があった。国王ルイ十五世はその謁見を受けたあと、今度は皇太子、皇太子妃を左右にして、そのローマ法王庁大使を集まった諸貴族に紹介することになっていた。

国王たちが謁見の間の大理石の床をゆっくりと歩かれると、次々と貴族は頭をさげ、貴婦人たちは恭しく腰をかがめた。それらはすべて静かさと秩序のなかで行われた。

「コンティ公爵とその夫人だ」

国王は好色そうな表情でコンティ公爵夫人を眺め、

「ともに私の長い間の親友たちと申し上げたい」

と法王庁大使に彼等を紹介した。

貴族たちは辛抱づよく自分の順番のくるのを待っていた。

「クレルモン公爵は狩りの名手でな」

機嫌よいその声は静まりかえった広間の隅々まで聞えた。

「デュ・バリー伯爵夫人」

やがて国王がさりげなく自分の愛人を大使に教えた時、広間の静かさはかえって一層、ふかまった。

「その時だよ。皇太子妃が皆にもはっきりわかるように、デュ・バリー伯爵夫人から顔をそむけてね、ありありと蔑《さげす》みの表情をみせられたのだ。その表情は無作法と思えるほど露骨だったから……誰も息をのんだほどだった」

「で、相手の伯爵夫人はそれがわかったかね」

「わからない筈があるか。一瞬、彼女は驚愕《きょうがく》し、顔色あおざめ、それから炎のような怒りが顔に走ったからね。もちろん、それだけで、あとは何も起らなかったが」

「国王は……気づかれたのか」

「気づかれたろうな。だが、あのお方のことだ。何も知らぬふりをされ、例の軽口を我等にたたかれ、謁見の間を出ていかれた」

「皇太子は」

「皇太子？　いつもの如しさ。ぼんやりと、何も悟らず、何もわからず。だがこれは一騒動だぞ。デュ・バリー夫人を好かぬ輩《やから》は皇太子妃がよくぞ、やってくださったと小踊りをしている」

「そうだろうな」

人々は固唾《かたず》をのんで事の成行きを見守っていた。人々はあの可憐《かれん》にみえる少女に、こんな意地悪な一面もあったことを今、はじめて知ったのだった。

翌日も翌々日も宮殿が日常に行う行事のなかで、マリー・アントワネットのこの意地悪な一面を貴族たちははっきりと見ることができた。

マリー・アントワネットはひとことも——そう、ひとこともデュ・バリー夫人に声をかけない。デュ・バリー夫人が頭をさげ、膝《ひざ》をまげても、あたかもそれを見なかったように、その前を通過してしまう。

当時、このヴェルサイユ宮殿の作法では身分ひくい者が身分たかい相手に話しかけることは許されなかった。相手が声をかけてくれるまでは礼儀ただしく待っていなければならなかったのである。

人々の注目のなかで、デュ・バリー夫人は皇太子妃のつめたい黙殺を受けねばならなかった。皇太子妃マリー・アントワネットはこの国王の愛人の存在をまったく無視し、路傍の小石を見るような眼で眺めるだけだった。

内親王たちはひそかに会心の笑みを洩らした。オーストリアから来たこの少女が、あまりにもやすやすと自分たちの使嗾《しそう》にのったのだ。デュ・バリー夫人は毎日、毎日、恥をかいている。衆人監視のなかで辱しめられている。

「よく、やってくださったわ」とアデライード内親王は唇に笑いをうかべて妹たちに囁いた。

「どんな小石だって使いかたによっては役にたつものね」

マリー・アントワネットは得意だった。自分の身ぶり一つが人々の注目の的となり、このヴェルサイユ宮殿に大きな波紋を与えることを知って得意だった。

(わたくしは皇太子妃だわ。そしてやがてはフランスの王妃になる身だわ)

彼女はこの日々ほど自分に与えられた地位を感じたことはなかった。だが彼女はその地位がまわりに与える波紋の重大さに気づくには、まだ、あまりにも子供だったのである。

事件が遂に起った。

発端はショワジィの離宮で観劇の会が催された夜、起った。

その夜、定刻より少し遅れて、この会に出席したデュ・バリー伯爵夫人とその友人たちは、本来ならば当然、自分たちに与えられている特別席に、皇太子妃づきの女官グラモン夫人とその仲間とが腰かけているのに気がついた。

デュ・バリー夫人の小さな顔が強張《こわば》った。彼女はこの仕打ちがわざとされたのか、うっかりした過ちなのかを計りかねたまま、黙って立ちどまった。彼女をともなったミルボワ夫人が彼女にかわって、

「失礼でございますが」

とグラモン夫人に声をかけた。

「お席をお間違えのようですわね」

「あら、どうしてですの」グラモン夫人はわざと驚いたふりをして顔をあげた。「今日は特別席はございませんのよ」

「しかし、デュ・バリー伯爵夫人はそこにお坐りになる資格があると存じますけど」

「資格？　公式でもない観劇に資格などございますの」

グラモン夫人は笑いながら扇を動かして、

「もっとも国王陛下、皇太子、皇太子妃だけがそういう資格をお持ちだとは、わたくしも存じてますわよ。ええ、とりわけ皇太子妃が御出席でしたら、わたくしたち女官は勿論《もちろん》、この席には坐りはいたしません」

ミルボワ夫人の顔が屈辱と怒りとで歪んだ。彼女はマリー・アントワネット附《づ》きの女官であるグラモン夫人が何を当てこすっているのか、はっきり、わかったのである。

「デュ・バリー伯爵夫人は」

彼女はそう反撃するより仕方がなかった。

「今日のあなたの失礼なお言葉、決してお忘れにならないと思います」

「どうぞ御勝手に」

顔をひきつらせたままデュ・バリー伯爵夫人とその友人たちは後部のわるい席に歩いていった。忍び笑いがあちこちで起った。そして舞台の幕があいた時、彼女たちの姿はもうみえなかった。憤然としてデュ・バリー夫人は退席したのだった。

「わたくし、こう申しましたのよ」

翌日、自分の女官からこの出来事を聞いたマリー・アントワネットは誰かの悪戯話《いたずらばなし》を耳にした女学生のように吹き出して、笑いころげた。

「その時の、あの方のお顔ってございませんでしたわ。皇太子妃さまにそれをお見せしとうございました」

「仕方ないわ」とマリー・アントワネットはうなずいた。「あの方は今まで資格のない特権をお使いになりすぎたんですもの」

だが彼女は気づきもしなかった。その夜、国王の寝所の上にある彼女の寝室で、この女性がルイ十五世の腕に抱かれながら、涙ぐみ、すすり泣き、自分が受けた屈辱を訴えていたことを知らなかった。事は彼女の考えていたより大きな傷をこしらえてしまったのだ……。

無邪気による残酷さというものがある。マリー・アントワネットは自分の軽はずみな行動がどんなにルイ十五世を困らせ、彼女の母親を傷つけ、その母親から派遣されているオーストリア大使メルシーを驚かせたか、知らなかった。

夜の臥所《ふしど》で白い腕を自分の首にまきつけ、涙にかきくれながら訴えるデュ・バリー夫人の言葉をルイ十五世も拒むわけにはいかなかった。

「わたくしの立場、お考えくださいませ」

とデュ・バリー夫人はすすり泣いた。「皇太子妃はわたくしにひと言もお言葉をかけてくださいませぬ。満座のなかでわたくしを見てもくださいませぬ。わけは、よう存じております。それはただ、わたくしが陛下をこれほどお愛ししているからでございます」

「まだ、皇太子妃は子供だ」

国王はそう答えるより仕方がない。

「笑って……見のがすことはできないか」

「見のがすなど、大それたことを、わたくしが致します筈はございません。これが皇太子妃お一人のお仕打ちでしたら、わたくしも黙って耐えております。でも、……妃殿下附きの女官の方々までが、人々の見ている前で聞えよがしに侮辱いたしました時……」

彼女はこれ以上の屈辱を貴族の前で受けるぐらいなら、ヴェルサイユ宮殿から出ていきたいと泣きはじめる。すすり泣く彼女を見おろして、老醜を顔ににじませたルイ十五世は溜息《ためいき》をつくより仕方がなかった。

「では、こうしよう」

国王は幼い子をあやすようにデュ・バリー夫人のやわらかな背中をさすりながら呟《つぶや》いた。

「あなたを侮辱したグラモン夫人をこの宮殿に二度と来れないようにしよう」

ルイ十五世は自分の愛人が原因で起ったこの出来事を、できることなら、ひそかに処理したかった。彼はだからマリー・アントワネット附きの女官を追放することで事を丸くおさめようとしたのだった。

翌日の午前、グラモン夫人はきびしい顔をした女官長ノワイユ夫人から国王の蠟《ろう》の封印をした書状を突きつけられた。

いぶかしそうに視線をそれにおとしたグラモン夫人は鋭い叫び声をあげた。

「わたくしは」と女官長はつめたい表情を崩さなかった。「この御書状をあなたに渡すように命じられただけですよ」

午後、内親王たちの部屋に習慣で姿をあらわしたルイ十五世は、そこに蒼《あお》ざめた顔をした少女が頭をさげるのを見た。

十四歳の彼女は懸命に微笑《ほほえ》もうと努めたが強張った表情はかくせなかった。

「マダム・グラモンは二度とお目通りかないませぬ由、本当でしょうか」

「私はよく知らぬが、彼女がデュ・バリー夫人にいわれない無礼を働いたと耳にした。ヴェルサイユでは身分の上の者には礼儀を守らねばならぬ、それが宮廷の礼儀だから」

「でも……あのかたはわたくし附きの女官でございます。ですのにわたくし、なにも存じませんでした。彼女をやめさせることを……」

国王は当惑し、それは自分の責任ではないと弁解したあと、急いで部屋を出た。内親王たちはうつむいたまま、この二人の争いを見ていた。

「わたくしは陛下に失礼でしたでしょうか」

マリー・アントワネットは夫の叔母に不安そうにたずねた。

「いいえ。御心配はいりませんよ」とアデライード内親王はわざと真面目に首をふった。「あなたはね、正しいことをおっしゃったんですもの」

正しいことをしている。やっとマリー・アントワネットは安心する。自分にはこの内親王たちやすじの通った貴族たちが味方をしてくれている。この宮殿に来て、皇太子妃となって日はまだ浅いが、自分はその人たちのために正しいことを行ったのだ。

「有難うございます《ジュ・ヴ・ルメルスィ》」と彼女は嬉しそうにうなずいた。「内親王さまたちが助けてくださっ《セ・トゥ・タ・フェ・グラ》たおかげですわ《ース・ア・ヴ》」

もし、それが普通の夫だったら、自分の新妻のこの出すぎた行為——出すぎたと言うよりは女性特有の馬鹿げた正義感をたしなめたであろう。言うことを聞かねば、たとえ、結婚したばかりでも平手打ちの二つ、三つを加えるぐらいしたであろう。

だが、皇太子はその日、得意気にすべてを報告する妻の話を困惑した顔で聞いているだけだった。愚鈍な兄がお転婆の妹に圧倒されるように、彼は自分の妻を叱ったり、抑えたりする勇気がなかった。彼もまた事が大きくなり、わが身に迷惑がかからぬことだけを願っていたのだ。

グラモン夫人が追放された話はヴェルサイユ宮殿にたちまち拡がった。毎日を退屈している貴族たちは、この滑稽な事件を大いに楽しんでいた。ウィーンから来た小娘が事もあろうに国王陛下を当惑させている。当節これほど面白い見世物はないのである。

国王の困《こう》じ果てている姿を見た女官長はマリー・アントワネットの母国オーストリアの大使、メルシーに事情を伝えた。愕然とした大使はとるものもとりあえず、マリー・アントワネットに引見を願い出た。

「お母上様も痛く御心痛でございます」

大使は香水の匂いのつよいハンカチで額《ひたい》の汗をぬぐいながら、しどろもどろに呟いた。

「お母上様は、この小さな出来事が、やがてオーストリアと仏蘭西との外交と友好とにひびかぬかと御案じになっておられるのです」

だがマリー・アントワネットにはまだ自分の行為の波紋がよく、わからない。皇太子妃としての彼女の一挙一動が場合によっては国の政治にひびくことを知るには、まだあまりに子供っぽかったのである。

「その点、御賢察いただきまして……」

「よく、わかりましたわ。大使」

だがその夜の舞踏会でもマリー・アントワネットはデュ・バリー夫人の姿を見ると唇をきっと引きしめ、眼をそらせている。もちろん、ひと言も言葉をかけはしない。

デュ・バリー夫人の雪のようにしろい顔に憤怒《ふんぬ》の炎《ほむら》が一瞬、走る。彼女はもうこの生意気な娘を許すことはできなかった。

(思いしらせてやるわ。子供の火遊びがどんなに危ないか……)

可哀想なオーストリア大使メルシーは翌日から、あちこちを歩きまわらねばならなかった。仏蘭西外務省、外務大臣、デュ・バリー夫人の居室、そして最後にはその夫人の居室にルイ十五世が突然、姿をみせた。

「今日まで貴下はオーストリアの大使であったが」

国王は愛想よく、しかしメルシーに否《ノン》と言わせぬ威厳をもって命令した。

「これからは、しばし、余のために役にたって頂きたい。皇太子妃にはもちろん、余は満足している。申し分なく未来の仏蘭西王妃に相応《ふさわ》しい女性と思っている。ただ今少し、この宮廷の習慣、作法、礼節を身につけて頂ければ、余としてはこれ以上の倖《しあわ》せはない」

国王のこの言葉が何を意味し、何を暗示しているかメルシー大使もすぐわかった。汗をふきながら、大使は、

「畏《かしこ》まりました、陛下」

ふかく一礼して退出せざるをえなかったのである。

こうしてマリー・アントワネットの正義感と子供っぽさが早くも政治の問題にまで響きはじめた。

この前とはちがって、今度はきびしい態度で皇太子妃に引見を願い出たメルシー大使は事の重大さを彼女にはっきり教えねばならなかった。

「今度の御婚姻は皇太子妃さま御自身の問題だけでなく、二つの国の友好のしるしとして行われたものでございます。それゆえ、皇太子妃さまの御生活もこのしるしを更に強めるようなものであって頂きたく存じます」

むつかしい話、むつかしい言いまわしはマリー・アントワネットには苦手だった。メルシー大使の官僚的な説教を彼女ははじめ、うなずきながら聞いていたが、

「それで……大使、わかりやすく、おっしゃって頂けます？」

「この前、お願いしたことでございます。国王陛下はこの私だけでなく、お母上様とオーストリアにまで御不快を感じられておられるようでございます」

はじめてマリー・アントワネットは自分の軽はずみな行為が引き起した事の重大さに気がついた。

悪戯をみつかった子供のように、彼女はワッと声をあげて泣いた。両手を覆ったその手から泪《なみだ》がにじみ出た。メルシー大使は困った顔でそれを見つめていた……。

だが――。

メルシー大使の哀願やウィーンの母、マリア・テレジアの叱責《しっせき》にかかわらず、マリー・アントワネットはまだ、その頑《かたく》なな態度を改めようとはしなかった。

たしかに彼女には甘やかされて育った娘の持つ強情さがあった。一度すねると、誰が何と言っても、口を開かない子供のように、彼女は相変らずデュ・バリー夫人を無視しつづけた。

マリー・アントワネットはこの事件が宮殿のなかで注目されているのを感じていた。自分とデュ・バリー夫人との無言の戦いを廷臣や貴族たちのすべてが好奇心の眼で眺めているのも知っていた。それだけに自分が負けるのを皆に見られたくなかったのである。もし自分がデュ・バリー夫人に話しかければ、夫人の圧迫に自分が膝を屈したと貴族たちは思うだろう。

「おわかりですね」

狡《ずる》いアデライード内親王はアントワネットをそそのかせ、おだて、けしかけるのを忘れなかった。

「皇太子妃の威厳を廷臣たちにお見せになるべきですよ。それでないと、これから、あの人たちはあなたを軽《かる》んずるようになるでしょうから」

そう言われるとアントワネットはいかにメルシー大使が哀願し、ウィーンの母からきびしい手紙が届いても、今更自分の態度を改めるわけにはいかなかった。それにこのヴェルサイユ宮殿で他《ほか》に頼る者のいない彼女は、夫の叔母たちにあたる三人の内親王から嫌われたくはなかったのだ……。

夫の皇太子はこの問題について何ひとつ、口を出さなかった。まるで自分が圏外にいる者のように、事件にかかわりあうことを避けよう、避けようとしていた……。

ウィーン王宮の一室で、巴里《パリ》から戻ってきたメルシー大使は額に汗をにじませながら、事の次第すべてをマリー・アントワネットの母、マリア・テレジア女帝に報告していた。

「アントワネット妃殿下は内親王たちの御影響を少しくお受けすぎのように存じます。それに……御生来の御活潑さのあまり……」

メルシーが苦しそうにそこまで言って、白いハンカチで額の汗をふくと、

「遠慮はいりません。あなたが御自分の職務に忠実なことはよく知っています。娘のことで案じられる点があったら、すべて話してください」

と女帝は眉を曇らせながら促した。

「はい。御生来の御活潑さのあまり……たとえば女官たちの失敗を……声を出してお笑いになります。時には皆の面前で、はしたなく、おからかいになることもあります」

「あの子は……まだ子供時代の気分でいるのです。そうすることが、どんなに身分ひくい者の心を傷つけるか、わかっていないのです。あれは……まだ皇太子妃になったことが、わかっていないのです」

「申しあげにくいことですが……」

「かまいません。報告してください」

「妃殿下はこの頃……コルセットを身につけられることを……およしになりました」

メルシーは女性の前で口にできぬ言葉を言ったかのように、うつむき、自分の靴先を見つめた。

「コルセットを……」

「御存知のようにヴェルサイユの貴婦人たちは皆、コルセットを身につける習わしがございます」

「当然です」

女帝は顔をこわばらせて、ふかく、うなずいた。

「そして、今度はデュ・バリー夫人の件でございます。女帝陛下の御叱責にかかわらず、依然として妃殿下はデュ・バリー夫人に口をおききになりません。仏蘭西国王陛下は今は露《あら》わにはお口に出されませせぬが……この点について御不快なお気持、お持ちであること、言うまでもございませぬ」

「それが……」

テレジア女帝は虚空の一点をじっと見つめたまま、不安げにたずねた。

「このオーストリアと仏蘭西とに、折角できた友好関係を傷つける結果になるとお思いですか」

「場合によっては」メルシーはうなずいた。

「オーストリアはこれまで以上に仏蘭西の友情を必要としております。我々はポーランド分割のため、一応、プロイセン帝国に接近せねばなりませんが、それには仏蘭西の同意が必要でございます」

「では、あなたは、娘の軽はずみな行為がルイ十五世陛下のお怒りを招き――それがやがて両国関係にひびを入れるかもしれぬ、とお思いですね」

「はい」

女帝は椅子からすっくと立ちあがった。彼女が心に何かを決した時、いつも椅子からこのように立ちあがるのである。


マリー・アントワネットはこの頃、二輪の馬車をコンピェーニュの森で走らせることをおぼえた。できることなら、馬車ではなく、自ら馬の背にのり、思いきり疾駆したかった。

コンピェーニュの森。みどりの葉が馬車の左右を烈しい渓流のように流れていく。風がアントワネットの頬に当る。眼をつぶると、すべてが忘れられるような気がする。

(誰にも指図されないわ。誰からも命令されるのは嫌いだわ)

風を、樹木の匂いをふくんだ空気を胸いっぱい吸いこみ、彼女は強く、自分に言いきかせる。

(うるさいのは、大嫌い)

汗をふきふき、自分にデュ・バリー夫人に口をきけと哀願してくるあのメルシー大使。その大使が持参するウィーンの母の手紙。

「もう黙ってはおられませぬ。メルシーの忠言をあなたは無視し、国王陛下も希望され、あなたが義務としてせねばならぬことを充分、承知していながら、約束を破ったのです」

母マリア・テレジアの手紙は今までになくきびしく、烈しかった。一行、一行、一語、一語に怒りがにじんでいた。その文面が今、マリー・アントワネットの頭に甦《よみがえ》ってきた。

(お母さまは何も御存知ないくせに。わたくしが今、おかれている立場など、何もおわかりにならないくせに……)

彼女は母に叫びたかった。自分はもう大人だと。そして仏蘭西の皇太子妃だと。自分には皇太子妃としての権利と威厳とがあるのだと。

「もっと、馬を走らせて」

と彼女は御者に大声で命じた。その声に応じて御者は馬に鞭《むち》をいれた。樹々が飛ぶ。海のようなみどり色が流れる。背後からは護衛の五人の青年貴族たちが馬を疾駆させてくる。そのなかには結婚式の晩餐会《ばんさんかい》の折、彼女の相手をしてメヌエットを踊った宮廷一の舞踏の名手シャルトル公爵もまじっている。

（いいわ。いいわ。いいわ）

体の底から今まで味わったことのない快感が起り頭まで突きぬけていく。めくるめくようなこの悦《よろこ》びにマリー・アントワネットは酔う。この快感は何だろう。コンピェーニュの森の、むせかえるような樹木の匂いが彼女にそれを与えたのか。宮殿、メルシー、母の手紙――それらが締めつけてくるすべての拘束から今、馬車を走らせることでつかの間《ま》、解き放たれたのだろうか。彼女はコルセットをつけぬ胸をはずませ、眼をつむる。そして馬車がとまったあとも、じっと、その眼をあけない。

「妃殿下、御気分が……」

「いいえ」

彼女は馬車のまわりに集まった青年貴族たちに微笑む。薔薇《ばら》色にその可愛い顔が上気している。

こうして二年ちかくもマリー・アントワネットはデュ・バリー夫人に言葉をかけなかった。母のマリア・テレジアは最後の威嚇を行った。もしあなたがその強情さをなお続けるなら、わたくしはあなたがこの母の子であり、ウィーンのハプスブルグ王家の血を引く者が持つすべての権利を認めないでしょうと。

「わかりました」

この伝言を持ってきたメルシーにマリー・アントワネットは遂に屈服することを約束した。

一七七二年の元旦、彼女はその約束を遂に果した。

その元旦の日、伺候して新年の挨拶をのべる諸貴族や貴婦人たちの列の前を国王、皇太子と会釈して歩きながら、彼女はデュ・バリー夫人がデュ・ギュイヨン公爵夫人とミルボワ元帥夫人の間に立っているのを認めた。膝をかがめて頭をさげたデュ・バリー夫人に皇太子妃マリー・アントワネットが眼をそらせ、まるで話しかけているのか、ひとり言を言っているのかわからぬように呟いた次の言葉はあまりに有名である。

「ヴェルサイユは今日は、とても混雑していますこと……」

黄昏《たそがれ》のパレ・ロワイヤル

兎のおばさんは親切だった。ストラスブールのパン屋のおかみのように怒鳴ったり、罵《のの》したり、帚《ほうき》をふりあげて叩くというようなことは一度もしなかった。

「お前は本当にいい子だよ」

少し充血したはれぼったい眼に笑いをうかべながらおばさんはマルグリットをおだてた。

「そのうち、いい服や首飾をつけられるようにしてやるからね」

おばさんが彼女に命じた仕事は簡単だった。朝、ひとつ、ひとつの部屋に珈琲《コーヒー》をもっていく。ノックしてその珈琲を部屋のなかからさし出された女の手にわたす。それからおばさんと朝食をとったあと、そろそろ空《から》になった部屋の掃除をする。ベッドをなおし、水差しに水を入れ、床においてある尿器《ポ・ド・シャンブル》の始末をする。これが一日のうちでマルグリットには一番いやな仕事だったが、しかしそれらが終れば夕方まで暇だ。

暇な間、マルグリットはおばさんや女たちがトランプで遊ぶのを横にすわって眺めていた。

「お前も憶《おぼ》えてみないかい」

そう言われて彼女は生れて初めてカードというものを手にした。それは蛇や蛙《かえる》や三匹の狐などの絵の描いてあるふしぎなカードだった。おばさんはそれを使って時々、女たちの運勢を占ってやることがあった。

トランプのルールをマルグリットはすぐ憶えた。彼女は字も読めず、数字も知らなかったが、勝ち気な性格のためか、四、五日もするとおばさんに勝ち、遊びにきた女たちに勝った。

「頭も悪くないよ。この子は」

と兎のおばさんは女たちに自慢した。それからマルグリットの運勢も占ってくれた。

マルグリットはこの時はじめて、このトランプがジプシー専用のカードで、占う時は決して右手でトランプを切ってはならないことを知った。

「まず三枚、好きなように取ってごらん」

極彩色の青蛙と蛇と魔女のカードを卓子《ターブル》に並べ、更にその上に一枚ずつ、裏がえしにおい

た。おばさんはそれをひっくりかえすと、

「おや」

と驚いたように叫んだ。

「三日したら……、お前、とっても良いことが起きるよ。マルグリット」

「良いこと?」

「そう。お前は奇麗な着物を買えるんだよ。トランプにそう出ている」

それからおばさんは溜息をついて、

「ふしぎだねえ」

と呟いた。女たちは黙ってトランプを見つめていた。

奇麗な着物が三日後に買える。長い間の苦労で現実的になったマルグリットはおばさんの占いを半ば疑ったが、心の半分では夢のような気がした。ラロックさんに連れられて巴里に初めて足を踏み入れた日から今日まで、彼女は自分もまた、あのセーヌ河のほとりの女王通り《クール・ラ・レーヌ》を散策していた女性たちのように洒落《しゃれ》た姿をしてみたいとどれほど考えたろう。

それが三日後にできるとこのトランプは予言したのだ。

翌日はなにごともなかった。彼女はいつものように朝は客室の掃除をした。夜は酒瓶《さかびん》や陶器のコップを客と女とのために運んだ。翌々日も同じだった。

待望の三日目、午前中は何も起きなかった。兎のおばさんは自分の占いを忘れたように、「マルグリット。階段も掃除しておいておくれ」とか「マルグリット。空《あ》いた酒瓶はひとつ所に集めておいておくれ」と用事を言いつけている。そして夕方になると、窓を雨がぬらしはじめた。嫌な天気だった。帳場でおばさんは鍵《かぎ》をならべ、何かを書きこんでいた……。

扉の鈴がチンとちいさな音をたてて鳴った。諦《あきら》めて、うなだれていたマルグリットはハッとして顔をあげた。

十八歳ぐらいの青年と三十にちかい男との二人が扉をあけて入ってきた。青年は若々しかったがなぜか、その顔が真赤で肩で息をしていた。三十にちかい男のほうは痩《や》せた長身で、眼の光が鋭かった。

男はまわりを見まわし、手にしていたステッキで体を支えながら、

「生憎《あいにく》の雨だ。それに馬車が見あたらない」

「嫌な天気ですねえ」とおばさんは愛想を言った。「でも、部屋はみんな、ふさがっているんですよ」

男の鋭い眼は帳場の壁にかけてある部屋鍵に注がれた。空室のあることがその鍵を一目、見ただけでわかったのである。

「怪しい者じゃない。私はマラーという医者でね。この青年は助手だが、ルーアンに用があった帰り、昨日から熱を出したのだ。雨に濡らせば肺炎にかかってしまう」

「うちのホテルは」とおばさんは言いにくそうに答えた。「どの部屋もダブル・ベッドになっているんですよ」

「そうか」

マラーという医者は彼女の言った意味がわかったようだった。彼はポケットから金貨を出して帳場の机の上におくと、

「これで……足りないと言うのかね」

「とんでもない」

兎のおばさんは手を叩いて子供のように笑った。

「よいですとも。お部屋をなんとか作ってみましょう。でも一部屋しか都合がつきませんけど……」

「結構だね。私はこの椅子で夜が明けるまで休ませてもらうよ。ただこの青年には熱い湯にラムと蜂蜜《はちみつ》をまぜたものを飲ませてやってくれ。それに暖かい毛布だ」

おばさんは壁から鍵をはずして、熱のせいか頰の赤い青年に手わたすと、マルグリットを、

「廊下の奥の部屋だよ」

と促した。

「君の名は何と言うの」

「マルグリット」

彼女が熱湯をそそいだラムを部屋に運ぶと、青年は既に毛布で顎《あご》をうずめてベッドで寝ていた。

「マルグリットか、ぼくはギイと言う。ぼくの従妹《いとこ》も君と同じ名でね。それに、君そっくりの葡萄色の眼をしている」

マルグリットはこんな青年からやさしく話しかけられたのは初めてだったから、赤くなって部屋を出ようとした。

「こわがらなくていいさ。熱があるせいか一人でいるのが心細くてね。よかったら、もう少し、いてくれないかな。ラムを飲むのを手伝ってくれる」

彼女はおずおずと熱湯を入れたラム酒の茶碗を青年の口もとに持っていってやった。頭を持ちあげて青年は眼をつむり、鶏が水を飲む時のような顔つきで一口、一口、口にふくんだ。

「ぼくはね、医者の卵でね。マラー先生の下で働いているんだ。あの人は立派な先生で、医者だけじゃない。君たち働く者の味方なんだ。先生は革命を準備しているんだよ」

「革命？」

「わからないかい。わからないだろうなあ。この国の王や貴族たちは、長い年月、君たちを働かせ、取れる限りを取ってきた上に、君たちに反抗する気力、革命を行う力も奪ってしまったんだから。だが、いつか、君たちが、もっとましで、もっと人間らしい生活のできる日が来るよ」

この前のサド侯爵の時と同じようにマルグリットは青年が熱にうなされているのか、と思った。しかしサド侯爵に感じたような怖《おそ》ろしさや嫌悪感はまったくなかった。

「ごめんよ。得意になって、一人で演説なんかしちゃって」

医者のマラーは帳場の机におかれたジプシー用のトランプを珍しそうに眺めていた。

「ふしぎなカードだな」

「占いのためのトランプですよ」

金貨をもらった兎のおばさんは顔いっぱいに愛想笑いをうかべた。

「あんたが占うのかね」

「遊びでしてね」

「占ってくれないか」

おばさんはトランプを卓上に並べはじめた。そしてマラーは言われるままに一枚を指さしたり、二枚をぬいて置きかえたりした。

「素晴らしい御運ですよ。何もかも申し分ないし……何もかも、うまくいくし」

「そうかね」

男は信じていないらしく、皮肉な笑いをその肉のそげた頬に浮べた。

「いつ頃まで、私は生きるかね」

「一枚、ぬいて、ここにおいてくださいな」

男は細い知的な指でカードを一枚ぬいて、おばさんに見せた。兎のおばさんの顔から愛想笑いが消えた。顔色が蒼白《そうはく》になった。

「え？　どうした……。不吉なことでも出ているのかね」

「いいえ……」

「言いたまえ。私は何もこわがらぬ性格でね」

しかしおばさんは黙りこくっていた。なぜなら男が引いたそのカードは彼が何時《いつ》か――そう何時か誰かに殺害される運命をはっきり示す「黒い天使《アンジュ・ノワール》」だったからだった……。

燭台《しよくだい》の芯《しん》がじりじり焼ける音がした。蠟《ろう》は残り少なくなって小さな炎だけが蝶のように動いていた。

青年は軽い寝息をたてて眠っている。マルグリットはそっと両腕から顔を起し、そのまだ少年っぽい寝顔をじっと見つめた。彼女の栗色の乳首にはまだ彼の唇と舌との感触が一時間前そのままにはっきりと残っていた。

生れて初めての経験だった。男から肩にあつい息を吹きかけられたことも、息を吹きかけたその唇がゆっくりと首にのぼり、顎や頬や耳に言いようない快感を伴った感触が拡がったことも、そして金髪の頭が水を求める鹿のように烈しく動き、自分の乳房に強く押しつけられたことも、――すべてマルグリットには初めての経験だった。

「ああ」

青年の寝顔を見おろしながら、彼女は味わった感触と快感とを思い出した。その時、体をあつい火のようなものが走りぬけた。

彼女は口についた涎《よだれ》を片手でぬぐった。それから、のろのろとベッドから離れ、立ちあがった。

部屋を出て階段に出るとおどり場がほの白かった。もう朝が近い。帳場のランプが医師マラーの瘦せた背中を黒く浮きあがらせている。マラーは腕ぐみをしたまま眠っていた。兎のおばさんも自分の部屋に引きあげてこのホテルはかすかな物音もしない。他の客たちもそれぞれ部屋で女をだきながら寝ているのだ。

マルグリットは帳場の窓に顔を押しあてて乳白色の黎明《しののめ》の霧に包まれた通りを見つめていた。その霧のなかにマロニエの樹々が不機嫌な老人のように立っている。一台の荷馬車がなんのためか、こんなまだ早い時刻に、ゆっくりと前を通りすぎていった。馬の蹄《ひづめ》の音と石畳の路《みち》を軋《きし》む車輪の音とが、次第に次第に遠ざかっていった。

「今度の日曜日——誘いにくるよ」

その声が急にマルグリットの耳に甦《よみがえ》った。彼女の首に両手をまわし、顔にあつい息をかけながら青年が囁《ささや》いてくれたのである。その時、青年は眼をつむり、夢でもみている少年のような顔をしていた。本気で言ったのか、かすかな微睡《まどろみ》のなかで呟いたのか、わからない。

「今度の日曜日——誘いにくるよ」

マルグリットは窓に顔を強く押しつけ、その言葉をくりかえし、くりかえし、幾度も心のなかで反芻《はんすう》した。

やがて兎のおばさんが起きた。医師マラーも眼をさました。

「おや、マルグリット、お前、もう眼をさましていたのかい」

おばさんも医師マラーも何も気づいていなかった。マラーは青年の寝室にのぼり、マルグリットにあつい珈琲とパンとを運ばせた。彼女が部屋に入ると、青年はすっかり元気になってマラーの診察を受けていた。

「もう熱も引いたようだな。これならまず今日にはすっかり恢復《かいふく》するだろう」

彼女は青年の顔を見る勇気もなく、パンと珈琲を卓子《テーブル》におくと逃げるように部屋を出た。

二人が立ち去ったあと、ホテルが空虚《うつろ》になった気がした。客の部屋の掃除をしながらもあの青年のことばかりを考えている。特に青年の寝た寝室に足を踏み入れた時、痛いほど胸がしめつけられた。

窓から流れこむ午前の陽光のなかで、ながい間、彼女は部屋を出なかった。

「マルグリット、マルグリット」

おばさんが自分をよぶ声に彼女は自分をとり戻した。彼女は青年が使った枕に顔を埋《うず》め、ほのかに残っている彼の髪の匂いを嗅《か》ぎながら、あの熱い感触、あの熱い息、あの乳房に押しつけてきた彼の唇を思い出していたのだ。

「ギイ」と小さく——小さく彼女は青年の名をよんだ。「ギイ……」

「マルグリット」

いや、それは青年の声ではない。兎のおばさんの、あの人の良さそうな声だった。

「お前に、とってもいい話があるんだけど、おぼえているかい。この間のわたしの占いのこと……三日たったら、素晴らしいことが起きるって……わたし、言わなかったかしら」

「はい」

「おりてきてごらん」

階段の下でおばさんはキラキラ光る金貨を指にはさんでマルグリットを待っていた。

「さあ、これで奇麗な服を買いに行くんだよ」

その金貨は昨夜、あのマラー医師がおばさんに渡したものだった。

「奇麗な着物」

「そう。まあ、眼を丸くしている。この子は……」

奇麗な着物。日曜日。今度の日曜日に誘いにくる。青年の言葉がまた彼女の頭のなかで渦のようにくるくると回った。

「わたしの占いなんてね、当る時と当らない時があるけどね。昨夜はほんと、気味が悪かった。あの眼の鋭い、やせたお医者がね、冗談半分なんだろうけど……占ってくれと言うから……」

マルグリットはおばさんの話を聞いてはいなかった。彼女は日曜日、奇麗な着物を着て、その青年に会うことだけを考えていた。

「何が出たと思う。あの不吉な黒い天使《アンジュ・ノワール》のカードをあの医者が引いたんだよ。この札はね——引いた者がいつか、殺されることを教えているんだから。滅多にないことだもの。わたしは、もう、びっくりして、こわくって。あのマラーとか言うお医者はいつか殺されるかもしれない。誰かに……」

おばさんの口は自動人形のようにひとりで開いたり、閉じたりしている。マラーが誰かに殺されようが、殺されまいが、マルグリットには関心がなかった。

おばさんのホテルからは「パレ・ロワイヤル」も「女王通り《クール・ラ・レーヌ》」も遠くはなかった。だからその午後、遅目の昼食のあと、おばさんはマルグリットを伴ってパレ・ロワイヤルまで連れていってくれた。

パレ・ロワイヤルの周りは「女王通り」と同じようにこの口もあまたの馬車や人の群れで混雑していた。人々は昨夜の雨でぬかるんだ車道を急いで渡り、石畳を敷いた歩道を列をなして流れていった。たち並ぶ商店の前には露店が出て、大道芸人が怪しげな手品をやり、菓子、果物を売る女の叫び声があちこちからひびいてきた。

商店のなかで人気のあるのはカフェだった。カフェは一六五四年にはじめて巴里《パリ》にできたが、この頃はこの花の都の至るところに濫立していた。そこではたんに珈琲を飲むだけではなく、一杯の温かい飲みものをすすりながら新聞が読め、手紙も書けた。チェスやトランプに興じていても店の主人は何の文句も言わなかった。知識人たちはこのカフェに集まって、国王の体制を批判し、情報を交換し、そして革命について熱っぽい議論を闘わした。

兎のおばさんはマルグリットを一軒の婦人服店に連れていってくれた。おばさんとそこの店員とは前からの知りあいらしく、

「この子に似あうものがないかしら」

おばさんが片目をつぶっただけで、次から次へと色さまざまな服を持ってきた。

夢のなかにいるような気持だった。彼女は大きな姿見の前で店員のさしだした花のような服を体にあてて、顔を上気させ、唇をなめた。

「とても似あいますよ《サ・ヴァ・ビヤン・アヴェック・ヴー》、お嬢さん《マモアゼル》」

孤児院にいた頃のことが頭をかすめた。ストラスブールのパン屋で働いていた時。あの家を飛び出した夜のことが走馬燈のように頭をかすめた。ラロックさんの言ったことは本当だった。「巴里では真面目に働けば美しい衣裳《いしょう》も買える」

夢心地のなかで兎のおばさんと店員のすすめた服をえらんだ。

「まるでお姫さまのようだよ。マルグリット」

さっき、もらった金貨はいつの間にか消えていた。そのかわり彼女は倖《しあわ》せで、みち足りて洋服を入れた包みをかかえ、店を出た。

パレ・ロワイヤルの雑踏はさっきと同じだった。既に日は暮れかけ、ルーヴル宮殿の屋根が夕陽にきらめいてキラキラと赫《かがや》き、そしてその向うに裁判所の尖塔《せんとう》が鈍《にび》色の空を黒く鋭く刺していた。

その時、彼女は行きかう人の群れのなかにある姿をみた。

「あ　あ《オー・ディアブル》」

と彼女はおばさんがびっくりするほどの声をあげた。

あの青年が――ギイが一人の若い娘と腕をくんで、恋人らしく顔を近づけ、話しかけながら歩いていたのである。娘はほほえみながら彼にうなずいていた。

マルグリットは体を震わせた。それから足を糊《のり》づけされたように立ったまま、眼だけうつろに、青年と娘とがパレ・ロワイヤルの雑踏を歩いていくのをじっと見つめていた。通過する馬車が彼女の足に泥をかけたが、それにも気づかなかった。

「マルグリット。どうしたの」

おばさんはびっくりしたように訊《たず》ねた。それからマルグリットの視線の方向を眺め、はじめて何が起ったかを理解した。

「お前……」

彼女はうす笑いをその口に浮べた。

「可哀そうに。あの人に一目惚《ひとめぼ》れだったんだね」

彼女はマルグリットの背に手をまわし、

「さあ、帰ろう。人間に倖せなことはそう、ざらにないんだよ。奇麗な服が着られるようになったんだから、今日はこれで充分じゃないか」

仲のよい母と娘とのように、おばさんはマルグリットをいたわり、いたわり、ホテルに戻っていった。マルグリットがすすりあげ、次に泣き声を出しはじめると、おばさんは困ったように布を出して彼女に手わたした。

「ねえ、いつも言っているだろう。男なんか信じちゃ駄目だって。好きになって、信じちゃえば……男はね、我儘《わがまま》で勝手なことばかりするんだよ。信じられるのは、お金だけ。お金があれば、ほら、そんな服なんか十着でも二十着でも買えるんだから」

ホテルに戻るとまた雨が降りはじめた。もの憂い音をたて、こやみなく降る雨の音。その音を聞くのは裏切られたマルグリットには辛《つら》かった。彼女はまだ十五歳で、はじめて男を好きになり、その男に自分の栗色の乳首を吸わせたのだ。

「日曜日……」

それでもマルグリットはあのギイとよぶ青年を信じたかった。泳げない者が水のなかで眼の前にある何でも摑《つか》もうとするように、夢中で、必死で、あれが嘘だと思いこもうとした。

（そうさ、あの女の人、ギイの妹なのかもしれないんだ。従妹かもしれないんだ……）

と、心にほんの少し微光がさしこんできた。あの娘が青年の恋人だという確証はどこにもなかった。

（日曜日、ギイは来るよ）と彼女は自分に言いきかせた。（きっと、来るよ）

すると胸にさしこむ微光はさっきより、もっと、明るくなっていった。

彼女は手に入れたあの服を膝《ひざ》の上におき、そっとなでてみた。まるで赤ん坊の体にさわるようにおずおずと触れてみた。と、この服をまとって青年とパレ・ロワイヤルを歩く自分の姿が眼にうかんだ。

（負けるもんか。あんな娘に負けるもんか）

彼女はまた、ストラスブールを逃げた夜のように眼をギラギラと光らせた山猫のような顔つきになった。青年と一緒に親しげに歩いていた娘とマリー・アントワネットの姿とが重なりあう。自分の倖せを奪う相手はマルグリットにとってすべてマリー・アントワネットだった。

「可哀そうだねえ」

日曜日、兎のおばさんは女たちとトランプをやりながら皆に小声で説明した。

「まだ、今日、あの若い客が誘いに来ると思っているんだから」

彼女は帳場のほうにそっと視線を送った。そこでマルグリットは扉のほうを見つめながら、すり硝子《ガラス》に人影のうつるのを、扉の鈴がチンと音をたてるのをじっと待っているのだ。

「思いだすわねえ」と女の一人が悲しそうに、

「あたしも……あんな気持……持ったことがあった……」

「でも、この麻疹《はしか》さえすめば、あの子も客をとってくれるようになるよ」

おばさんはカードを眺めながら、うす笑いをうかべた。彼女はマルグリットの心も、これからも、すべて見通しているようだった。

昼がすぎた。午後になった。帳場からマルグリットは動かなかった。すり硝子に人影はうつらなかった。扉の鈴もチンと鳴らなかった。このホテルの客はみな、夜に姿をみせるのだ。

トランプを続けている兎のおばさんと女たちの耳に、マルグリットのすすり泣きが聞えてきた。すすり泣きの声は低く、長く、いつまでも続いた。みんな黙っていた。友人の手術がすむのを隣室でじっと待機している男たちのように、黙って、トランプを続けながら、待っていた。

扉をあけてマルグリットがひとり、外に出ていく物音がした。

「これでいいんだよ」と兎のおばさんは誰に言うともなしに小さく呟《つぶや》いた。「これでいいのさ」

マルグリットは歩きつづけた。カルーゼル広場を通りぬけ、セーヌ河の岸に出た。河には午後の陽があたり、そのきらめく流れに男たちが釣糸《つりいと》をたらして楽しんでいた。そのそばを足早やに通りぬけた。彼女は、今、自分が何処《どこ》に向っているのか知らなかった。何処でもいい。ただこの心の苦しさをまぎらわせるために、いつまでも、どこまでも、疲れきるまで歩きたかったのである。

やがて彼女は灰色のまるい広場に出た。広場はなぜか二、三十人の男女が集まって、何かを見物していた。

上半身、裸の一人の罪人が吊《つ》りさげられていた。若い罪人は両手を金具にくくられて吊されたまま、もう何時間もその苦痛に耐えているのだった。彼はくぼんだ眼をつぶり、時折、唇を舌でなめながら首だけを左右にふった。と、手首にはめられた鉄の鎖が軋んだ鈍い音をたてて鳴った。

罪人の公開刑罰を見るのはマルグリットには初めてではない。ストラスブールでも城門のそばで時折、公開の刑罰が群集の眼前で行われることがあったからである。

彼女はその男の苦痛に耐えた紙のように白い顔を群集の背後から見あげた。可哀そうという気持はなぜか起きなかった。その罪人の顔があの青年の顔に重なり、すべての男そのものになり彼女はそれを見ることで自分を裏切ったすべてのものに仕返しをしている快感さえ覚えてきたのだ。

(もっと苦しめ)

心の奥でそう囁く声がした。

(もっと、もっと、苦しめ)

彼女はじっと若い罪人を見つめていた。裸体の上半身にしとどに汗が流れている。苦しみに耐えかね、首をふるたび、鉄の鎖が音をたてる。

(みんな、こうなればいい。この男も、ギイも……それにあの子もこうなればいい)

彼女はあの子――マリー・アントワネットが罪人と同じように広場で吊りさげられればよいと思った。神さまはあの子にはすべての倖せと豊かな生活を与え、自分には辛いことと貧しさだけをくださるのだ。

やがて刑が終った。吊り台の下に立っていた二人の男がうしろをふり向いて手をあげ、

「ムッシュー・サンソン」

とよんだ。

サンソンとよばれた刑の執行人は刺繡《ししゅう》をした立派な制服をまとい三角の帽子をかぶっていた。ゆっくりと椅子から立ちあがると彼は、刑が終了したことを重々しく群集に告げた。

手首を締めつけている鉄の輪がまず、はずされ、罪人は二人の男に支えられて地面に横たわった。サンソンはやさしくその罪人になにかを話しかけ、葡萄酒を少し飲ませた。この有名な巴里の処刑人はもう代々、処刑執行を職業《なりわい》とする家に生れたのである。

群集はたち去りはじめた。もう、あとは馬車が来て、力つきた罪人を乗せて運んでいくだけだ。空虚な広場の真中にマルグリット一人だけが立っていた。

「どうしたのかね。お嬢さん」

彼女に気づいた刑吏サンソンは当惑したように声をかけた。

「早くお帰り。それに、これは若い娘が見るようなものじゃない」

その夜、はじめてマルグリットは金のため、男に体を与えた。

その男は頭の禿《は》げた、腹の出た商人だった。彼は陽気に兎のおばさんと抱きあい、女たちに話しかけ、それからリヨンから持ってきた小さな土産物を彼女たちに与えた。

彼はそのくせ一向にマルグリットを見ようとはしなかった。しかし、兎のおばさんがそっと彼女の耳にささやいた。

「モンテナックさんはお前が気に入っているんだよ。どう、お金、ほしくないかい。もし、お前さえその気になれば——もちろん、いやと言ったってい〳〵んだけど」

マルグリットは兎のおばさんの困ったような、哀願するような声を黙って聞いていた。聞きながら彼女のまぶたの裏に、自分に嘘をついた青年の寝顔が甦《よみがえ》っていた。

「ねえ、……もう男なんか信じちゃ駄目だよ。信じられるのは……お金だけだから」

マルグリットはうなずいた。その夜、彼女はそのモンテナックという男の肥った体にくみしかれながら、頬にひとすじの泪《なみだ》を流した。

空虚《うつろ》なる妻

メルシー大使と母マリア・テレジアとの哀願と叱責《しっせき》に負けたマリー・アントワネットは遂にデュ・バリー大人に口をきいた。

「ヴェルサイユは今日は、とても混雑していますこと……」

この一言《ひとこと》はそれから当分の間、宮殿のなかで人々の語り草になった。ルイ十五世は顔をほころばせ、デュ・バリー夫人は嬉しそうに彼女の仲間《グループ》の祝詞をうけ、そして内親王や反夫人派の面々は不快げに沈黙した。

だがその後は大方の予想に反して、皇太子妃はふたたびデュ・バリー夫人に声をかけようとはしていない。子供っぽい強情さを守りつづけ、彼女は以前と同じように国王の愛妾《あいしょう》を無視しつづけたのである。

この強情さの裏側には何があったのだろう。結婚しているとはいえ、まだ娘らしさを残したマリー・アントワネットの潔癖感がそこに動いたのだろうか。それとも「国王をたのしませる」技術を知っているデュ・バリー夫人への嫉妬心《しっとしん》も働いたのだろうか。

そう、この頃の彼女は皇太子から夜の生活でまったく「たのしませて」もらえなかったのだ。彼女の夫は、食べること、狩猟すること、そして自分の鍛冶《かじ》工房で鍛冶を打つことだけが毎日の生活だった。ヴェルサイユ宮殿のなかで花びらのように笑い、さざめく美しい貴婦人たちに、心を奪われることなど彼にはなかった。そして豪奢《ごうしゃ》な寝室のベッドの上で、新妻のマリー・アントワネットを抱いている時でも、彼はただ「義務だけ」で手を動かし、顔をちかづけるだけだった。

生涯、この夫と臥所《ふしど》を共にせねばならぬこと、あるいは生涯、女としての悦びを味わえぬかもしれぬという不満は、マリー・アントワネットの心に一日、一日とつのっていた。

その不満のはけ口が、自分よりはるかに女の快楽を知っているデュ・バリー夫人に無意識のうちにむけられたのかもしれぬ。だが彼女は自分のそうした無意識の心を見通すには、まだあまりに若すぎた……。

「わたくし、殿が毎日、鍛冶工場にお出ましになるのが、好きではございません」

ある日、眼がさめたマリー・アントワネットは寝床の上に身を起し、夫にはっきりとそう言った。

カーテンを通して洩れる陽のなかで妻の真剣な顔を見て、皇太子ルイ・オーギュストは怯《おび》えた表情をした。結婚して既に一年半、彼は自分がこの若い妻にすべての点で圧《お》されているのを日ごとに感じている。しかし自分よりは、はるかに廷臣たちの注目を受け、しかもあのデュ・バリー夫人にさえ我儘を押し通すことのできる彼女に、皇太子はいつか頭があがらなくなっていた。

「だが……あれは、私のただ、ひとつの趣味で……」

と彼は小さい声で弁解した。

「お身分に相応《ふさわ》しい趣味とは思えませんの。火の粉をあびたり焼けた鉄を叩くなど、いやしい職人のすることですもの」

「しかし、恥ずかしいことではないと思うが……」

「いえ、恥ずかしいことですわ」

マリー・アントワネットは夫の弱い声を押しかぶせるように強く言った。

「廷臣たちは決して鍛冶場に参られる殿下を立派とは思っておりませんわ。皇太子ともあられる方は、もっと優雅で、もっと高尚な趣味をお持ちになるべきだと申しております」

こんな時、マリー・アントワネットの顔はウィーンの母親、マリア・テレジアが子供たちを叱った時のそれとそっくりになった。

「だが、私は舞踏は嫌いだし……。不得手だし……。体もよく動かない」

「不得手なのは、練習あそばさないからでしょう?」

「今更、練習など……それはゆるしてくれないか」

夫が緩慢な声で、この言葉をつぶやいた途端、マリー・アントワネットは急に手で顔を覆い泣きはじめた。夫や恋人が自分の意のままにならぬ時、世のすべての女が使うあの狡猾《こうかつ》な手段《てだて》を彼女も本能的に用いたのである。

「わかりましたわ。殿下は、わたくしなど愛していらっしゃいません。わたくし、結局はこのひろい宮殿で一人ぼっちなのですわね」

皇太子は困惑したように、泣きじゃくる若い妻を眺めた。あまり機敏とはいえぬ彼の頭は、なぜ舞踏を習わぬこと、鍛冶場に行くことが妻を愛していないことと関係があるのか、さっぱり、理解できなかったのだ。

「私がわるかった」

仕方なく、皇太子は妻の背中に手をかけた。だがその手を払いのけるようにマリー・アントワネットは体をずらせた。

「わるかった。私をゆるしてくれ。あなたの言うように……これから舞踏にも身を入れよう。鍛冶場には顔をみせまい」

肩をふるわせ、すすり泣いていた妻がようやく泣き声をとめるまで、皇太子は背中をさすりつづけた。

「嬉しゅうございます」

彼女はまだ両手で顔を覆ったまま、うなずいてみせた。

「わたくし、ただ殿下がどんな貴族たちよりも優雅であって頂きたいのです」

彼女が嫌いなのは鍛冶場で働く夫の姿だけではなかった。自分を放《ほ》ったらかしにして朝早くからコンピエーニュの森に猟に出かけることだけでもなかった。夫の、ぶよぶよとした脂肪質の体。それがマリー・アントワネットにうとましかった。自分がとってきた狩りの獲物を料理させ、腹がくちくなるまでそれを食べる夫の食卓の動作も嫌だった。口を動かす時、そのこめかみまでが震える横顔も見たくなかった。

そして満腹すると、すぐに眠そうに欠伸《あくび》をする夫。たくみな話術で自分や貴婦人たちを楽しませてくれる方法《すべ》も知らず、クラヴサンを奏でることも、舞踏会で女性たちを軽《かろ》やかにリードすることもできぬ夫。

アントワネットは白分の夫がこの宮殿のなかの若い貴族たちに見劣りするのは耐えがたかった。彼女の耳には夫を蔑《さげす》む彼等の忍び笑いが聞えるような気がした。

「これからは」

ある日、宮殿の給仕長は皇太子妃によばれて、こう言いわたされた。

「殿下に甘いものをお出しせぬよう、気をくばってください」

「畏《かしこ》まりましたが……」

女官を通してではなく、じかに皇太子妃の指図を受けて恐縮した給仕長は、体をかたくして訊ねた。

「しかし、理由《わけ》をお聞かせ頂ければ……」

「わたくしはこれ以上……」

マリー・アントワネットは少しきびしい顔で答えた。

「殿下に肥って頂きたくないのです」

鍛冶場に行く楽しみと食べることの楽しみを妻に禁じられた皇太子の噂《うわさ》は、いつものことながらヴェルサイユの宮殿に拡がった。ひとびとはまた、好奇の眼で退屈げな皇太子の顔をながめ、面白がった。

だが無聊《ぶりよう》に耐えかねた皇太子ルイ・オーギュストは七月のある日、妻の眼をかすめて狩猟に出かけた。そして汗をかき、衣服を泥でよごし戻ってきた時、宮殿の廻廊《かいろう》にマリー・アントワネットが女官たちと立っているのに出会った。

怯えた皇太子にマリー・アントワネットは皮肉な言葉をかけた。

「一日中、女官たちと殿下を宮殿のなかでお探ししておりましたのよ」

「私は……コンピェーニュにいたものだから」

「おっしゃらなくても、そのお靴の泥でわかりますわ。わたくしとのお約束をお忘れになったことも」

女官だけでなく廻廊を通りかかった貴族や貴婦人たちも足をとめ、遠くから、ほかならぬ皇太子夫妻の口論《いさかい》を眺めていた。

狼狽《ろうばい》した皇太子は廻廊から夫妻の宮殿に逃げようとした。だがその夫のあとをマリー・アントワネットは足早やに追いかけた。

「わたくし、恥ずかしゅうございます」「お身分をお考えくださいませ」「わたくしたちの約束をこのように早くお破りになるとは思いませんでした」

人々の耳には夫を追いつめ、夫妻の居間の前で更になじっている皇太子妃の高い声と言葉とが、はっきりと聞えてきた。この模様をメルシー大使は後にウィーンに報告して次のように書いた。

「妃殿下は、あからさまに強く、皇太子殿下の御生活を批判なさいました」

扉のかげから、あわれな皇太子が泣きはじめた声まで皆の耳に伝わってきた。

翌日、この話は貴族たちのすべてが知っていた。

「皇太子殿下は妃殿下の尻にしかれておいでだ」と彼等は声をひそめ、笑った。

「お気の毒と言うべきか、仕方なしと言うべきか……」

たしかにこの頃が皇太子妃としてではなく、一人の若い妻として、マリー・アントワネットがその結婚生活に不安を感じた時期だった。

生涯つれそう夫を尊敬できぬこと、尊敬できぬだけでなく、時としては嫌悪感さえおぼえる妻。そんな妻が毎日、感ずる空虚《うつろ》なあの気持をマリー・アントワネットはこの頃、味わわねばならなかったのである。

だが彼女は普通の人妻ではなかった。彼女の背には仏蘭西《フランス》とオーストリアの友情の証《あかし》という荷が背負わされていた。よし、夫である皇太子ルイ・オーギュストに充《み》たされなくても、彼女はここを出てウィーンの母親のもとに戻るわけにはいかなかった。あるいはまた、このヴェルサイユ宮殿のなかで、時には露《あら》わに、時には隠微にくり展《ひろ》げられる貴族と貴婦人たちの情事や恋愛の真似をするわけにもいかなかった。未来の国王である皇太子の妻として彼女が規《のり》をはずれた情熱の世界に飛びこむことは周りも許さなかったし、彼女の自尊心も許さなかったのだ。

だが、この宮殿は、あまりに充たされぬマリー・アントワネットに刺激が多すぎた。国王ルイ十五世みずからが、多くの夫人たちに手をだし、デュ・バリー夫人との愛欲生活に浸っている。貴族たちもそれぞれ、この宮殿の内外《うちそと》で、自分たちの恋物語をつくりあげているのである。

マリー・アントワネットは自分が美しいことを知っていた。それは自分で認めなくても皇太子の弟たちや若い貴族が彼女を見る時の眼の光でわかった。彼女に声をかけられた時の彼等の顔が、雨あがりに突然、陽をうけた樹木のように生き生きとかがやくことでもわかった。だがその美しさを与えるただ一人の男が、あの皇太子なのだ。

みたされぬ心のうつろさ。その空虚感を誤魔化すために、彼女は女官長ノワイユ夫人やメルシー大使の困惑を無視して、コンピェーニュの森に若い貴族たちを従えて馬車を走らせた。できることなら彼女も馬車ではなく、思いきり馬を走らせたかった。この時期、彼女はたびたび、馬に乗り、しかも並足ではなく、存分に疾駆させて、母のマリア・テレジアから叱責の手紙を受けている。「乗馬は皮膚の色を損ねます」と……。

だが馬を走らせねばならぬマリー・アントワネットの心を誰もわかってはくれない。鞭《むち》を入れ、頰に風を受け、駆ける馬の上で何もかも忘れること。それが彼女の心のうつろさを埋めるただ一つの方法だったのだ。

やむなく馬車でコンピエーニュの森に出かけるようになってから、彼女の楽しみは若い貴族たちに自分を追いかけさせることだった。彼女は彼等のために冷肉や菓子や果物をあまた用意させた。

みどりが海のように溢《あふ》れる森のなかで馬車をとめる。若い貴族たちはその馬車の周りに集まる。彼等の乗った馬はたがいにぶつかり、そして鼻をならす。

自分を見あげる若い男たちの眼差《まなざ》し。それはマリー・アントワネットの女としての気持を一時的だが満足させてくれた。彼等が自分を皇太子妃としてではなく、一人の女として見ているこの瞬間は楽しかった。彼女はここでは誰はばかることなく、彼等をからかい、それとなく思わせぶりな言葉も口にすることができた。

「わたくしの馬車に一番はやく追いつかれた方はどなたかしら」

「私でございます。妃殿下」

「嬉しく思いますわ。あなたが頼り甲斐《がい》のある方《かた》だとわかりましたもの」

その一言だけで若い子爵の顔は倖《しあわ》せにかがやく。その倖せにかがやいた青年の顔を見ながら、マリー・アントワネットは急に彼を苛《いじ》めてみたいという女特有の衝動にかられる。

「でも……」

と彼女はわざと微笑《ほほえ》んで、

「あなたが馬に乗られるほど、舞踏もお上手だったらもっと素晴らしいでしょうにね。馬よりも舞踏の巧みな殿方のほうに……わたくしのような女は心をひかれるのですもの」

嬉しそうだった青年の表情がこの言葉で、突然、悲しげに曇ってしまう。自分の一挙一動とさりげない言葉が若い男たちの心を自由に操ることができるのを知って、マリー・アントワネットは面白がった。だが彼女は知らなかったのである。青年貴族のなかには恋の駆け引きでは場数を踏み、熟達したドン・ファンのいることを……。

それはシャルトル公爵だった。青年貴族たちのなかでも、とりわけ舞踏の名手と言われた彼は、マリー・アントワネットにとって最初の舞踏会だったあの五月十九日、パートナーに選ばれた一人である。初々しい皇太子妃と彼とがおどったメヌエットはまだ宮殿のなかで人々の語り草になっている。公爵のたくみなリードが皇太子妃を一層、可憐《かれん》に、軽快に、優雅にみせたからである。

コンピエーニュの森で皇太子妃が青年貴族たちの心を操り人形のように動かしながら面白がっている時、彼はそこにいた。若い子爵を得意がらせ、得意がらせたあと、苦しがらせて悦んでいる皇太子妃の横顔を彼はその時、じっと見ていた。皇太子妃のしろい幅ひろい帽子に陽があたり、その葡萄色の眼に悪戯《いたずら》っぽい光がうかんだのを彼は見逃さなかった。彼女が一人の女としての悦びをひそかに楽しんでいることも、公爵はすぐに見てとった。

この女性を屈服させてみよう、とその瞬間彼は決心した。勝ち誇ったようなこの眼に哀願の光を動かせてみようと彼はひそかに考えた。

公爵は他の若い貴族たちのように色恋の数を誇る馬鹿ではなかった。何十人の女をわがものにしたことを自慢するほど愚かではなかった。恋に恋する鈍い処女、みさかいなく、すぐに身を委《まか》せるみだらな女など何人、この腕にだいたところで、それは男の勝利にはならなかった。本当の色恋の駆け引きとは、身を守るにかたい女性をあらゆる心の術策を使って陥落させることにあった。あるいは、さまざまな男の誘惑にあき、あらゆる男の手練手管を知りつくしている女性の心を、なお、こちらに向かせることにあった。

（だから……）

と彼はその日、コンピエーニュからヴェルサイユ宮殿に戻る貴族たちにまじり汗ばんだ馬の手綱を持ちながらわが心に言いきかせた。

（だから……皇太子妃の御心《みこころ》を俺に向けさせることは、やり甲斐があるな）

皇太子妃は他の貴婦人たちとはちがう。御自分の好むまま別の世界に飛びこめないお立場にある。あのお方はたとえ、青年貴族たちをお口ではからかっておられても、それ以上のことはできぬ身分なのだ。そして彼女はそのことを充分、御承知なのだ。

その皇太子妃の心を動かしてみせること、それがむつかしければ、むつかしいほど、シャルトル公爵には楽しいように思えた……。

「私はこれからある興味ある仕事にかかろうと思う」

とその夜、シャルトル公爵は自分の館《やかた》で鵞《が》ペンを走らせた。

「そう、誘惑とは戦争と同じなのである。綿密な計画と敵の反応を観察することと大胆な行動がすべての戦《いくさ》に大切なように、あのお方の心を引くためには私はすべてを計算してからねばならぬ。

これはまた自分の感情の鍛錬でもある。なぜなら本当の感情は決して表に出さぬことが恋の駆け引きには大切だからだ。自分が恋いこがれていることをその表情にみせてはならぬ場合がある。そんな時はあくまで、つめたく、よそよそしくせねばならぬ。嫉妬に燃えている時でも、快活を装い、まったくそれに気づかぬふりをせねばならぬ。それらはすべて綿密な計画に則してやるべきだ。だから、あのお方を誘惑することは、私にとって感情の鍛錬にもなる。

誘惑とは戦争と同じである。自分の攻撃に相手がどのような影響を受けたか、どのような反応を示すかを観察し、見守り、その後に次の行動にかからねばならない」

公爵はそこまで書くと鵞ペンを持ったまま、じっと机の上の燭台《しよくだい》をみた。

今、書いたこと、それは彼の独創的な意見ではなかった。公爵は巴里《パリ》で「自由人《リベルタン》」と自称するグループと幾度も会ったことがあるが、その自由人《リベルタン》のグループの一人がこれと同じようなことを口にしているのを耳にしたのだ。

「あの男の名は」

と公爵は眼をつむった。

「そう、ラクロとか言っていたが……」

寝室の燭台を吹き消し、シャルトル公爵は大きく息を吐いた。

窓からは銀色の月光がながれこんでいる。銀色の月光のなかに庭の樹木の影がさしこんでいる。それをじっと見つめていると、マリー・アントワネットの姿が浮びあがってくるような気がする。

彼女はあの最初の舞踏会の白い衣裳《いしょう》を身につけていた。むきだした小さな肩はまだ乙女のもので、すべての動きが優雅でやわらかで可愛かった。首を少し左にかしげ、彼女は微笑みながらシャルトル公爵に手をさしのべている。

(そう……) 公爵は思わずその姿に声をかけた。(小さな皇太子妃《マダム・プランセス》。きっと俺のものにしてみよう)

銀色の月光のなかでマリー・アントワネットの姿がかき消えた。夢想からさめた。公爵はふたたび大きな溜息《ためいき》をついた。

翌日から公爵は皇太子妃の野遊びの供にわざと加わらなかった。それは彼の誘惑のための第一の作戦だった。

「どうなさったのかしら」

まもなくマリー・アントワネットもこの事に気がついた。コンピェーニュの森のなかでいつものように馬車をとめ、周りを囲んだ若い青年貴族たちの顔を見まわして彼女はふしぎそうに訊《たず》ねた。

「公爵はこのところ、皆さまと御一緒ではありませんのね」

一人の青年貴族が恐縮して答えた。

「彼にはおそらく、この楽しい遊びに加われぬほど重大な理由があったと存じます」

だがその日、マリー・アントワネットは森から宮殿に戻った時、シャルトル公爵の姿をすぐみつけた。公爵はなんとあのデュ・バリー夫人の取りまきたちとトランプに興じていたのだ。そのくせ、戻ってきた皇太子妃をみると、彼はまるで何事もなかったように他の廷臣たちと恭しく廻廊に並び、頭をさげて迎えたのだ。

「宮殿はお楽しゅうございましたこと?」

マリー・アントワネットは皮肉をこめてシャルトル公爵に声をかけた。

「今日はコンピエーニュの森はとりわけ、美しゅうございましたのに……」

居間に戻って侍女から着がえを手伝ってもらっている間、彼女はやはり自分の心が傷つけられているのを感じた。自分の供をしないのはまだ許せる。しかし、事もあろうに彼が自分の嫌いな、あのデュ・バリー夫人の取りまきとトランプ遊びに加わっていたのはひどい振舞いに思えた。

数日が流れた。次の野遊びの時もシャルトル公爵の姿は見えぬ。廷臣たちと並んで自分に頭をさげる彼の目はまるで小石でも見ているようである。彼女を完全に黙殺した、関心のない眼である。

今度はマリー・アントワネットの自尊心はふかく傷つけられた。今までたんにヴェルサイユ宮殿に伺候する青年貴族の一人でしかなかったシャルトル公爵が、マリー・アントワネットには急に気になりはじめた。

と言って彼女をいらいらとさせるこの相手に、この段階では別に心ひかれたのではない。ただ彼が自分の心を傷つけるような失礼な振舞いを殊更にするのが許せない気がしたのだ。

(あの方は……オーストリア人のわたくしが皇太子妃だと言うことをお嫌いなのかしら。デュ・バリー夫人に何かを唆《そそのか》されたのかしら)

だがそれとなく気をつけてみていると、公爵はそれ以上、デュ・バリー夫人の取りまきに別段接近はしていないようである。

「あのシャルトル公爵は」

たまりかねて彼女は夫の皇太子にある夜怒った口ぶりで告げた。

「わたくしには少し無作法にみえますわ」

「どのような振舞いをあなたにしたのです」

皇太子はいつも妻の我儘《わがまま》を聞かされる時の困惑した表情をうかべて訊ねた。

そう訊ねられるとマリー・アントワネットには何も答えられない。たしかに公爵は宮殿のなかで自分に礼を失する挙動はない。ただその眼にはまるで樹木でも見るような冷やかさと無関心とがあるだけなのだ。無作法というのはそのことだが、しかし皇太子も国王もそれだけでは公爵をとがめだてはしないだろう。

だからマリー・アントワネットは口惜《くや》しかった。皇太子妃としてではなく、一人の女として口惜しかった。子供の時から彼女はこのような黙殺を周りの者から受けたことは一度もなかったから口惜しかった。

向うがそういう振舞いをするならば彼女のとる態度はひとつしかなかった。彼女もまたシャルトル公爵を無視することだ。デュ・バリー夫人にそうしたように一語も声をかけず、まるで彼がこの宮殿に存在していないように扱ってやることだった。

そう決心した時から彼女はもう二度とシャルトル公爵のほうに微笑みも視線も向けないようにつとめた。デュ・バリー夫人にとったのと同じ態度をとったのである。

朝、国王や皇太子と共に廷臣、貴族の挨拶を受ける時、彼女は自分が通りすぎるにしたがって、次々とおじぎ草のように頭をさげる彼等に笑いかけたり話しかけたりしても、公爵の前にくると、じっと前面をみつめ、そのまま歩いていった。そして彼がそれによって受ける恥ずかしさや打撃を思いうかべることにした。コンピェーニュの野遊びでも、二度と彼女の可愛い唇からは「シャルトル公爵」の名は出なかった。

だが……だがそうすればするほど、彼女は公爵を意識するようになった。その証拠にはあれほど心の空虚《うつろ》を慰めた野遊びが急に色あせ、つまらなくなってきたからだ。

こうして今まで週一回は必ず出かけていた森への遠出が月に二回となった。次の月には一回となった。

「妃殿下は、もう馬車をコンピエーニュに走らせるのを、およしになったようでございます」

と女官長ノワイユ夫人は、メルシー大使に報告した。

「妃殿下は何かに夢中になられますが、すぐそれにお飽きになられます」

マリー・アントワネットは自分のつめたい態度がどれほどシャルトル公爵に打撃を与えているか本当は知りたかった。そしてそれとなく彼のほうに何げない視線を走らせることがあった。

だが公爵は平然として何も感じていないようだった。それどころか彼は近頃ヴェルサイユ宮殿でもとりわけ美人といわれている、ランバル夫人のそばに侍者のように附きまとっていた……。

この年の九月の終り、夏の名残を惜しむ野外舞踏会が宮殿の庭で行われたが、皇太子妃は夫と踊るほか、あらかじめ自分の相手となる貴族をそっと選ぶことができた。

彼女はその相手として夫の弟のプロヴァンス伯、大臣のデュ・ギュイヨン、オーストリア大使のメルシーたちの名をノワイユ女官長にそっと告げた。しかし、

「シャルトル公爵はいかがなさいます」

とノワイユ夫人がたずねた時、彼女はびっくりしたように、

「なぜ？　なぜ公爵をわたくしの相手《パトリネール》に？」

と聞きかえした。

「公爵は宮殿一の踊りの名手でございます。それに御結婚の日、本当に巧みにお相手を勤めたではありませんか」

ノワイユ女官長は弁解したが、マリー・アントワネットは不機嫌に肩をすくめただけだった。彼女は自分が公爵をまったく気にもしていないことを女官たちにも見せたかったのだ。

秋の庭園に提燈《ちょうちん》があまたつけられ、そしてひろい露台や芝の上で、上気した貴婦人たちが微笑する貴族の腕に抱かれ、輪のように舞ったその夜、皇太子妃マリー・アントワネットはまたも口惜しい思いをせねばならなかった。

夫の皇太子が彼女の靴につまずき、汗ばんだ手で強くしがみついている時、大臣のデュ・ギュイヨンが肥った体を押しつけている時、そのそばをランバル夫人をかろやかに抱いて公爵が小鳥のように踊っているのを見たからである。

ランバル夫人の美しさと公爵のいつもながらの鮮やかな舞踏ぶりは列席者の眼を引き、踊り終るたびに大きな拍手が庭園でひびいた。だがマリー・アントワネットはその夜、舞踏会の中心ではなくなっていたのである。

彼女の自尊心は今更、公爵に次のメヌエットを申しこむことを許さなかった。それに女が踊りを申しこむのは作法ではなかった。そして公爵も一度もマリー・アントワネットの前で頭をさげ、共に踊ることを求めもしなかったのである。

シャルトル公爵は丈たかい草原のなかで獲物にむかい、一歩一歩、ちかづく豹《ひょう》のようだった。彼は相手の油断はもちろん、逃げようとする身の動きを既に見ぬき、いつ、飛びかかるかを確実に計算していた。そして、いすくまれた獲物が抗《あらが》う力を失う瞬間を待っていた。

(何も気にしていないわ……公爵のことなど)

アントワネットは一人になると、懸命になって、我と我が心に言いきかせた。

(皇太子妃のわたくしが……貴族のことなど考える筈はないのですもの)

しかしすべての女は、恋心を否定するとき、実はそれを肯定しているのだ。否定しようとすればするほど、無視しようとすればするほど、あの憎らしいシャルトル公爵の端工な横顔がマリー・アントワネットのまぶたに浮んでくる。

今の彼女には自分の心の動きを夫や女官に気《け》どられまいとすることで精一杯だった。夫の場合はだますのはやさしかった。この人のよい、そして妻をまったく信じきっている皇太子は夜、まるで子供が果さねばならぬ宿題をやる時のように、妻を抱きながらも、その眼が何を追い、その心が何を考えているのか、まったく、わからないのだ。

だが女官長のノワイユ夫人や内親王や女官たちを誤魔化すのはむつかしかった。彼女たちは陰険な眼でヴェルサイユ宮殿の他の女たちの振舞いを観察している。どんな微妙な表情の動きも彼女たちが見逃す筈はない。

マリー・アントワネットはそのため、決してシャルトル公爵の名を口の端にものぼせなかった。しかし誰かが彼の噂をしている時、思わずその体をかたくして、その声を聞き洩らすまいとし、そしてそんな自分に気づくと、わざとあらぬ方向に眼をやるのだった。

(わたくしはあの人のことが嫌いだから……あの人の噂を聞いているだけ)
そんな時そんな自分を彼女は無理矢理に正当化しようとした。

秋が深まった時、珍しく国王ルイ十五世の主宰でマルリの森で狩猟が行われることになった。そしてその狩りは皇太子妃マリー・アントワネットに捧《ささ》げられるという布告がされた。このところ宮殿ではこの話で持ちきりだった。というのは、最もみごとな獲物を獲た貴族には「皇太子妃みずからが御自分で考えられた褒美《ほうび》を与える」ことになったからである。マルリの森は先王ルイ十四世の時から、狩猟によく使われた森である。ルイ十四世は好んでここに廷臣を従えて猟に出た。ルイ十五世は十四世ほど、この遊びを好まなかったが、皇太子ルイ・オーギュストはこの猟と鍛冶《かじ》場で働くことだけが趣味だった。

その日、マルリの森は秋霧に覆われていた。その霧を、昼近くから人々のざわめき、馬のいななき、猟犬の鋭い声が布のように引き裂いた。貴婦人たちはマリー・アントワネットに従って馬車で一カ所に集まり、狩猟に出発する夫や恋人たちを見送ることになっていた。

やがてあかるい秋の陽が霧ととけあいキラキラと光りはじめた。紅葉した森の樹々が浮びあがり、葉々の匂いや茸《きのこ》の香りが森全体に充ちみちた。すべてが爽やかな秋の一日に変った。猟服をまとい、銃を肩にした貴族たちの馬の下で従者が吠えたてる犬をなだめ、その犬たちは既に興奮して走りたがっていた。

マリー・アントワネットはこの日のために設備された休息所の椅子に腰かけ、若い貴族たちが自分に頭をさげては決められた一線にならぶのを国王と共に微笑みながら眺めていた。いつもは鈍重そのものの皇太子までが、今日はそのふとった顔をほころばせ、馬にまたがってその列に加わった。そしてその皇太子の近くにシャルトル公爵も乗馬靴をはき、朱の上衣《うわぎ》と白ズボンを着て馬のたづなを引きしめていた。

マリー・アントワネットは公爵のほうを見ずに、わざと皆に注目されるように皇太子だけに大きく手をふった。それは夫のためと言うよりは、そうすることで彼女が彼の妻であることをおのが心に言いきかせたかったからである。

角笛が高く鳴った。狩猟官が合図の旗をふった。いっせいに貴族たちは馬に鞭をあて、人馬もろとも前面の森に向って突進した。猟犬たちが鋭い声をあげ、転ぶようにそのあとを追跡した。そして百人ちかい彼等の姿は今、秋色ふかいマルリの森に吸いこまれていった。

その間、国王をはじめ、待機している貴婦人たちは設けられた食卓に向い、宴会をたのしみながら、殿方たちが戻るのを待つことにした。王宮の楽団が皆の心を浮き立たせるようにメヌエットを奏しはじめた。

「猟犬の叫びが、あちらから聞えますわ」

と一人の貴婦人が言った。風にながれる音楽と音楽の合間に森の彼方《かなた》から人の声と、そして鋭い銃声が伝わってくる。すべてが浮き浮きとして楽しかった。

「皇太子《ドーファン》はどうであろう」

と国王は葡萄酒の杯を片手に上機嫌でアントワネットに話しかけた。

「わたくしの御褒美を受けてくださるのはきっと、皇太子だと存じます」

マリー・アントワネットは腰をかがめ、確信あるもののように答えた。

青空が少し翳《かげ》った。食事をすませた貴婦人のなかには周りの花々をつむ者もいる。森にもこの草原にも可憐な秋の花々がいっぱいに咲きみだれ、マリー・アントワネットもその花々を腕にだき、顔に近づけた。花の匂いは故郷のオーストリアの風景を不意に甦《よみがえ》らせた。ながい時間が流れ、待っている者たちは時折、銃声や猟犬の声を風の向きで、あるいは遠く、あるいは近くに聞きながら、おしゃべりを楽しんでいた。

角笛が三度ひびいた。戻ってきますわ、と誰かが叫んだ。定められた猟の時間が終り、今、男たちが猟犬と共に引きあげてくるのだ。

森の樹立に色とりどりの貴族たちの帽子が見える。馬上で彼等は笑いながら、こちらに向けて銃をあげている。

マリー・アントワネットは肥った皇太子の体がゆっくり馬にゆられているのを眺めた。猟と鍛冶工房から帰ってくる時だけ夫はこんな満足した顔をして体をゆさぶるのだ。公爵の姿はまだ見えぬ。

狩猟官が馬を走らせて戻ってきた。

「とりわけ大きな鹿を射とめられましたのは……皇太子殿下にございます。そして次席はサブレ子爵がおとりになりました」

歓声が貴婦人たちの間で起った。マリー・アントワネットは愛らしく微笑し、自分が褒美を与える夫を迎えるために椅子から立ちあがった。

「ただ……」と狩猟官は当惑したように報告した。「シャルトル公爵がお怪我をされ……」

その瞬間、アントワネットの顔が蒼《あお》ざめた。彼女の眼は今むけられた夫を通りこし、森の奥の一点にそそがれていた。そして次々と引きあげてくる貴族たちの後から、布で腕をまき首にかけたシャルトル公爵だけを必死で見つめていた。

「公爵は落馬したのか」と国王は周りの廷臣たちにたずねていた。「怪我が大事にならねばよいが……」

汗をかいた馬は唾のたまった口を動かしながら次々と馬丁たちに引かれていった。泥で靴とズボンをよごした貴族たちは貴婦人たちの讃辞《さんじ》と祝福とを受けた。やがて一列に並び、皇太子妃から褒美を受けるため、恭しく頭をさげた。

一等の皇太子が妻から褒美を受けとり、彼女を抱いた時、マリー・アントワネットはかすかに体を動かした。彼女は夫の肩ごしにシャルトル公爵の白いズボンに薔薇《ばら》の花びらのように血がついているのを見たのである。瞬間、彼女は夫の体を押しのけ、本能的に公爵のそばに駆け寄ろうとして、その衝動を必死で抑えた。

（公爵を愛しているのだわ。わたくしは……）

彼女が自分の心の底にあるものをはじめて感じたのはこの瞬間だった。

体を離された皇太子はふしぎそうにマリー・アントワネットを見おろした。

公爵は公爵でこの時の皇太子妃の悲痛な眼差しを見逃さなかった。

その悲痛な眼差しは自分のズボンの血の染みに気がついた彼女の動揺をはっきりあらわしていた。駆けよって、怪我を手当てできるものならしたい――その眼差しはそう語っていた。だが皇太子妃であるゆえに、それができぬ悲しさも彼女の眼にはこもっていた。公爵もまたこの時はじめて、マリー・アントワネットの純な女心に気がついたのである。

(俺は勝った……)

心をくすぐる快感がゆっくりと彼の心にのぼってきた。彼はその快感をうまい葡萄酒でも味わうように味わった。

すべて、それは計算の結果だった。わざと彼女の自尊心を傷つけ、心を混乱させ、自分を意識させること、そして、そのあと不測の出来事をつくって、武装した相手の心を打ち砕くこと。それが公爵が考えた作戦だった。

(もう、あとは楽だ)

これからは彼女にせつない眼をいつも向けること、自分の恋心をほのかに、ひめやかに伝えること。それだけで充分だ。それだけで彼女は自分の腕のなかに身を投げ入れてくるだろう。

うつむきながら彼は心のなかで呟《つぶや》いた。

(俺は勝った……)

だがその時――。

その時、思いがけぬことが起った。

国王ルイ十五世の体が突然、そばにいた侍従の一人に倒れかかったのである。はじめは誰も気づかなかった。だが侍従があわてて、国王の体を両手で支えた時、貴婦人たちの口から叫び声が起った。

「心配……いらぬ」

国王は手をふった。

「ただ……軽い眩暈《めまい》が……軽い眩暈がしたのだ……」

街の女に

はじめて男に体を売ったあと、マルグリットはやっぱり後悔した。そんなことをする女は神さまの罰を受けるような気がしたからである。

孤児院にいた時、彼女は修道女たちから、淫《みだ》らな女は後々、地獄に行くのだと教えられてきた。その記憶がまだ頭のなかに残っていた。

だが、はじめての男と寝たあと、兎のおばさんはマルグリットに口紅や白粉《おしろい》をくれた。靴を買うお金もくれた。

「本当にいい子だね」

と兎のおばさんは嬉しそうに彼女にキスをして、

「お前のような可愛い子ならば、みんなが放《ほ》っときゃしないよ。この界隈《かいわい》で一番の売れっ子になるさ」

そう言われると、そんなおばさんの期待を裏切るのが悪いような気がした。そして今度だけだと、その都度、思いながら二人目の客に体をいじられた。三番目の客にも身を委《まか》せた。体をいじられても、身を委せてもマルグリットには何の快感も感じない。むしろ男があさましく、家畜のように見える。寝台の上で彼女は男のなすままに委せながら、燭台の火影《ほかげ》が動いている天井を見あげ、早くすべてが終ればいいのに、と考えるだけだった。

だが、その間を辛抱すれば、兎のおばさんは物をくれ、お金をくれた。その上、最初の時にくらべて、後悔の気持も少しずつ、起らないようになっていった。

「巴里《パリ》で真面目に働けば、必ず倖《しあわ》せになる」

マルグリットは自分をこの巴里に連れてきたラロックという男の言葉を思いだし、彼の言ったことは、こんなことだったのかと、ぼんやり考えた……。

お客のない日もあった。

そんな日には彼女は先輩のシモーヌやブリジットと「女王通り《クール・ラ・レーヌ》」をぶらぶらと歩いた。彼女たちに眼をつけて、声をかけてくる男がいるからである。彼女たちは路《みち》で声をかけられぬ時は通りのカフェに入って客を探す。

カフェとは言うまでもなく百年ほど前の一六六〇年頃からこの巴里に流行しはじめた珈琲《コーヒー》店のことである。西インド諸島で栽培される珈琲とその西印度やキューバでとれる砂糖のおかげで、ヨーロッパ人の間に珈琲が愛好されだしたのはこの十七世紀の後半から十八世紀のはじめである。

「女王通り」の幾つかのカフェは、いつも満員だった。そこではパイプで煙草をくゆらせた男たちが珈琲茶碗を前にしてチェスやトランプに興じ、マルグリットたちのわからぬ政治や文学の話を話しあっていた。

「きちがいそっくりね、あの男たち」

とシモーヌはブリジットたちに囁《ささや》いた。

「お金にもならぬことを、ああでもない、こうでもない、と話しあってさ」

「なにを話しているの」

マルグリットは珈琲の味に少し顔をしかめて訊ねた。この珈琲は彼女には苦く、奇妙な味がした。

「王さまの悪口」

ブリジットは得意そうに教えてくれた。

「あの連中、王さまや公爵さまや司教さまだけが良い目をみる世のなかを怒っているのさ。今にそんな世のなかが変るって……」

「馬鹿馬鹿しい」

シモーヌはせせら笑うと、

「そんな大それたこと、できるものかね」

「なぜ」

マルグリットの質問にシモーヌは肩をすぼめ、

「王さまには兵隊があるし、兵隊には鉄砲があるんだろ。そんなことをすれば、誰でも広場でつるされて、鞭《むち》で叩かれるか、首を切られるかの、どちらかだもの」

シモーヌとブリジットの会話を聞きながら、マルグリットはいつかグレーヴ広場で鞭うたれていた男の顔や、そして刑を指図していたサンソンという役人の温和な表情を思いだした。

カフェのなかに新聞売り子が飛びこんできた。

その新聞の一枚をふりまわしながら彼は叫んだ。

「皇太子妃《ドーフィーヌ》のスキャンダル。ヴェルサイユのスキャンダル」

あちこちから手がのび、新聞が飛ぶように売れると、売り子はまたカフェの扉から風のように消えていった。

「諸君、聞きたまえ」

髭《ひげ》をはやした一人の客が椅子から立ちあがると、その新聞の記事を朗読しはじめた。

「近頃、ヴェルサイユ雀より得たる報道二つ。

国王の御健康、相も変らず、十四人の医師たち、かわるがわる診察すれど、しきりの頭痛を訴えられ、政務、外交にも遠ざかられ、終日、寝室にとじこもられ給う由。

さて、国王がお姿をお見せにならねば、勝手気ままに振舞うは貴族、廷臣たち。なかでも、かのオーストリアより参られたるマリー・アントワネット皇太子妃とシャルトル公爵との忍ぶ恋は、かくすより、露《あら》わるるの諺《ことわざ》通り、ヴェルサイユ宮にて知らぬ者なし。知らぬが仏はただ一人、皇太子殿下のみ」

卓子《ターブル》のあちこちから笑い声が起った。

「あわれなる皇太子殿下はそれでも、妃のためお心を尽し、お体を尽し——特にお体を尽して夜ごとおつとめの御模様なれど、いまだに妃には御懐妊のしるし、なし」

笑い声がカフェのなかで渦をまいた。笑っていないのはマルグリットとシモーヌとブリジットの三人だけで、

「可哀想な皇太子さま」

とブリジットは胸に手をあて溜息《ためいき》をついた。

「それも、これも、あのオーストリアの女が悪いんだね」

ブルゴーニュの田舎から出てきた彼女は根っからの国王崇拝者だった。彼女は仏蘭西《フランス》国王の御家族にオーストリアから来た小娘が我儘《わがまま》勝手に振舞っていると聞いて、我慢ならなかったのだ。

「あの女は皇太子さまには災《わざわい》のもとになるわよ」

「あの女って」

「決っているじゃないの。マリー・アントワネットのこと」

マルグリットはむつかしいことは理解できなかったが、ブリジットの言葉には同感だった。他の国に生れ、他の国からこの仏蘭西に来たくせに、善良な皇太子をないがしろにするような女は許せなかった。

「あたし、こんなやくざ者たちが王さまを倒せと言う時は腹が立つけど」

とブリジットは二人の友だちに呟いた。

「あのオーストリア女が広場で吊《つ》りさげられるなら、手を叩くわよ」

マルグリットは眼をつぶった。彼女のまぶたの裏にはグレーヴ広場で吊るされ、鞭で叩かれていた男の苦悶《くもん》の表情がまた浮んだ。その男の顔にマリー・アントワネットの薔薇色の顔が重なった。

髪をみだしてマリー・アントワネットが鞭を受けている。鞭が蛇のようにのびて、彼女の体にからんでいく。その都度、鋭い音がその衣服を引き裂いた背中で鳴る。

鞭を持つ男が今度は自分に変った。自分がマリー・アントワネットを叩いているのだ。

「ああ」

と彼女は思わず小さな声を洩らした。彼女は今まで味わったことのない快感が体中を走るのを感じたのである。男たちに抱かれ、いじられている時は決して知らなかった快感を……。

「諸君」

新聞を朗読した男は店の客たちに声をかけた。

「このようなゴシップ記事に我々はただ笑っておるだけではならぬ。国王が病気であり、オーストリアから来た若い女が何をしようと、我々はどうでもよいのだ。我々はただ、このような特権がごく少数の人間にのみ許されている、この社会制度を改革するほうに関心があるのだ」

「そうだ」

「ルソーは言った、自然に帰れと。自然とは何か。それは人間が自由な者として生れたと言うことだ。しかしこの仏蘭西社会では自由な人間は至るところで鎖につながれている」

男は言葉を切り、その言葉の反応を確かめるように店内を見まわした。

「我々は……その鎖を断ち切らねばならぬ。人間が作ったすべては、人間がこれを破壊できるからだ」

拍手が起った。男は恭しく頭をさげ、椅子からおりた。

そんな日のある夕方――。

マルグリットたちは兎のおばさんとトランプをやりながら時間をつぶしていた。

夕陽が強く窓からさしこんでいる。路から荷馬車引きの酔っぱらった声が聞えた。

「おなじ人間に生れながらよ、俺ばっかし、働かなくちゃ、ならないんだよ」

素頓狂《すっとんきょう》なその声にマルグリットたちは顔をみあわせ、思わず吹きだした。

この夕暮の時刻は巴里はむし暑かった。夏はもう終っていたが、残暑がいつまでも続いて、暑さに耐えかねセーヌ河の岸辺に出かけると、そこにも強烈な西陽がさし、その陽をあびながら舟荷をおろす男たちや、その舟荷を運ぶ馬車引きの男の叫び声がやかましく響いていた。

「あたしが親の番だね」

おばさんはハンカチで首と、脂肪のついたむきだしの白い腕とをふき、トランプを切った。

扉の鈴が小さく鳴った。誰かが入ってくる気配がした。

「おや」

兎のおばさんはトランプを卓子の上におくと、

「誰かしら」

マルグリットたちを残して部屋を出ていった。やがて、

「あれ、まあ《オラ・ラー》」

驚いたような声がきこえ、その声が消えると、あとはまた急に静かになった。兎のおばさんはその相手と声をひそめて何か話しあっている様子である。

階段のきしむ音がした。マルグリットたちは顔をみあわせ、兎のおばさんが戻ってくるのをじっと待っていた。

「あんたたち」

まもなく、おばさんは顔をみせると、口に人差指をあてた。

「サド侯爵さまだよ、女の人を連れてね。かくまってくれ、とそうおっしゃっているんだけど……」

「かくまってくれ？」

「そう。まだ警察に追われているんだって」

それから彼女は更に声をひそめながら、

「一緒に連れてきた女の人はね……奥さまのお妹さんだってさ。驚いたねえ。わたしは。あの二人、きっともう、出来ているにちがいない、と思うよ」

兎のおばさんはそれからタオルや水を入れた壺を二階の二人の部屋に運んだ。パンとチーズと葡萄酒も持っていった。

夕方が夜になった。二階はしんとしている。やがて客たちが姿をみせ、シモーヌもブリジットも、そしてマルグリットも彼等の相手をするため、その二階にのぼったが、サド侯爵と義妹のかくれている部屋からは物音がしなかった。

何時間かたち、マルグリットは男の毛むくじゃらな腕を枕にしたまま、眼をさました。まだ夜はあけていない。階段を誰かがおりる音が聞え、やがて馬車の車輪が石畳の路を軋《きし》る音がした。

朝が来た。客たちが朝飯をベッドで食べ、勘定をすませ、それぞれ引きあげたあと、部屋の掃除にとりかかったマルグリットに、

「あんた知っていたかい」

と兎のおばさんは教えてくれた。

「侯爵さまはね、朝、早く、馬車で逃げていかれたよ」

「馬車で？　大丈夫なの」

「当分、伊太利《イタリー》にかくれるって、おっしゃってたけど……」

「ねえ」

マルグリットは前から訊《たず》ねたい、と思っていたことを兎のおばさんに、

「なぜ、侯爵さまは警察に追われているの」

「そりゃ、もう……わかるだろ。お前にも」

「あたし、あの侯爵さまが気味がわるいの」

「侯爵さまは普通のやり方じゃ、御満足じゃないからね。縛ったり、叩いたり。そのかわり、お金ははずんでくださるけど。女の子たちも嫌がってさ。だから復活祭の日、あんな事件を起したんだろうけど」

「あんな事件って」

「ヴィクトワール広場にいた乞食《こじき》の女をつかまえて、郊外のアルキュエイユ村に連れていって、家に閉じこめ、縛って、叩いて。乞食女がそれを警察に訴えて……ああ、怖《おそ》ろしいことだ」

兎のおばさんは胸に手をあてて、大袈裟《おおげさ》に溜息をついてみせた。

マルグリットは、はじめてあの侯爵にあった時の気味わるかった出来事を思いだしていた。額《ひたい》に汗をうかべ、眼をギラギラと光らせながら自分にいやらしいことを命令した侯爵の歪《ゆが》んだ顔を思いだしていた。

三日後、突然、警吏《フリック》がやってきた。

主任に連れられた警吏たちは兎のおばさんがとめるのも聞かず、二階に駆けのぼり、部屋のなかを調べまわった。

「あんたは」

と主任はおばさんに、

「サド侯爵という貴族をここに泊めたろう」

「知りませんね。わたしは」

おばさんは肩をすぼめ、

「そりゃ、色々な方がここに泊られるけど、どの方が侯爵さまか、子爵さまか、いちいち訊ねませんものねえ。それに……ここは貴族の方がお泊りになる旅館じゃないし」

「しかしだよ」

主任はおばさんの顔をじっとみながら、

「三日前の朝早く、お前の頼みで御者のデュロースが男と女を馬車に乗せ、ユタンプの村まで送ったと白状したんだがね……」

「ええ、ええ。しかし、その人がサド侯爵さまか、どうか、わたしは知りませんしね」

「そうかな」

主任は帳場の机を指でコツコツと叩きながら可笑《おか》しそうに笑った。

「御者のデュロースはね、その時、お前がたしかに、サド侯爵さま、お気をつけて、と言ったのを耳にしたと言っているんだが……」

おばさんは一瞬ひるんだが、

「へえー」と首をかしげ、「憶《おぼ》えがありませんねえ。デュロースは酒代《さかて》さえもらえば、どんな嘘だってつく男だから……」

「サド侯爵と名のる男が宿泊した時はすぐ届けるように通達してある筈だがね」

「そりゃ、知っていますよ、でも、わたしたちは宿帳に書かれた名しかわかりませんからね。サドなんて名はありませんよ。うちの宿帳には……」

二階を調べていた三人の警吏が階段を急いでおりてきた。その一人が主任の耳になにか囁き、一枚の破れた紙をわたした。

「みろ」

と主任は、その紙を兎のおばさんに示して、

「ほら、紙に侯爵の紋章が印刷されているよ。簞笥《たんす》のなかに落ちていたそうだ、書きかけた手紙だろうが……。さあ、来てもらおうか」

「わたしが?」

おばさんは手を顔にあてて泣きはじめた。

「わたしは何も悪いことをしていません。もう長い間、真面目に働いてきたんですよ」

「真面目にねえ」

主任は皮肉に微笑して、

「まあ、そのことは、ゆっくり聞こうじゃないか。警察に来て」

「悪い連中は巴里にもっと、ごろごろ、いるじゃありませんか。盗人《ぬすっと》、かっぱらい、人殺し。旦那たちはそんな悪党を摑《つか》まえずに、わたしたちみたいな何もしない女を引っくるんですか」

ひややかに主任はおばさんが泣きつづけるのを見つめていた。同情も憐憫《れんびん》の色も彼のあおい眼にはあらわれなかった。

泣きやんだおばさんは警吏たちにつれられて、馬車に乗せられた。マルグリットはそのあとを追いかけ、

「すぐ、帰れるんでしょうねえ。すぐ」

「さあね」

マルグリットは一人、とり残されたが、夕方あらわれた女たちは、みなで兎のおばさんの帰りを待つことにしようと口々に言いあった。

だが翌日、警吏の一人がまた姿をみせ、このホテルの営業許可は停止をされたと伝えてきた。

「だから、お前たち、ここで商売しちゃ困るんだ」

「この子は、一体、どうなるんです」

ブリジットは警吏にくってかかったが、

「知らんね」

とつめたく一蹴《いっしゅう》された。

二日たっても、三日たっても兎のおばさんは戻ってこない。マルグリットは一人ぼっちで彼女の帰りをむなしく待った。暑い日が終り、巴里に秋雨が一日中、降りつづくようになった。

兎のおばさんの旅館に客を泊めてはいけない。そう言われた以上、マルグリットは外で働かねばならなかった。

ブリジットやシモーヌたちが新しいホテルを見つけてきた。兎のおばさんの場合とちがい、あこぎなそこの亭主は女たちがもらう金の半分をくすねた。

晴れた日も雨の日も彼女たちは外で客をさがした。「女王通り《クール・ラ・レーヌ》」は勿論《もちろん》のこと、サン・トノレ街やポール・ロワイヤルあたりにも足をのばすことがあった。もっとも、それぞれの通りには女たちの縄ばりがあって、勝手にそこで男に声をかけるのは許されなかった。

いろんな客がいた。いろんな男がいた。

陽気に酒をふるまってくれ、はじめから最後まで冗談を言うのは南仏から巴里に取引きに来ている商人だった。

「マルセイユに来な」

とはち切れそうな腹をしたその商人はマルグリットを膝《ひざ》にのせて、海の匂いのする町のことを話してくれた。

「巴里はそりゃ洒落《しゃれ》た町だが、オツにすましているのが気に喰わないぜ。どうです、あたしは品があって奇麗でしょうと言わんばかりさ。それにくらべるとマルセイユは——みんな、ざっくばらんさ。陽気だよ」

　彼はもしお前がマルセイユに来るならば、自分が面倒をみてもいいと言ってくれた。

「そのかわり、俺だけだぜ。お前のその体を抱けるのは」

「奥さん、いないの」

「いるさ。子供だって二人もいる。二人とも娘だ」

「わたしの面倒を見てくれるのはいいけど……奥さんにわからないの」

「わからぬようにやるさ」

　しかしこの男は家族思いらしく、娘たちに買ったという肩掛けを得意そうにマルグリットにみせてくれた。

　はじめて女と寝るという学生もいた。ルーヴル宮のすぐ近くで、この学生はチラッとマルグリットに眼をやり、足早やにそばを通りすぎた。そのくせ、しばらくすると思いつめた顔をして、ふたたび戻ってきて彼女に声をかけた。

　ホテルに連れていくと、彼は今まで随分、女と遊んだというようなことを口にしたが、いざマルグリットがスカートをぬぎはじめると、眼をそらせ、手を握りしめ、震えているのがよくわかった。

「ぼくは……」と彼はかすれた声で白状した。「本当は……はじめてなんだ」

「坊《クゥクゥ》や。わかっているわよ、そんなこと」

可笑しさを怺《こら》えながら彼女はその青年を慰めた。

「誰でも一度ははじめてなんだから。さあ、元気をだして」

「お母さん」

突然、彼は手をくみあわせて叫んだ。

「ぼくは悪い奴です。でも我慢できなかったのです。お許しください《パルドンネ・モア》」

それから彼は兎がはねるように彼女にとびつき、むしゃぶりついた。無器用で、下手糞《へたくそ》で、痛くって、マルグリットは思わず悲鳴をあげたが、そのくせ、あっけないくらい早く、すべてが終ってしまった。

「ぼく、君を愛したんだ。本当だ。愛したんだ」

「わかったわ」

マルグリットは吹きだすのを我慢して、うなずいてみせた。

「毎日でも会いたい。毎日でも」

「じゃ、毎日、会いに来て頂戴」

「でもお金がないんだ。だから、君さえ良ければ、ただと言うわけにはいかないだろうか」

馬鹿《イディオ》、とマルグリットはその学生に怒鳴った。

こうして客から金をもらうと、その金の半分をホテルの亭主がまきあげた。

ふしぎな男に会った。彼はマルグリットが街でつかまえたのではなく、彼女たちが使っているホテルに泊っている三十すぎの男だった。

小ぶとりで、背がひくく、ホテルに来た時はひどく落ちぶれていたが、自分ではドクター・カリオストロと名乗っていた。

何をやっている男か、わからなかった。ほとんど顔を見せぬ日があると思うと、妙な連中が彼をたずねて、次々とホテルに来る時もあった。その妙な連中とは、おたずね者たちで、カリオストロは彼等のために偽《にせ》のパスポートを作ってやっていると言う噂《うわさ》だった。だがマルグリットたちは警察が嫌いだったから、このことを決して自分たちの客にも教えはしなかった。

ある日のこと、夜になる前に暇をつぶしていたマルグリットやシモーヌに、珍しくこの男が酒を奢《おご》ってくれた。

「ひとつ、俺の話を聞いてくれないか」

とカリオストロは切りだした。

「あんたらも知ってのように俺の商売は偽のパスポートを作ることだ。パスポートだけでなく、古い手紙だって、絵だって、その気になれば本物そっくり仕上げてみせられるのさ。だが、今度は少し大きな仕事をやってみたい」

そう言って彼は女たちの反応を確かめるように覗《のぞ》きこんだ。

「その大きな仕事が何かはしゃべらない。ただ、あんたたちの一人が、ほんの一寸《ちょっと》、助けてくれれば、相応の礼ははずむよ」

手伝いというのは簡単だが奇妙なことだった。明日の夕方、「女王通り《クール・ラ・レーヌ》」で自分がある老婦人と歩いているのを見たら、腹痛でも何でもいい、急病の真似をして倒れてもらいたい、と言うのだった。

「そして、俺が薬を与えたら、即座に治ってもらいたいんだ」

あまりに突飛な申しこみに彼女たちは黙っていたが、男は大真面目だった。

「それだけ」

やっとシモーヌがたずねると、カリオストロはうなずいて、

「それだけさ」

と言った。シモーヌは笑いころげ、その手伝いを引きうけた。

翌日の夕方、雑踏する「女王通り《クール・ラ・レーヌ》」に面白半分でマルグリットたちは出かけた。通りは相変らず、馬車や着飾った男女があふれていた。

間もなく女たちはあのカリオストロがどこから借りてきたのか、洒落た身なりをして一人の老婦人と馬車からおりてくるのを見た。彼はまったくマルグリットたちを無視して、老婦人の腕をとり、歩きはじめた。

シモーヌがふざけ半分で彼等の眼の前で、眼を引きつらせ、声をあげた。約束の仮病を演じてみせたのである。

人々はたちどまり、老婦人もびっくりして足をとめた。カリオストロは皆に叫んだ。

「騒がないでよろしい。私は医者のカリオストロ博士だ」

彼はシモーヌの体を支え、ポケットから小さな瓶《びん》を出し、なかの液体を（実はただの水だ

ったが……）彼女に飲ませた。そしてシモーヌが眼をあけ、首をふり、意識をとり戻したふりをして、礼を言うと、

「もう大丈夫だ」と真面目な声で答えた。「私の作ったこの薬を今日、ポケットに入れてきて良かった」

それから感嘆している人々を見まわし、ふたたび老婦人の手をとって姿を消した。

五日ぐらいして、このカリオストロはホテルをたち去った。彼は女たちにおかげで自分はあの金持の老婦人の信用を得て、その邸《やしき》に住みこみ、若がえりの秘術を施す身となったと自慢した。もちろん、シモーヌには約束以上の金をくれた。

兎のおばさんはどうしたのか、戻ってこなかった。マルグリットは今更のように、おばさんの有難さがわかった。食べるためには彼女たちは雨の日も路《みち》に立たねばならなかったからである。

そんな雨の日の夜、パレ・ロワイヤルの通りを三台の華麗な馬車が通りすぎていった。車輪がはねあげた泥の塊が、男を探して路に立っていたマルグリットの顔にあたった。

「馬鹿《サロオー》」

と彼女はその馬車に向って悪態をついた。だが三台の馬車はそんな彼女をまったく無視したまま走りすぎていった。

マルグリットは知らなかった。その時、この馬車には彼女の嫌いなあのマリー・アントワ

ネットがシャルトル公爵たち若い貴族や女官たちと乗っていたことを。

そう。この時期、皇太子妃マリー・アントワネットはヴェルサイユの宮殿からお忍びでよく巴里《パリ》に遊びにくるようになっていたのである。彼女が好んで訪れたのは劇場だった。賭博場だった。マルグリットが愛してもいない男たちに体をいじられている時、マリー・アントワネットは空虚な結婚生活のはけ口をシャルトル公爵たちと夜の巴里での楽しみで誤魔化そうとしていたのだった……。

運命の人

国王ルイ十五世の寝室に次から次へと医者が入っていった。彼等は恭しく王の脈をとり、その眼を調べ、その口を覗きこみ、重々しい顔をして何かを相談しあった。

「余は病気ではないぞ。ただ眩暈《めまい》がしただけだ」

とルイ十五世は医師の一人に言った。

「なのに、お前たちは余をこのベッドに縛りつけておこうとする」

「たしかにただ今は重大な御病気ではございません。しかしお体がお弱りのことも確かでございます。御無理はお避けにならねばなりませぬ」

国王と医師たちのそんな会話をデュ・バリー夫人はかたわらで顔を強張《こわば》らせて聞いていた。

医師たちに言われなくても国王の健康がこの半年来、とみに衰えてきたことは彼女が誰よりも知っていた。

(もし、陛下に万一のことがあれば……)

彼女は突然、不安に駆られた。

もし、国王に万一のことがあれば、自分はこのヴェルサイユ宮殿にいられなくなる。たとえ、残ることができたとしても、今日までのような我儘《わがまま》はすべて許されなくなる。なぜならルイ十五世の継承者はルイ・オーギュスト皇太子である以上、妻のマリー・アントワネットが次の王妃になることは決っているからだ。

(彼女はきっとこのわたしを追い出すわ)

デュ・バリー夫人は体を震わせた。彼女は豪華なベッドの上で眼をつぶっているルイ十五世の老いた顔を見おろしながら、自分がこのヴェルサイユから追放される日の姿を考えた。

(なんとか、しなくては……)

夫人の胸のなかに炎《ほむら》のように次から次へと想念がゆれうごいた。

彼女は自分の味方を考えてみた。だが数多いとりまきの連中には、ただ出世欲のために、国王の愛妾《あいしょう》である彼女の機嫌をとる者が多かった。そんな人間は風向きが変れば、マリー・アントワネットの前に跪《ひざまず》くことはたしかなのだ。

彼等以外に自分を助けてくれる者はいないか。いるとすれば大臣デュ・ギュイヨン公爵とミルボワ元帥や、ヴァランティノワ伯爵しかない……。

無邪気なマリー・アントワネットは何も知らない。子供の時からすべての人は自分の言うことに従うものと信じてきた彼女は今、自分についてある企てを画策している者たちが同じ宮殿にいるとは夢にも考えていなかった。

この頃、彼女は巴里を楽しんでいた。巴里の華やかさについては、かねがね耳にしてはいたが、皇太子妃が巴里を訪問するのは大きな行事になるために、なかなかその機会が与えられなかったのだ。

だがその最初の公式訪問が終ると、彼女はすっかり花の都に魅了された。警護をことわり、若い貴族たちや女官たちだけでマリー・アントワネットはお忍びで出かけるようになった。芝居や音楽会に彼女が姿をみせると、観客たちは立ちあがり、拍手をもって迎えてくれた。それがまた彼女の心をくすぐった。自分は庶民たちに愛されていると思ったのである。

だが、彼女がヴェルサイユを離れて巴里で遊んでいる日々、

「マダム」

広い宮殿の一室でトランプ遊びを口実にして何人かの人間が密談をかわしていた。

「御心配には及びませぬ。策は簡単にして確実だと思われますな」

ヴァランティノワ伯爵は嗅煙草《かぎたばこ》を鼻にあてて自信ありげにデュ・バリー夫人に語った。

「たとえ陛下が崩御され、皇太子が即位されましても、お力さえなければ何もこのヴェルサイユではできませぬ」

「でも……皇太子殿下はいつも妃殿下の言いなりになるお方」とデュ・バリー夫人はわざと大きな溜息《ためいき》をついてみせた。「わたくしは……なぜか、妃殿下の御不興を蒙《こうむ》っておりますもの」

伯爵はうすら笑いを頬に浮べた。その痩《や》せた顔にいかにも策を弄《ろう》することを得意がるような表情がうかんだ。

彼はトランプのテーブルを囲んだ一同を見まわし、自分の考えをのべはじめた。

まず反マリー・アントワネット派を宮殿のなかに作ること。幸い、最初の頃はアントワネットと親しくしていた内親王たちが近頃は彼女の悪口を言っている。何かにつけて皇太子を尻にしくマリー・アントワネットが腹だたしくてならないのであろう。

その上、皇太子の弟君たち、プロヴァンス伯にアルトワ伯たちは自分が未来の仏蘭西《フランス》国王になれないことに深い不満を抱いているようだ。アルトワ伯などはあの愚鈍な兄のルイ・オーギュストには国王になる能力はないなどと、はっきり口に出したことさえある。

「されば、このような王族たちも含め、宮殿に皇太子妃を非難する声を少しずつ、起すのは造作ないことと思えますな」

「だが、具体的には、どうするのだ」

デュ・ギュイヨン公爵はトランプをめくりながら低い声でたずねた。

「具体的？　何もいたしませぬ。ただ……皇太子妃の御我儘を、更に、更に助長すればよろしい」

「我儘を？」

「そう。このところ、妃殿下は若い貴族を連れて巴里に熱中されておられます。今のところは芝居に、音楽会に御熱心だが、そのうち賭博場にもお出入りになり、シャルトル公爵とも何事か起ってしまえば――いや」

と、ヴァランティノワ伯爵はうす笑いをふたたび浮べ、

「そう、この宮殿内にそういう評判をたてれば、どうなりましょう。あの鈍い皇太子でさえ、よい気持はなさるまい。自然、オーストリアから来た妃殿下はこのヴェルサイユで蔭口《かげぐち》をきかれ、道徳漢たちの批判を受け、たとえ王妃になられても人気を失うようになりましょう」

「そうか……」

ミルボワ元帥は吐息を洩らして大きく、うなずいた。

「マダム。伯爵の申す通りに思われますが……」

「わたくしは……」とデュ・バリー夫人は素知らぬ顔をして「すべてをお任せしていますわ。それが、わたくしを案じてくださる皆さまのお考えですもの……」

無邪気なマリー・アントワネットは何も知らない。買ってもらった新しい玩具《おもちゃ》に夢中になる子供のように、彼女は今、巴里での遊びを享楽している。

正直な話、形式的な作法や儀礼を守らねばならぬヴェルサイユ宮殿での生活は彼女には退屈になりはじめていた。皇太子妃という立場は最初は彼女の虚栄心をくすぐったが、かえってその身分ゆえに人々の注目をあび、ノワイユ女官長やメルシー大使の小言をいつも聞かね

ばならぬのはうるさかった。そして皇太子との虚《うつ》ろな結婚生活をそのままじっと辛抱することはとても、できぬ相談だった。

だが、この巴里はすべてが自由である。そこには格式ばった儀式も作法もない。それがマリー・アントワネットの気に入ったのである。ここには心をとろかすような音楽がある。笑いころげるような芝居がある。そして彼女を悦ばす賭博場もある。

夫である皇太子をヴェルサイユに残して巴里に出かけるのは、さすがに気が引ける時、

「御一緒してくださいまし」

とマリー・アントワネットは自分の言いなりになる皇太子を誘った。

「わたくしが殿下のそばに何時《いつ》もおりますのを巴里の者たちに見せとうございますもの」

あわれな皇太子ルイ・オーギュストはこの時も妻の言葉を素直に信じた。しかし彼には女の微妙な心理がわからなかったのである。シャルトル公爵のことが心を占めれば占めるほど、マリー・アントワネットはこの頃、夫のそばにいることを望んだのである。それによって、自分があくまでも貞淑な妻であることを女官たちに示すために。いや、よろけようとする自分の心に抵抗するために、彼女は忠実な妻を装わねばならなかった。

コメディ・フランセーズ座や伊太利《イタリー》座で観客や俳優の拍手を受けながら夫と共に座席につく時、彼女はいつも自分にこう言いきかせた。

（ごらんなさい。わたくしはこんなに殿下の良い妻なのだわ。妻として恥ずかしいことは何ひとつ、していないわ）

しかしベロワの「カレーの攻略」を見ているうち、睡魔に襲われた夫が首をたれて、眠りはじめると、彼女はそっとシャルトル公爵に眼をやり、相手もまた自分に眼くばせをしてくれるのを楽しんだ。

無邪気なマリー・アントワネットはヴェルサイユの権謀術策を何も気づかなかった……。

策士ヴァランティノワ伯爵の見通しは一部分は当り、他の部分は、はずれた。

当ったのはヴェルサイユ宮殿のなかでマリー・アントワネットの度重なる巴里遊びに眉をひそめる者たちが出てきたことである。

「困ったことだ」

老貴族たちや年おいた貴婦人たちは顔を合わせるたびに苦々しい顔をして囁《ささや》きあった。

「未来の仏蘭西王妃になられるお方が、いかがわしい賭博場や町人どもの劇場に出入りされるとは……」

「そしてまた、妃殿下は殊更にシャルトル公爵がお気に入りのようだ」

そんな彼等の声がマリー・アントワネットの耳に届いたのかはわからない。だがたとえ届いたとしても、この無邪気な皇太子妃はびっくりしたように、こう答えただろう。

「なぜ？　なぜ、人生を楽しむことが悪いのかしら。巴里に行くたびに貧しい人たちはこのわたくしに心やさしさを見せてくれます。わたくしはみんなに人気があるのです」

マリー・アントワネットは本気で自分が巴里の民衆に愛されているとこの頃、信じていた。

「わたくしのような身分の者が」と彼女は母のテレジア女帝に手紙を書いている。「こんなにたやすく民衆の友情をえられるのは、なんと倖《しあわ》せでしょう。わたしはこのことを決して忘れません」

こう書いたマリー・アントワネットは、ほかならぬその巴里の民衆がやがて革命広場の断頭台に向う彼女に罵声《ばせい》と嘲笑《ちょうしょう》とをあびせるとは夢にも思っていない。彼女は文字通り、無邪気だったのだ。

巴里に遊びに出かけることを彼女は毫《ごう》も悪いとは考えていなかった。シャルトル公爵たち青年貴族にとり囲まれることにも後ろめたさを感じたことはなかった。

なぜなら、マリー・アントワネットの心は、夫よりもシャルトル公爵に傾いてはいたが、決してそれ以上の線を越えはしなかったからである。皇太子妃であるという自尊心や周囲の眼や、持って生れた誇りが彼女にそれを許さなかった。

(妃殿下はシャルトル公爵と怪しい御関係になっている)

デュ・バリー夫人やヴァランティノワ伯爵はそういう噂をそれとなくヴェルサイユ宮殿に流そうとした。

貴族たちは最初は好奇心からこの噂を信じた。しかし、口さがない従僕や女官たちからも、マリー・アントワネットがシャルトル公爵と二人っ
きりで時間を過したという事実を摑《つか》むことは遂にできなかった……。

実際、この時期の彼女は子供ができるのを心の底から待っている。彼女の若い体にも、ようやく母になりたいという本能が眼覚めたのである。と同時に、シャルトル公爵のほうに滑っていく自分の心を皇太子の子供を持つことで抑えようとしたのであろう。

「わたくしたちも、王子か王女がほしゅうございます」

シャルトル公爵の顔を忘れようとして、マリー・アントワネットは夫にそう、せがむ。妻の心の秘密に気づかぬ無器用な皇太子は、まるでむつかしい宿題を与えられた愚かな少年のように、汗をながして妻のこの要求に応えようとする。

彼だって性の欲望がないわけではなかった。万事他の男たちより遅れがちだったその本能がこの頃は、やっと彼にも感じられてきたのだ。ヴェルサイユ宮殿の皇太子夫妻の豪奢《ごうしゃ》な寝室で、ルイ・オーギュストは相変らず馴れぬ手つきで若い妻の肉体をだき、懸命に夫の義務を遂行しようと試みる。

だが――、
だが最後の瞬間、あわれな彼は眉をしかめる。痛くてたまらないのだ。あわれにも彼は包茎だった……。

「許してください」

彼は悲しそうな顔をしてマリー・アントワネットに頭をさげる。

「これでも熱心に医者の言う通り、食養生につとめたのだが……」

「それで……」

とマリー・アントワネットは赤くなりながら夫にたずねる。

「医者たちは何と申しておりますの」

「手術《オペラシオン》が必要だと……」

「手術……でございますか」

夫の顔に怯《おび》えた色が走る。図体だけは一人前大きいくせに、皇太子ルイ・オーギュストは手術台に乗せられ、メスで肉体を切られることを想像しただけで真蒼《まっさお》になっている。

こうして、マリー・アントワネットの母になりたい、という望みはまだまだ、かなえられそうもなかった。

そのくせ、あわれな皇太子は毎夜万一の幸運を当てにして、働き蟻《あり》のようにせっせと夫婦の営みを続けようと試みるのだった。だがいつも、すべては徒労に終ってしまう。

ある夜、マリー・アントワネットは、そんなむなしい試みのあと、遂に声を出して泣きはじめた。

夫は劣等感にうちひしがれながら、妻の小さな背中をさすっていた。

「もう、この私を」と彼は小さい声で言った。「愛してくれないでしょうね」

「いいえ」

マリー・アントワネットは泣きじゃくりながら首をふった。

「心から愛しております。前よりも、ずっと尊敬もしております」

年があけるとヴェルサイユ宮殿は、カーニバルの話でもちきりである。年に一度、正月に催されるこの舞踏会では貴族たちがラスト・ダンスまで仮面をかぶり、扮装《ふんそう》し、決して見破られぬよう、それぞれ趣向をこらすのだった。

だから相手がどんな親友でも、たとえ恋人でも自分がどんな身なりをするかは決して互いに洩らさないのが約束になっていた。踊っている相手が誰かわからぬゆえに、秘密の楽しさがあり、情事のチャンスも生れる。手に手をとりあって舞踏会の広場から抜け出て庭園の亭《あずまや》に逃れ、はじめて自分の新しい恋の相手が年とった伯爵だったり、皺《しわ》だらけの老貴婦人であることを知る可笑《おか》しさもあった。

マリー・アントワネットも舞踏会が近づくにつれ、心が浮き浮きとしていた。彼女はこんな遊びが大好きだった。仮面さえかぶれば、自分が皇太子妃だとは誰もわからない。こちらもまた威厳をとりつくろったり、相手に気を使う必要もない。

深夜まで続けられる舞踏会の間、自分は別の女になれるのだ。別の人生を享受することができるのだ。

それが彼女を悦ばせた。少なくともその夜だけは皇太子妃ではなくてすむのだ。

約束だから、彼女は自分が何に扮装するか、親しい女官たちにも、うち明けなかった。女官たちも決して、そのことを訊《たず》ねはしなかった。

彼女はブルターニュの娘たちの衣裳《いしょう》を身につけようと思った。百姓の娘が祭りや結婚式の日に着る色あざやかな、そして田舎っぽい服を着て、白い靴下をはこう。そうすれば自分のすらっとした脚をみせることができる。その上、そんな素朴な衣裳は仰々しい仮装をするにちがいない他の貴婦人のなかでは、目だたないだろう。目だたないから、かえって誰もが白分を皇太子妃とは思うまい。そう彼女は考えたのだった。

「妃殿下には、いいお智慧《ちえ》がうかびまして？」

女官たちが訊ねると、彼女はわざと煙幕をはった。

「みなさまが驚かれるような扮装を思いついたのよ。歴史的なある女性ですけど」

それ以上、彼女は何も言わなかった。

その夜がとうとう、やってきた。

生憎《あいにく》、外は寒い日だったが、ヴェルサイユ宮殿の大理石の廊下は思い思いの恰好をした貴族と貴婦人たちが列をつくって舞踏会場に流れていった。

ジャンヌ・ダルクの身なりをしている女性もいた。中世の鐘つき男に扮した子爵もいた。海賊の恰好をした伯爵の腕をとってギリシャの女神の衣裳を身につけた貴婦人がおどっていた。あちこちで楽しげな笑い声が起った。早くも仮面の下の素顔を見破られた者も出はじめた。だが仮面をかぶり素朴な田舎娘に扮したマリー・アントワネットを皇太子妃だと気づく者はまだ一人もいなかった。

マズルカがはじまった。二列に向きあった男女が曲にあわせ、次々と相手をかえて踊るやり方である。

村娘に扮したマリー・アントワネットは、仮面をかぶった自分がまだ誰にも気づかれていないのに浮き浮きとしていた。彼女にはそんな時、少女のようになる無邪気な面があった。長い間、宮殿附《づ》きの楽団が奏する曲にあわせ、みがかれた大理石の床《ゆか》に手をとっては廻り、廻っては優雅に離れる貴族と貴婦人たちの影が動いた。

彼女はその眼でただ一人の相手を探していた。シャルトル公爵である。この夜、この仮装舞踏会だけは彼女は皇太子の妻ではなく、自由な女として、自分の好きな男性と踊りたかったのである。

だがそのシャルトル公爵がなにに扮装しているのか、マリー・アントワネットは知らない。姿や背恰好で見わけようとしても、それぞれ趣向をこらした男たちのなかにはわざと肥った姿に装ったり、マントで強く身を包んだ者もいて、どれが誰だか、見ぬけなかった。

「わかりましたよ」

突然、今、手をとりあった相手が彼女の耳もとで囁いた。その相手はペルシャ風の長衣《ながぎ》をまとい、その頭も口も布で覆っていた。

「モントルイユ子爵夫人ですな」

くぐもった声で言われた時、マリー・アントワネットは思わず吹き出しそうになって、

「さあ」

声色をつかって答えると、身をひるがえし、次の男性に手をゆだねた。

この瞬間、彼女は思わず躰《からだ》をかたくした。女の直感で、今度の相手がシャルトル公爵だと

わかったのである。

　公爵は漁師の恰好をしていた。髪は布でかくし、短いズボンと短いシャツを身につけ、仮面こそかぶっていたが、マリー・アントワネットにはその巧みな踊りぶりで誰かを即座に理解した。

「モントルイユ子爵夫人のようですね」

　と彼もまた、そう小声で言った。

「当りましたか」

「ええ」

　と彼女は仮面の顔でわざとうなずいてみせた。しかし自分の背恰好や姿がそんなにあの子爵夫人に似ているのかと、自尊心が傷つけられたような気持だった。

「……私が誰かおわかりになれますか」

　と公爵は彼女の体を軽く抱いて、リードしながら訊ねた。

「いいえ」

「あなたを……お慕いしている者です」

　彼は一気にそう言った。そして次の相手に彼女をゆずる瞬間、おしかぶせるようにこう囁いた。相手の意志を無視したような強引な言い方だった。

「この曲が終った時……あの柱のかげでお待ち申しております」

　マリー・アントワネットはあとは聞いてはいなかった。音楽も耳に入らなかった。次の相手がどんな仮装をしているのか眼に入らなかった。

　彼女のまぶたにモントルイユ子爵夫人の姿が浮んだ。自分と同じようにすらりとして色白く、ヴェルサイユ宮殿の貴族たちの眼をひいているコケティッシュな女性である。

　曲が終るとマリー・アントワネットは急いで人の群れをぬけ、シャルトル公爵が囁いた柱のかげに身をかくした。

「参りましょう」

　彼女は軽く腕をつかまれた。シャルトル公爵は彼女を誘《いざな》って舞踏会場のそばにある小部屋の扉をそっとあけた。

「子爵夫人。まだ、私がおわかりになりませぬか。シャルトル公爵です。私は……」

　そう名のりながら公爵は仮面をとり自信ありげに笑いをうかべた。

「あの柱のかげにお出《い》で頂いたことは……私の気持をくんでいただいたと、思って宜しいのですね」

「どういうお気持でしょう」

「長い間、お慕いしていたのです」

「本当《ヴレイマン》かしら？」

　マリー・アントワネットは意地悪な気持になっていた。さきほどから自信ありげな公爵を今度はいじめてやりたい衝動にかられた。

「皇太子妃のことがお好きだとばかり思っておりましたわ。公爵は……」

「皇太子妃を？」

公爵は小声でくっと笑った。

「そうお考えでしょうか」

「ええ」

「もちろん、廷臣の一人としては妃殿下を御尊敬は申しあげております。しかし妃殿下に男としての気持を抱いたことなど、ありませぬ。むしろ妃殿下のほうが、この私に関心がおありのようですが……。私が男として前から心を離れなかったのは……モントルイユ子爵夫人、あなたです」

「でも……わたくしは子爵夫人ではありませんわ」

ひややかに強くマリー・アントワネットは答えた。この瞬間、あれほど強かったシャルトル公爵への思いが水をかけられた炎のように消えた。この男の実体が彼女にはっきりと見えたのだった。

「モントルイユ子爵夫人ではない？」

公爵は狼狽《ろうばい》した声で一歩、うしろに退《さが》ると、

「どなたです」

マリー・アントワネットは仮面を小さな手でゆっくりとはずし、そして微笑《ほほえ》んでみせた。

「あなたがたった今、男としては何も感じたことがないとおっしゃった女ですもの。でも、このわたくしも、別にあなたには関心もございませんでした。誤解なさいませんようにね

……」

素早く身をひるがえしてマリー・アントワネットは小部屋を出ると、まだ人々が踊っている舞踏会場に戻った。

別に苦しくも悲しくもない。むしろ、憑《つ》きものが落ちたような、さっぱりとした気持である。むしろあんな男に自分が今までなぜ心ひかれていたのか、それがふしぎだった。

「踊って頂けるでしょうか」

一人の背の高いブロンドの髪の青年が彼女の前で恭しく頭をさげた。彼は異国の軍服を着ていたが、仮装はしていなかった。おそらく今日の舞踏会に招かれた外国武官の一人だろうとマリー・アントワネットは思った。

「北の国の方ですのね」

「そうです」

青年士官は白い歯をみせて笑った。まだ少年の面影がその顔に残っている。そんなよごれのない笑顔がさきほどシャルトル公爵と別れたあとだけに、彼女には清冽《せいれつ》な水を飲むように心地よかった。

「スエーデンから参りましたフェルセン伯爵です」

と彼は自分で自分の名を名のると、

「お名前を……伺わせて頂けるでしょうか。私はこの宮殿が初めてなのです。実は着任したばかりです」

マリー・アントワネットは首をふると、

「御免あそばせね。今夜は仮装舞踏会ですわ。この夜だけは、自分の名を申しあげることは宮殿で禁じられておりますの。お気持、悪くなさらないでくださいまし」

フェルセンはどぎまぎとして、非礼をわびた。そのどぎまぎとした場馴れない様子が彼女にはなお、好ましかった。

「その代り、今夜だけは、わたくしをお好きな名で呼んでくださいまし」

「私の好きな名で……」

「ええ」

青年は嬉しそうに考えこんだ。そして白い歯をみせて、また笑うと、

「マダム・イベール（冬の夫人）は如何《いかが》でしょう」

「冬の夫人《マダム・イベール》？　そんなにわたくしが冷たく、淋しく見えまして？」

「いいえ。そうではありません。しかし、私はこの国の仏蘭西語のなかで、あの冬《イベール》という言葉の音がとても美しく聞えるのです。その上、私が初めてお目にかかれたこの日の季節が冬なものですから」

「結構ですわ。冬の夫人《マダム・イベール》で……」

二人は次の曲も離れずに踊った。本当はつづけて一人の男性の相手をすることは宮中舞踏会では禁じられていたが、マリー・アントワネットは気にもしなかった。

二曲、おどったあと、フェルセン伯爵が会釈をして礼をのべた時、

「きっと、また、お目にかかれると思いますわ」

と彼女はやさしく約束した。

「心から、それを願っております。マダム・イベール」

とフェルセン伯爵はうなずいてみせた。

死刑執行人サンソン

どんよりと曇った日、巴里《パリ》の死刑執行人《ブローー》、サンソンは暗い顔をしてその邸《やしき》に戻った。そのいまわしい仕事にかかわらず、彼は穏やかな整った顔だちをした男だった。しかし、穏やかな顔だちをしているだけに、かえって憂鬱な気分は誰の目にもありありと見てとれた。

馬車からおりて、玄関に入り、帽子と杖《つえ》とを召使にわたした彼は、そのまま居間に行った。そして刺繡《ししゅう》をしていた妻のマリー・アンヌの頰に口づけをすると、そのまま疲れきったように椅子に腰をおろした。

マリー・アンヌは何も言わず、硝子瓶《ガラスびん》に入った酒とコップとを彼のそばの卓子《テーブル》においた。

彼女は今日、夫がなぜ、このように不機嫌で暗い顔だちをして帰宅したのか、よく知っていた。それは夫がその仕事である刑を罪人に執行せねばならなかった日は、いつも、こんな顔で戻ってくるからである。

そう――、サンソンは自分のこのいまわしい職業が好きではなかった。巴里の広場で罪人に公開の刑を行うのは彼の仕事だったが、一日として、それを嬉しいと思ったことはなかった。

だが、この仕事はサンソンには父祖代々、受けついできた職業である。当時、仏蘭西《フランス》の各地方にはそれぞれ世襲の死刑執行人の家があり、巴里ではサンソンの家が十七世紀の終り頃から、代々、この仕事を受けもっていたのである。

そんな家に生れた彼は子供の時から父親の職業を誇りに思ったことは一度もなかった。だが十一歳の時から父親は彼を自分の助手として少しずつ、その技術を見習わせた。

この頃、罪人にたいする刑罰には色々なやり方があった。晒《さら》し刑といって杙に鎖でつなぎ、三日間、公衆の面前に晒す刑罰はまだ軽いほうだった。焼き鏝《ごて》を当てたり、耳を切る罰や、火挟み刑《トノィユマン》と言って、火挟《ひばさ》みで罪人の皮膚をはぎ、傷口に熱した鉛や樹脂をそそぐ怖《おそ》ろしい方法もあった。車裂きの刑は荷車の車輪に四肢をくくりつけた罪人を鉄棒で撲《なぐ》って殺すやり方だった。

十六歳の時、父のあとを継いだサンソンは、最初の仕事としてある罪人をこの車裂きの刑にせねばならなかった。自分の手でそれを実行する勇気がない彼は、助手たちが刑を執行している間、眼をそらせて耐えていた。

十八歳になった・七五七年の三月、サンソンは巴里高等法院からある囚人を極刑に処するように命じられた。その囚人とは二カ月前に国王ルイ十五世を暗殺しようと試み、失敗をしたダミアンという男だった。高等法院がダミアンに宣告した刑罰は、まずその胸、腕、足の皮膚を火挟みではぎ、傷口に熱い油と溶けた鉛、樹脂、ワックスを注ぎ、その後、四頭の馬に体をくくりつけて引き裂くという怖ろしい処刑だった。

この命令を受けたサンソンは仰天し、おそれおののき、職を辞することさえ決心した。彼のやさしい神経にはとても、こんな忌わしい罰を囚人に与えることはできなかったのである。彼の一族は尻ごみするサンソンを励まし、ランス市で同じ死刑執行人をやっていた彼の叔父を呼びよせて、代役を勤めさせることにした。三月二十八日、グレーヴ広場で行われた刑の執行は鈴なりのように屋根まで埋めた見物人たちの目撃するなかで、四時間もかかって行われた。

見物人のなかには、後に「回想録」を書いた有名な色ごと師カザノヴァもまじっていた。皮膚をはがれ、油をそそがれる囚人のすさまじい悲鳴と叫びとを平然と聞き、苦悶《くもん》するその姿をじっと見物していたのは男性よりも、むしろ女たち——とりわけ貴婦人たちだった。その間、サンソンは叔父のかげにかくれ、汗を流し、震えていた。

そんな彼だったが、その後、結婚し、家庭を持つようになっても、遂にこの忌わしい仕事を放棄することはできなかった。年と共に少しずつ、血を見ることにも罪人の苦悶する姿にも耐えられるようになったが、しかしサンソンの心は鬱々として晴れたことはない。

温和《おとな》しく、穏やかなこの男は自分の家庭を愛した。妻のマリー・アンヌと二人の息子とを愛した。そして日曜日になると教会のミサに行き、熱心に祈った。ミサから戻ると月二回、いつも招いている親類たちと食事をした。縦から見ても、横から見ても、そんな彼が聞くだに肌に粟《あわ》を生じるような刑罰の実行者だとは誰一人、想像することはできなかった……。

暗い顔をして夫が酒を飲んでいるそばで、マリー・アンヌは何も気づかぬふりをして腰かけていた。

彼女にはなぜ彼が憂鬱な気持なのかは勿論《もちろん》、手にとるようにわかっていたが、何も口を出さぬことに決めていた。言葉だけの慰めではどうにもならぬことは、黙って、そっと静かにしてやるのが一番なのだ。

「あなた」

としばらくして彼女は声をかけた。

「そろそろお夕食にしましょうか。今日は早目に食事をして寝ましょう。あなたも、お疲れでしょうから」

「それがそうもいかない」

とサンソンはくたびれた眼を指でもみながら首をふった。

「夕食のあと、偉い方が一人、たずねてこられるのだ」

「偉い方？　どなた？」

「ギヨタン博士と言われて……」

夫の言葉が終らぬうちにマリー・アンヌは眼をかがやかせて叫んだ。

「まあ。あの有名なお医者さまが？　どうして、あなた、そんなお偉い方がこの家にお出でになるんですの」

「それが……」

　とサンソンはむしろ当惑したように、

「向うから、今夜、私に会いたいとお話があったのだ」

「なんでしょう」

「わからん。でも決して悪いことではないらしい」

　食事の間も二人の小さな息子を横において、マリー・アンヌはギヨタン博士のことだけを話題にした。博士は巴里で一番、名声のある医師で、毎日、患者たちが門前市《いち》をなすかわりに、治療費も目玉の飛び出るほど高いという噂《うわさ》だった。

「お父さまは、そんな立派な方とお知り合いなんだよ」

　彼女は息子たちに誇らしげに教えた。

　食事が終りかけた頃、家の外で馬車のとまる音がした。

「あなた」

　マリー・アンヌは夫の顔を見つめ、椅子から立ちあがった。

「博士《ドクトゥール》ですわ」

　夫妻は服についたパン屑《くず》を払うと、急いで食堂を出て、玄関のほうに出ていった。

　中肉、中背の小肥りの男が杖と帽子とを召使にわたしているところだった。

「光栄でございます。博士」

その声に男は顔をあげ、腰をかがめたマリー・アンヌの手をとって、口づけの恰好をした。

「夜分、このような時間にお騒がせして、申しわけない。しかし、この時刻でないと患者たちから私は解放されないのだ」

とギヨタン博士はあやまった。

サンソンは少し、どぎまぎとしながら客間に博士を案内した。彼には博士が一体、どんな用事で死刑執行人である自分の家にやってきたのか、わからなかったのである。

「サンソン夫人」

椅子に腰をおろすと、客は困ったようにマリー・アンヌに眼をやり、

「三十分ほど、御主人を独占する失礼を許して頂けるかな」

暗に場をはずしてくれと頼んだ。

「実はな」

彼女が部屋から姿を消すと博士は、

「私が今日、おたずねしたのはな、前々から考えていたことに協力願いたいと思ったからだ」

と用件を切りだした。

「私は今の仏蘭西の処刑方法に不満を持っている。私はいわゆる近頃、流行の革命主義者ではないが、貴族には刑が軽く、庶民には重い法律には賛成しかねている。そしてまた現在の処刑方法が囚人に長い苦しみを与えることにも基督《キリスト》教徒として残念だと考えている。聞けば

サンソン君も私と同じ気持を抱いていられるそうで……」

「はい」

両膝《りょうひざ》に手をおいたサンソンは恐縮しながらうなずいた。この高名な医者から協力を求められたことが彼には、この上ない名誉に思えたのである。

「私は医者だから、死の苦しみがどんなに大きいかを知っている。だが囚人といえども死の苦しみはできるだけ早く除いてやりたい。そこで斧《おの》や剣で首を切るのではなく、機械で一瞬にして斬首することができぬか、と考えてみた。そしてギロチンという機械を設計してみたのだ」

彼はそう言い、サンソンの反応をみるように、しばらく黙りこんだ。

ギロチン。

この奇妙な発音を聞いたのはサンソンも初めてだった。

「ギロチン……ですか」

「そう。まあ、これは私の名、ギヨタンをもじって戯れにつけてみたのだがね……」

「先生。それがもし、本当に処刑される囚人に苦痛を長びかせるのでなく、一瞬であの世に送ってやれる便利な機械なら、私は大賛成です」

サンソンは先ほどと違って眼をかがやかせながら叫んだ。

「私は……恥ずかしい話ですが、国王陛下から命ぜられた職務とは言え、罪人たちの苦悶の表情を見るのが何よりも辛《つら》かったのです。先生の御発明が完成すれば、私もあの辛さから解放されます……」

「いや。これは必ずしも私の発明じゃない。既にスコットランドでは古くから同じような処刑機械を使っている。しかし私はそれに更に改良を加えようと思うのだ」

ギヨタン博士はポケットから折りたたんだ紙を出し、それを机の上に拡げた。それは二枚の板の間に、鉛の錘《おもり》でつりあいをとった刃を描いたギロチンの設計図だった。

「いいかね。この錘をとり除くと、刃が二枚の板の側面を急速度に滑り落ちる」

「すると処刑囚はその下に首をさし入れているわけですね」

「そうだ」

「しかし、落ちた刃が死刑囚の首やその骨を切りとれるでしょうか」

「そこだよ。サンソン君」

博士は重々しく、うなずいた。

「そのためには刃はすさまじい速度で落ちねばならない。落ちるためにはこの二枚の板の溝《みぞ》の抵抗力を少なくせねばならぬわけだ」

二人は長い間、設計図を間にはさんで我を忘れて議論に熱中した。

「もし、これが完成すれば死刑はこれまでのように忌わしく、残忍なものでなくなるだろう。少なくとも我々は中世時代の野蛮からは大きく前進するわけだ」

「便利なものです」

「サンソン君。便利だけじゃない、人道的なのだよ」

「しかし……」

とサンソンは改めて彼の疑問とするところを博士にたずねた。

「もし、この機械ができたとしましても……国王陛下がその使用をお許しになるでしょうか」

「だからこそ、君を今夜、訪問したのだ」

博士は設計図をたたんでポケットにしまいながら、

「君は代々、巴里の死刑執行にたずさわる役人の家柄だ。君が具申書を高等法院にさし出せば、高等法院はそれを議論せずに握りつぶすわけにはいかないだろう。もっとも法院のお偉方たちは結論を出すまでには、ああでもない、こうでもないと無駄な論議を重ねるだろうが……」

そう言ってギヨタン博士は溜息《ためいき》をついた。

「彼等はすべての官僚と同じように古い制度や法律をなかなか直したがらぬものだよ。しかしねえ、サンソン君。時代は今、少しずつだが革命に向って進みつつある。私は別に今、巴里のカフェに巣くっている自称、革命派には与《くみ》しないが、しかし歴史の変化は認めざるをえない」

「先生……」

サンソンは少し怯《おび》えた声をだした。

「あの連中の言うように、仏蘭西はやがて国王がなくなり、貴族たちの社会が滅び、国民平等になるでしょうか」

「まだ、わからん。しかしやがてその方向にむかって水の流れは流れていくだろう」

博士の重々しい顔をみながら、サンソンは急に不安を感じた。

もし――、もし国王と貴族との社会が倒れ、あたらしい政府が出来れば、自分のように国王陛下の命令でこの職についていた者たちはどうなるのだろう。一家代々の仕事を失うだけではなく、国王派の一人と見なされて今度は自分が処罰されるのではないだろうか。彼は妻のマリー・アンヌや二人の子供と路頭に迷う姿を思いうかべ、ぞっとした。

「ところで、陛下は最近、とみに御健康が悪くなられたようだな。私は一介の町医者だが、国王の侍医たちとは多少の交際がある。その話によると、陛下の御衰弱は、おひどいようだ」

そう言い終ってギヨタン博士は立ちあがった。

外は真暗だった。現在の巴里とちがって当時、この街は日が暮れるまでは雑踏していても、闇がすべてを包むと死んだように静まりかえるのだった。

「マダム」

博士は見送って出たサンソンの妻に、

「心よく、御主人を貸してくださって、お礼の申し上げようもありませんな」

「主人がお役にたつのでしたら、いつでも、どうぞ、おこしくださいまし」

馬車から御者がおりてきて、カンテラで足もとを照らした。その馬車にのろうとしたギヨタン博士は突然、歩くのをやめ、

「おや」

と声をあげた。

「そのカンテラをこっちに貸しなさい。誰かが、路《みち》に倒れているようだ」

サンソン夫妻は博士が持ちあげたカンテラの光が石畳の路のひとつ、ひとつの石を浮きあがらせて動いていくのを眼で追った。

一人の女が倒れていた。こんな時刻、つきそう者もないことや、その安っぽい服装で彼女の職業が何であるか、すぐ、わかった。

「いや、これは、いかん」

医者であるギヨタン博士は彼女の顔を覗《のぞ》きこんで、

「かなりの熱があるようだ。このままでは死んでしまう」

「先生。よろしければ、わたくしたちの家に運びましょうか。放ってはおけませんわ」

マリー・アンヌは優しいところを見せ、そして御者とサンソンとがこの行き倒れの娘をだきあげた。

家のなかに運びこむと、博士はあの重々しい顔で彼女の脈を調べ、閉じた眼をのぞきこみ、それからマリー・アンヌに手伝ってもらって、その胸衣の紐《ひも》を解き、荒々しい呼吸をできるだけ、ゆるめるようにした。

「感冒だ。それにひどく疲れている」

と博士は診断をくだした。

「薬がここにないから、応急の処置をしてできるだけ汗をかかせて熱を引かせるようにしよう。マダム……熱い湯に葡萄酒を入れ、彼女に飲ませてやってください。汗をかけば、よく、ふかせることだ」

「可哀そうに……」

　とマリー・アンヌが溜息をつくと、

「そう、あわれなものです。化粧こそしているが、この子はまだ十七歳か、そこそこでしょう。それが、こんな職業につかねばならぬとは……私は革命派ではないが、しかし一方では貴族たちが食べ切れぬ御馳走を毎日、食卓にならべているのに、こんな娘が飢えで苦しんでいるのを見ると、やはり義憤を感じますな」

「でも、神さまは、いつかは……それぞれの運命に過不足ない酬《むく》いを与えてくださいますわ」

　と熱心な基督教信者のマリー・アンヌはつぶやいた。

「天国で、ですか」と博士はうす笑いを浮べ、「しかし、マダム、今、この娘は天国の倖《しあわ》せよりも、この世で飢えないほうを望むかもしれませんよ」

　三人は黙ったまま、娘を見おろしていた。やがて娘のまぶたが動き、やっと眼が開いた。

「シモーヌ……兎のおばさん。ああ、どこ？　ここは」

　彼女は自分のいる場所がわからぬらしく、キョロ、キョロとあたりを見まわした。

「心配はいらんよ」

　とサンソンが声をかけた。

「お前は病気でね、路で倒れていたんだ」

「畜生。あの客だわ。わたしを馬車から突き落して。金も払わず……」

「何を言っているのだね、今は何も考えずに眠りなさい。いや、いや、眠る前にあつい葡萄酒を飲んで……汗が出たら、体をふいて」

博士は娘にも忠告を与えると、改めて夫妻に礼をのべ、引きあげていった。

客が帰ると、家のなかは急に静かになった。娘は熱い葡萄酒を飲んだあと、また眠っている。

「あなた」

とマリー・アンヌは夫にたずねた。

「この子をいつまでも家《うち》においておくわけにはいかないわ」

玄関から戻ってきた夫妻はまだマルグリットが眠っていると思いこんだらしく、そのまま会話を続けた。

「ひと眼でこの娘が、どんな商売をしているかわかりましたわ」

とマリー・アンヌはマルグリットの顔を見おろしながら、夫の肘《ひじ》をつついた。

「私もそう思ったね」とサンソンはうなずいた。

「厄介な者を背負いこんだもんだ」

「でも、放り出すわけにはいきませんわ。わたしたち、基督教徒なんですから」

「そりゃそうだ。といって、こんな女を家においているという評判がたったら、お前、どうする。子供たちへの影響もある。いずれにせよ、世間体が悪いじゃないか」

マルグリットは眼をつぶったまま、夫婦の会話を聞いていた。彼女は自分がこの家で邪魔者扱いにされていることだけは、よくわかった。

「でも、熱にうなされて路に倒れていた娘を助けてもやらず、そのまま外に追い出したとなると、もっと世間体が悪くなりますよ。でも、いつまでも家においておくわけにも行かないし……」

うす眼を開けてマルグリットは思案にくれている夫妻をそっと盗みみた。

夫のほうは腕をくんで、突っ立っている。その顔はマルグリットには見憶《みおぼ》えがあった。どこで会ったのだろう。彼女を買った客の一人だったろうか。

いや、そうじゃない。あっ、と思わず声が口から洩れそうになった。そう、あの日の夕暮、グレーヴ広場で一人の囚人が吊《つ》りさげられていた時、そのそばで立ちあっていたお役人だった。みんなが彼のことをムッシュー・サンソンと呼んでいた。事もあろうに自分はその死刑執行人の家の前で倒れていたのだ。

「ねえ、こんな考えはどうかしら」

マリー・アンヌは夫に声をひそめて何かを囁《ささや》いた。

「そうすれば世間体もいいし、それにわたしたちがよい基督教徒だったと皆、思いますわ」

それがどんな考えなのかマルグリットには聞きとれなかった。しかし彼女は自分とは身分の違うこの夫婦の会話のなかに何か、薄情なもののあるのを感じた。あの兎のおばさんやシモーヌやブリジットのような街の女のほうがもっとあたたか味があるように思えた。

その翌朝から、彼女は召使の一人が前に寝起きしていた屋根裏部屋に寝かされた。サンソンの妻は素知らぬ顔をしてその部屋に熱いスープやパンを運んできてくれた。

だが三日目、マルグリットが大分、元気になった時、部屋のドアをノックしてマリー・アンヌは一人の老神父を連れて入ってきた。

「マルグリット」と彼女は体の小さい、背の曲ったこの神父を紹介した。

「ゴマール神父さまですよ。わたくしたちはね、これからあなたの今後のことを話しあいたいと思うんだけど……」

老神父はくたびれた顔をマルグリットに向けた。

「我が子よ。お前が幸いにもこのサンソン家に助けてもらったことを神さまに感謝しなくちゃいけないよ。お前がどんな職業についていたか、我々は皆、知っている。それは決して良い仕事だとは思えないね」

マルグリットは敵意を感じながら黙っていた。貧しさや飢えを知らない者から、こんな言い方をされるのは面白くなかった。神さまは富のある者だけを倖せにし、貧しい者はいつも不幸のままでおくのだと彼女はいつか、考えるようになっていた。

「お前さえ望むのなら、私たちはもっと、まともな生活に進んでもらいたいと思っている」

「ゴマール神父さまはね、御親切にも御自分たちの司祭館で、あなたを女中に雇ってもいいとおっしゃっているんですよ」

サンソンの妻は横から口をそえた。

「わたしも、あなたが神さまに背く道に戻ってほしくないのよ」

マルグリットは黙っていた。正直言って彼女は雨の日も、人影のたえた夜の歩道に立って客を探し待つ生活に戻りたくなかった。とはいえ、昔のように水仕事をしたり、床をふく下女にもなりたくなかった。

「それとも、何処《どこ》か行く当てがあるの」

サンソンの妻にそう言われて、マルグリットが首をふると、

「じゃあ、ゴマール神父さまたちのお世話をなさいな。きっと、いいことがありますよ」

マリー・アンヌはマルグリットの考えもきかず、一方的に決めてしまった。

ゴマール老神父は他の二人の神父とアンリ通りの教会にある司祭館に住んでいた。ここの神父たちはバスチーユやその他の牢獄《ろうごく》を訪れ、そこの囚人たちのため、ミサをたてたり、罪の告解を聞いたりする聴聞司祭たちだった。そして死刑囚が処刑される時はサンソンたちとその囚人につきそい、処刑台まで祈りを唱えてやるのもその仕事の一つだった。

司祭館には食事の世話をする修道女が一人通ってきていたから、マルグリットはもっぱら掃除や水くみ、洗濯を命じられた。これは彼女にはストラスブールのパン屋でも、また兎のおばさんのホテルでもやり馴れた仕事だったので、手ぎわよく、やることはできた。

しかし閉口なのは、毎朝六時、ゴマール神父たちの唱えるミサに出ねばならぬことである。

今までは男と同じ床《とこ》で昼近くまでいぎたなく眠りこけていた彼女はミサを知らせる鈴の音を朦朧《もうろう》として聞き、夢遊病者のように着がえをすませ、チャペルにふらふらと出かけるのだった。信心の気持など毛頭ない彼女には、ミサの間も跪《ひざまず》いて祈る気持などなく、眼をつぶって居眠りをしているだけだった。

だがその代り、ここにいれば飢えることはない。質素だけど清潔なシーツの上で寝ることができた。そして僅かだが給料ももらえる筈だった。

近所の女子修道院から神父たちの食事の世話に通ってくる修道女《スール》アニエスはまだ若いソバカスだらけの気だてのやさしい女性だった。

ある日、彼女は仕事の合間聖書を展《ひろ》げている自分を羨《うらや》ましそうに見ているマルグリットに気がついた。

「いいわねえ」

とマルグリットは溜息をついた。

「字を書けたり、読めたりするなんて」

「教えてあげましょうか」

「ほんと？」

マルグリットが眼を赫《かがや》かせたので、修道女はアルファーベットを紙に書いてやった。そして読みかたの初歩を教えてみた。

マルグリットが頭のわるくない女の子だということは一カ月もたつとすぐ、わかった。彼女は簡単な言葉ならもう読めるようになったからである。

「あの子は教育してやるべきですわ」

と心やさしい修道女アニエスはゴマール神父に言った。

「機会がなかったため、心の向上が出来なかっただけですもの」

ゴマール神父は翌日、マルグリットを自分の部屋によんだ。

「なにか、御用でしょうか」

彼女は叱られるのかと思って、おどおどしながら訊《たず》ねた。

「スール・アニエスに聞いたよ」

老神父は上機嫌だった。

「お前は彼女に読み書きを習っているそうだね」

「はい。でも、まだ駄目です」

「これを読んでごらん」

神父はまわりを見まわし、机の上においてあった囚人カードの一枚を偶然、とりあげた。

「これは、私がたずねていく留置所のカードだ。囚人の名前や特徴が書いてある」

そのカードを受けとってマルグリットは心細そうに読みはじめた。

「テレーズ・クロス。四十三歳、住所……女王通りの裏町。通称、兎のおばさん」

ここまで読んだ時、マルグリットの顔色が変った。あとが続かなくなった。

「どうしたんだね」

何も知らぬ人の良い神父はそのカードを横から覗きこみ、

「罪名、逃亡幇助《ほうじょ》」

と教えてやった。

「どうしたね。気分でも悪いのか」

「いいえ」

「これから、もっと読み書きを習うことだ。そうすれば聖書だって読めるんだから」

神父には今、マルグリットの心に起った動揺がわからなかった。

「この人は」と彼女はきいた。「死刑にされるのですか」

「まさか。だが鞭《むち》うちの刑は仕方ないだろう。あのサンソンさんが次の土曜日に行うそうだ」

マルグリットの顔が突然、蒼《あお》ざめた。紙を持っていた手が細かく震えた。

「どうしたんだね」

ゴマール神父はこの娘の挙動が急に変ったのに気がついて、紙を手から取りあげると、相手をじっと見つめた。その途端、この神父はすべてがわかった……。

「ひょっとすると、この女は……お前の知りあいかね」

「畜生《サロウ》」

マルグリットは手で顔を覆って叫んだ。

「兎のおばさんは……悪い人じゃないよ。悪い人じゃない。それを鞭で打つなんて……どっちが悪人だ」

「気を鎮めなさい。マルグリット」

マルグリットの指の間から泪《なみだ》がこぼれ、泪は手の甲を濡らし、彼女のスカートに落ちていった。

「みんな、こうだ。この世は、みんな、こうなんだよ。弱い者だけが苛《いじ》められるんだ」

「マルグリット。この女はね……法律で正しい裁きを受けたんだよ。裁きを受けた以上は、刑に服さなくちゃいけない」

「どんな悪いことをした、と言うんです。兎のおばさんは、わたしを食べさせてくれたし、ぶったり、怒鳴ったり、一度もしなかったのに」

「そのかわり……お前に神の道に背く悪いことを教えたのじゃないかね」

ゴマール神父がやさしく彼女の肩に手をかけようとすると、マルグリットは体ごと、それを払いのけた。

「神さまなんて……」

神さまなんて、と言いかけて、流石《さすが》にマルグリットはこの冒瀆《ぼうとく》の言葉を咽喉《のど》に飲みこんだ。だが彼女は神さまがいるなら、こう言いたかった。神さまは飢えた者にパンのひとつもくれはしない。そして飢えた者が食べるために男に身を任せれば、道に背くと言うのはどうしてだろう。

「人間は罪をおかせば……その償いをせねばならない」

ゴマール神父はおごそかに言った。

「お前は幸い、我々のところで拾われたから良かったが……ひょっとすると、お前もこの女と同じようになっていたのかもしれないのだよ」

司祭館の台所の隅ですすり泣いているマルグリットを修道女アニエスが見つけた。

「どうしたの、マルグリット」

「どうもしません」

「神父さまから聞いたわよ」

修道女はマルグリットのそばにしゃがみこんで、姉が妹を慰めるように囁いた。

「わたしだって、あなたが怒っていることはわかるわよ。この世には、確かに不正がたくさん、あるんですもの。貧しい者が、貧しいために罪を犯したからと言って、それを裁く権利なんか、誰にもありやしない。この世には自分が豊かで、そのために、たくさんの人が犠牲になっているのを知らぬ者が、いるんですから……」

マルグリットは驚いたように修道女アニエスの顔を見あげた。彼女は神父や修道女というのは、すべて偽善的で、口だけで美しいことを言うのだと思っていたのである。

「マルグリット」

修道女アニエスは微笑《ほほえ》みながら、

「いいこと、教えてあげましょうか」

「……」

「わたしもね、あなたと同じような育ち方をしたのよ。家はサボアの貧しい農家で、わたしも羊飼だったの」

「ほんと？」

「ほんとよ。だから、わたしの言うことを聞いて。あなたは、その女の人が鞭でうたれるなら、彼女のためにお祈りをしてあげねばならないわ」

「お祈り？」

「そう、もし彼女があなたの言うように、罪もないのに鞭で打たれているなら、こうお思いなさい。主イエス様だってその昔、罪もないのにピラトの官邸で茨《いばら》の冠をかぶせられ兵隊たちから鞭で打たれたのだと……」

「…………」

「鞭で打つ者は、その一鞭、一鞭で、不正という名の罪を犯していくのだわ。そしてそれがたとえ神や国王の名を借りようと、神さまは決してお認めにはならない。彼等はその為《な》せることを知らざるなり。やがていつかは、そんな人たちは追放されるにきまっているのよ」

「どこから？」

「神様がその資格をお与えになった場所から……」

修道女は顔をキッとさせてこの言葉を口に出した。あたかも彼女がその神にむかって強く抗議をするように……。

兎のおばさんがグレーヴ広場で刑を受ける日、ゴマール神父は彼女につき添うため、執行人サンソンの乗った馬車に同乗し、朝食のあと、すぐ出かけていった。

「マルグリット、マルグリット」

修道女アニエスは神父たちが使った食卓がそのままになっているのを見てマルグリットの名を呼んだ。だが返事は返ってこなかった。マルグリットは仕事を放《ほ》ったらかしたまま、司祭館を飛び出したのである。

彼女はセーヌ河の橋をわたり、一度、来たことのあるグレーヴ広場まで足を早めていた。兎のおばさんに一目、会いたかったのだ。

広場には二、三十人の暇な男女が集まっていた。これが有名な罪人の死刑執行だと、押すな押すなの見物人が集まるのだが、不幸にして兎のおばさんは巴里《パリ》っ子たちには知られてはいなかった。それに鞭打ちの刑などはグレーヴ広場では日常茶飯事とまではいかなくても、そう珍しい刑ではなかったのである。

物干台のように作られた三本の棒の横木に鉄の輪がひとつ、吊りさげられていた。おばさんはこの鉄の輪に両手をくくりつけられ、そして鞭をうたれるのだ。鉄の輪は昼ちかい陽を受けて、じっと処刑人の来るのを静かに待っていた。

男たちは葡萄酒を入れた皮袋を口にあて、女たちはおしゃべりをしながら、囚人を乗せた馬車が来るまで時間をつぶしていた。

「来たぞ」

と誰かが叫んだ。

石畳をゴトゴトと車輪の音を鳴らしながら二台の馬車がこちらに近づいてくる。一台はサンソンとゴマール神父たちが乗り、もう一台の無蓋《むがい》の馬車には兎のおばさんと直接に刑を実行するサンソンの二人の助手とが乗っているのである。

おばさんは寝巻のような灰色の服を着せられ、両手を前で縛られながら首垂《うなだ》れていた。

「なんだ、婆あじゃないか」

葡萄酒で顔を赤くした男が大声で言うと、まわりの者はどっと笑った。

「婆あを見たって、どうって言うことはねえな」

マルグリットは群集の背中の間から、サンソンやゴマール神父に気づかれぬように、馬車上のおばさんのやつれた姿を眼で追っていた。あんなに肥っていたおばさんが、こんなに痩《や》せてしまっている。陽気で快活だったおばさんが顔を伏せ、うち沈んでいる。

広場の真中に馬車がとまり、ゴマール神父とサンソンとが重々しい顔をして彼女がおりてくるのを待った。手首をくくられた兎のおばさんは足もとを見つめたまま、サンソンの読みあげる刑の宣告を聞いていた。

「国王陛下ルイ一五世と巴里法院とは……」

とサンソンは両手で紙をひろげ、ゆっくりと朗読をはじめた。

「国王陛下の特別の御慈悲により烙印《らくいん》押しの刑は許され、それに代るに十回の鞭打ちを以《もっ》て、サド侯爵の逃亡を助けたる罪科を罰するものなり」

サンソンはやさしかった。彼は馬車から陶器の容器と葡萄酒の小さな壺とを出して、兎のおばさんに飲むことを奨めた。少しでも鞭の痛さに耐えられるように気を使ったのである。おばさんは言われるままに葡萄酒を飲んだ。彼女が泣いているのがマルグリットにもよくわかった。

手首の縄が鉄輪にくくりつけられた。兎のおばさんは昇天する聖母のように両手を天にあげたまま、顔だけを伏せて運命を待っていた。

「主イエス様だって、その昔、罪もないのに鞭で打たれたのだから……」

修道女アニエスの声はマルグリットの耳の奥に残っていた。だが彼女は別のことを考えていた。「国王陛下の命《めい》により」……王様というのは彼女にとってあのマリー・アントワネットの義理の祖父に他ならなかった。

空《くう》を切る鞭の音、兎のおばさんの鋭い悲鳴。獣のような呻《うめ》き声、そしてまた悲鳴。マルグリットはこの声を一生、忘れるもんか、と自分に言いつづけながら耐えた。一生、忘れるもんか。一生、忘れるもんか……。

花の冠

一七七四年の四月二十七日、仏蘭西《フランス》国王、ルイ十五世は近頃とみに弱くなった体を励ますように珍しく狩猟に出かけたが、半ば、急に烈しい頭痛を訴えた。つき従った廷臣たちは狼狽《ろうばい》して国王を馬車に乗せ、手近なトリアノン宮殿に引きあげた。

その夜、王は発熱した。黎明《あき》が来たが熱も頭痛も一向に去らない。

トリアノン離宮殿の廊下で侍医たちはたがいに顔をつきあわせ、ひそひそと何事かを相談しあっていた。

病名は判然としない。判然とはしないが、決して軽視できぬ症状である。医者たちの意見は一致した。国王を速やかにヴェルサイユ宮殿に移さねばならぬのだ。

「ヴェルサイユに？」

首席侍医ル・モニエの言葉を聞いた国王は苦しそうに呟《つぶや》いた。

「余はこのトリアノンが好きだ。できるならばここで病を治してほしい……」

「おそれながら。陛下……我々の侍医典範はこう決めております。国王御不例の折は、ヴェルサイユにて御診察申しあげること。つまり王たるお方は御自分の御寝室以外で病臥《びょうが》されてはならぬと言うことでございます」

「余には……それだけの自由もないのか」

だが侍医たちは顔を強張《こわば》らせたまま沈黙を続けていた。そしてその日、熱と烈しい頭痛があるにもかかわらず、ルイ十五世はふたたび馬車に乗せられ、ヴェルサイユ宮殿まで戻らねばならなかった。

病状もわからぬまま、王がその夜、受けた治療は瀉血《しゃけつ》と言って血を採る方法である。愛人のデュ・バリー夫人は王が血を採られるたび、手で顔を覆ってすすり泣いた。王の三人の年とった娘も枕頭《ちんとう》を囲み、おどおどと病人を見まもっていた。皇太子ルイ・オーギュストは、妻のマリー・アントワネットのそばで棒のように立っていた。

三度目の瀉血のあと、灌腸《かんちょう》を行うことになった。人々は部屋を退き、首席薬剤師のファルジョーとその助手、それに医師たちが王の体を囲んだ。灌腸の折、今まで暗くしていた燭台《しょくだい》を助手の一人が持ちあげた。ゆらめく炎が王のやつれた顔を照らしだした。

小さな赤い発疹《はっしん》が一面にその額《ひたい》と頬にひろがっている。あっ、と誰かが叫んだ。

(天然痘……)

医師たちは愕然《がくぜん》として、顔を見あわせた。

宮殿に不安が拡がった。マリー・アントワネットの伝記作家たちの多くは「この日から国王の寝室に彼女はできるだけ、足を踏み入れないようにしていた」と語っている。もし、それが事実としても、それだけでマリー・アントワネットを、つめたい、利己主義な女だと非難するのは当らない。異国の宮殿のなかで、彼女は心からの愛情を夫の一族の誰一人からも受けなかったし、逆に彼等にたいして持てなかったとしても、それは無理はなかったのである。平凡な女――マリー・アントワネットもその一人だった。平凡な女が伝染病をこわがるように、彼女は国王の天然痘に恐怖を感じたにすぎぬ。

暗い沈黙がヴェルサイユ宮殿を包んだ。華やかな燈火にかがやいた無数の部屋も今は闇となり、貴族、貴婦人たちが、笑い、さざめき通る大理石の廻廊《かいろう》にもう人影はない。一歩、一歩、死の強い手が王をつかもうとして迫っていることは誰の眼にも明らかである。

「我々には……もはや、手の打ちようがありませぬ。ただ、ひたすら神の奇蹟《きせき》を待つのみにございます」

侍医団は悲壮な顔をして、そう報告をせざるをえなかった。すべての治療にかかわらず国王の体がもち直るのは不可能になっていたのだ。

終油の秘蹟――教会が信者の臨終に際して与える儀式を行うために王室の神父たちが呼ばれた。

「我々は……」

と神父たちは首をふった。

「このままでは陛下に終油の秘蹟を行うことはできませぬ」

神父たちは、ともすれば無視されがちの教会の威厳と権威とをこの際、はっきりさせようと挑戦的な態度をみせた。

「陛下は教会が認めぬ関係を、一人の女性と持っておられます。この女性との関係をお断ちにならぬ限り、教会は終油も告解の秘蹟も陛下にお授けできません」

仏蘭西の国教はカトリックであり、国王もまたカトリック信者であるという法律がある以上、ルイ十五世といえどもこれら神父の抗議を無視するわけにはいかなかった。

教会が認めぬ関係を結んでいる一人の女――それは言うまでもなくデュ・バリー夫人のこ

とである。王が今、瀕死《ひんし》の病体を横たえているこの寝室の上に部屋を与えられた愛妾《あいしょう》である。

国王はこの抗議にもう反撥する体力も気力もない。主だった廷臣たちはこの神父たちの意見をのまざるをえなかった。三人の内親王たちは快哉《かいさい》を叫んでそれに同調した。

「わたくしにこの宮殿から出ていけと、おっしゃいますの」

巴里のド・ボーモン大司教の口からこの宣告を聞いたデュ・バリー夫人は一瞬、紙のように蒼白《そうはく》となり、躰《からだ》を震わせて叫んだ。

「それは……陛下のお気持でございますか。それとも皆さまのお気持でしょうか」

「これは……」

と大司教はつめたさを装って答えた。

「陛下と我々との考えでございます」

「陛下に会わせてくださいませ。そして、陛下の本当のお気持を……伺いとうございます」

大司教は首をふった。そして、すべてが終った。

その日は雨が降っていた。午後四時、デュ・バリー夫人は泣きながら友人であり、宮廷で今はただ一人、彼女の味方であるデュ・ギュイヨン公爵に体を支えられながら馬車に乗った。彼女を見送る者は一人もいなかった。力を失った者にはもう誰も用はないのだ。雨のなか、彼女を乗せた馬車は泥水をはねあげながらリュエイユに行く街道に消えていった。

ルイ十五世の臨終は刻、一刻と近づいた。華麗な寝室は熱と既に始まった死を感じさせる臭気で充満し、悪臭は廊下にも漂ってきた。

かつて美貌を誇った王の顔も、あまたの女性を抱いたその女のように白い肉体も今は黒ずみ、黒ずんだだけでなくあまたの瘡蓋《かさぶた》に覆われていた。ながれ出る膿《うみ》はいくら拭ってもなくならなかった。王は生ける屍《しかばね》というよりは、おぞましい汚物に浸ったような肉の塊りにすぎなくなっていた。

彼はもう何も言う力はなくなっていた。医師団は交代でその枕頭に立っていたが、王の唇から洩れるのはただ荒い息づかいだけだった。カルメル会から特に帰ることを許された次女のルイーズ内親王——今は修道女《スール》ルイーズが十字架を手に握りしめ、死者のために祈りを唱えつづけ、廊下では彼女の三人の姉妹たちが泣きながら、それに口をそろえていた。

神父の一人が聖水を入れた器を持って、その寝室に入り、跪いて王から最後の罪の告白を聞いた。そしてそのあと、臨終の秘蹟を与えた。

五月十日の午後三時——

「崩御されました」

ル・モニエ首席侍医がルイ十五世の手をとり、脈が永遠に切れたのをたしかめると、一歩さがって、恭しく頭をさげた。

すすり泣きの渦のなかから内親王たちのひときわ大きな叫びが聞えた。

「わたしたちは……どうなるのでしょう」

マリー・アントワネットも夫のそばに跪いて手巾《ハンカチ》を眼にあてた。たしかに彼女も悲しかったのである。

だが悲しみの泪をふきながら、心のもう一方の側でひとつの声が囁《ささや》いた。

「あなたは……明日から皇太子妃《プランセス》ではなく王妃《レーヌ》になるのですよ」

その声は母マリア・テレジアのものではなかった。女官長のノワイユ夫人のものでもなかった。それはマリー・アントワネット自身の声だった。

王妃になる……仏蘭西の王妃になる。このヴェルサイユ宮殿で最も敬われる女となる。

遂にその日が来たのだ。急いで立ちあがると、彼女は夫の腕を強く引くようにして自室に引きあげた。夫もまた、あることを感じて、その大きな体を震わせている。二人とも何も言わない。言わないがそれぞれが相手の今考えていることと感じていることが、はっきり、わかるのだ。

「世界が……」と夫のルイ・オーギュストは叫ぶ。「わたしの上に落ちてきそうだ」

アントワネットはこの時、結婚以来はじめて愛情を感じながら、この少年のような皇太子をだきしめた。

「神さま、わたくしたちをお守りくださいませ」

と彼女は思わずこの言葉を口に出した。

「まだ若いわたくしたちが王と王妃になるのですから……」

五月十日、午後三時――ルイ十五世、崩御。

同じ五月十日、午後四時。

ヴェルサイユ宮殿のあちこちで聞えた嗚咽《おえつ》の声が次第に消えた。その代り、部屋から部屋へと波のように囁きが、伝言が伝えられていった。それは奔流のように宮殿の通路を溢《あふ》れ、階段を滝のように流れ落ちた。声はひとつの叫びとなり、もりあがり、高まった。

「新国王、万歳。新国王、万歳」

子供のようにうち震えている夫を抱きながら、マリー・アントワネットはこの声を耳にした。

声は合唱となり、シュプレヒコールとなりこちらに近づいてくる。

「殿下」

とマリー・アントワネットは夫から身を離した。

「皆が参ります。さあ」

彼女はふりかえる。そして本能的にあの彼女がいつもとる姿勢——愛らしく首をかしげ、微笑みを顔にうかべ、今、開かれようとしている扉に体を向けた。

その扉が開き、雪崩のように廷臣、貴族たちが入ってきた。先頭は女官長ノワイユ夫人である。

一瞬、静寂がながれた。ノワイユ夫人は、マリー・アントワネットの前に跪き、その手に顔を近づけ、こう言う。

「フランス王妃《レーヌ・ド・フランス》……」

瞬間、どよめきが起った。部屋に足を踏み入れた者も、廊下を埋めた者もすべて口をそろえ、感きわまったように叫んだ。

「フランス国王《ロア・ド・フランス》、フランス王妃《レーヌ・ド・フランス》」

マリー・アントワネットは微笑んだままその歓呼を受ける。彼女の少女のように愛くるしい顔に今まで見られなかった威厳と気品とが赫《かがや》いている。皇太子――いや新国王ルイ・オーギュストは怯《おび》えたように王妃のそばで体をかたくしているだけに、この二人の表情は対照的だった。

もう誰もが前国王、ルイ十五世のことを忘れている。彼の寝室に最後まで残っていた神父たちも遺骸から発散する臭気に耐えられず、隣の閣議室に逃げてしまった。

がらんとしたその寝室で数人の男が手早く遺骸を棺《ひつぎ》に入れて宮殿の外で待機している四輪馬車に運んでいく。そして四十人の近衛《このえ》兵《へい》がそれを囲み、サン・ドニの教会に全速力で疾走していく。

死者にはもう用はない。廷臣たちは今日から新しい国王、新しい王妃の寵愛《ちょうあい》を得るため、昨日までのすべてを忘れ、昨日までのすべての派閥から離れ、昨日までのすべての友と袂《たもと》を別って、あたらしい権謀術策に生きるのだ。

前国王の棺が全速力でサン・ドニ教会に運ばれると、新国王と新王妃も同じようにヴェルサイユ宮殿をぬけ出て、全侍従を引きつれ、金色の馬車に乗りこんだ。それは前国王の死後、即位式まではヴェルサイユに留《とど》まってはならぬという王室の規則のためだった。ショワジィの離宮が当分、彼等が住む場所となる。

新緑のショワジィ。若葉の香りがむせかえるように匂い、その匂いのなかでマリー・アントワネットは自らにやっと与えられたフランス王妃という花の冠に酔った。自分はそれに相応《ふさわ》しく生れ、それに相応しく育てられた女だと彼女は思う。

「母上さま。神はわたくしが今日占めた地位につくよう、この世に生れさせてくださったのです」

と彼女はウィーンの母親、マリア・テレジア女帝に手紙で書き送った。

「母上の末娘だったわたくしを、この欧州でもっとも麗しい王国のため、お選びになった神の御意志を、わたくしは今更のようにふしぎに思います」

新緑のショワジィ。若葉の香りがむせかえるように匂う。

その匂いのなかで廷臣たちは、倖《しあわ》せにかがやく王妃マリー・アントワネットが十九歳の国王、ルイ十六世の腕に体をあずけ、離宮の径《こみち》を散策している光景を幾度も見た。

今の彼女にはシャルトル公爵のことなど、念頭にもなかった。他の貴族のことも考えなかった。自らに王妃という地位を与えてくれたこの善良で、小心で、小肥りの夫をこよなく愛している――そんな気持でいっぱいだった。

倖せは時として人の心をやさしくする。マリー・アントワネットの場合も同じだった。彼女は宮廷財務官をよんで、こう言った。

「耳にしたのですが、巴里市民はわたくしのため、特別の税金を払うそうですが、本当でしょうか」

「はい」

財務官はうなずいた。

「昔からのしきたりでございます。新王妃が決りますと、それをお祝いするため、巴里市民は追加税をさし出さねばなりませぬ。その収入は王妃になられる方の所有になるのでございます」

マリー・アントワネットは首をふった。彼女のまぶたには、自分が巴里に遊びに出かける時、手をふって迎えてくれた巴里の庶民たちの笑顔が浮んだ。

「わたくしのために……あの人たちから、そのような税金をとりたてるのはやめて頂きたいのです」

彼女は自分の感情に酔って涙ぐみそうになっていた。

「わたくし、自分の利益のために、巴里の人たちを苦しめたくありませんの。巴里だけでなく、心からフランスをわたくしは愛しているのですもの」

この話は廷臣たちの口から口へと伝わり、更にあたらしい王妃の心やさしさは巴里の庶民たちの評判になる。

「わたくしは、いい王妃になろうと思いますの。宮殿の貴族たちだけにではなく、まずしい人たちのためにも……」

彼女は母親にそう書き送る。それを書いている時、マリー・アントワネットは決して嘘を言っているのではなかった。王妃になった悦びと倖せが彼女の心に夢をかきたて、その夢に我と我みずから陶酔していたからである。

世間も人の心の奥も知らぬマリー・アントワネットは自分が巴里の庶民たちを愛するように、彼等もまた自分をいつまでも愛するだろうと錯覚していた。その庶民がいつの日か、自分を呪《のろ》い、罵《ののし》り、この王妃の座から引きずりおろすとは、夢にも考えはしなかったのだ……。

喪中の間は、ヴェルサイユ宮殿もこのショワジィの離宮もすべての家具や寝台に灰色の布をかぶせねばならなかった。家具や寝台だけでなく、国王と王妃の馬車も紫色の羅紗《らしゃ》で覆われ貴族たちの乗物も黒い布がかけられた。

光りかがやく若葉のあかるさと、この喪の暗い色とは対照的だった。人々は早く、その陰気な色彩から逃れようとして喪のあけるのを待った。

その喪が終った。家具からも馬車からも、あのルイ十五世の悪臭にみちた死を思い出させる布はすべてとり払われた。もう過ぎ去ったことはすべて忘れよう。さあ、ヴェルサイユ宮殿に戻ろう。そして若い国王と若い王妃のもとであたらしい宮廷生活をくり展《ひろ》げよう。

続々と貴族たちの馬車がヴェルサイユ宮殿に向って帰っていく。みなの顔には悦びと快活さとがふたたび甦《よみがえ》る。ルイ十六世夫妻——ルイ・オーギュストとマリー・アントワネットの豪奢《ごうしゃ》な四輪馬車も近衛兵にかこまれて、あのヴェルサイユ宮殿に帰還していった。

ヴェルサイユ宮殿の巨大な建物が遠くに浮びあがった時、馬車のなかからそれを見つめながら、マリー・アントワネットは言いしれぬ懐しささえ感じた。

ここを離れてから、僅かな日数しかたっていないのに、こんな懐しさをおぼえるのは何故《なぜ》だろう。

(そう……今日からは)

マリー・アントワネットは考える。

(この宮殿はすべて、わたくしのものだわ。誰のものでもない。わたくしのためだけのものだわ)

宮殿が自分のものであるためには、前国王の匂いのしみこんだものは——家具も人もすべて、とり除こう。デュ・バリー夫人の息のかかった、とり巻きも皆、遠ざけてしまわねばならぬ。

ショワジィ離宮で巴里の庶民にみせたあのやさしい心根はもうマリー・アントワネットの心にはなかった。そのかわり、ある種の女性にありがちな我儘《わがまま》が、狭量が、頭《こうべ》をもちあげていた。

マリー・アントワネットが王妃となった悦びに浸っている間、ヴェルサイユ宮殿ではあたらしい潮の流れがふたたび渦をまきはじめていた。

潮の流れ——それは宮廷特有の陰微な権謀術策である。前国王の崩御という事態にぶつかって、今まで勢力をしめていたものがその力を失い、今まで陽の目を見なかった者が時をえるという可能性がでてきたのだ。

だが誰もが新国王ルイ十六世を心から敬ってはいなかった。体だけは人一倍大きいが、鍛《か》冶《じ》と狩猟以外には無能なこの男に廷臣、貴族を抑える力などはありはしなかった。王妃マリー・アントワネットが甘やかされた、我儘な性格であることも、誰の眼から見ても明らかだった。

あまりにも若いこの二人を国王と王妃にしたヴェルサイユ宮殿では、逆にこの夫婦を利用して勢力を拡張し、権力をえようとする者たちが次々と出たとしても決してふしぎではない。

前国王の長女、アデライード内親王もその一人だった。

父が死に、甥《おい》が即位すれば、内親王とはいえ、今まで受けていた敬意や待遇が変ることを彼女はよく知っていた。廷臣や貴族たちの心のつめたさを子供の時から見てきた彼女は自分と妹のヴィクトワールやソフィ内親王のためにも、身の保全を計る必要を感じた。

「あなたに……」

ショワジィ離宮からヴェルサイユ宮殿に戻って間もなく、マリー・アントワネットを自室に迎えたアデライード内親王は、しばらく何気ない雑談をかわしたあと、何気なく言った。

「教えてさしあげたいことがあります。しかしそれを王妃となられたあなたに不躾《ぶしつけ》に申しあげるのは、失礼でしょうか」

「いいえ」

マリー・アントワネットは無邪気に首をふって、

「内親王の叔母さまたちに助けて頂かねば、わたくしにはこの宮殿で何もできませんわ。わたくしも国王陛下もまだ、あまりに若うございますもの」

アデライード内親王はちらりと二人の妹たちに眼をやった。二人の妹ヴィクトワールとソフィとは知らぬ顔をして刺繡《ししゆう》に身をうちこんでいた。

「追放されたデュ・バリー夫人があることを画策しているのを御存知でしょうか」

「画策？」

マリー・アントワネットはこのむつかしい仏蘭西語の言葉をまだ知らなかった。

「計画をたてていると言うことです」

「どんな計画ですの」

彼女はびっくりしてたずねた。子供の時から甘やかされて育った彼女には、陰謀や術策がどのような形で企てられるのか、考えもしなかったのだ。

「王妃となられたあなたを失脚させようという計画です」

「わたくしを……」

「そう。デュ・バリー夫人はこの宮殿から追い出されたことを恨んでいます。そしてあなたを妬《ねた》んでもいるのです。だから彼女はかつて自分のとりまきだった廷臣たちを動かして、あなたについて良からぬ噂《うわさ》をまき散らそうとしているのですよ」

この言葉を言い終るとアデライード内親王は反応を窺《うかが》うように、甥の妻の顔にさっと視線を走らせた。効果はたしかにあった、マリー・アントワネットの顔に走水のように不安な表情が走ったのを三人の内親王たちは見逃さなかったのである。

「どんな……噂でしょうか」

とマリー・アントワネットは冷静を装ったが声は少し震えていた。

「申しあげにくいことですが、あなたが国王をないがしろになさって、若い貴族たちと巴里で遊び歩いているとか、その一人に思いを寄せたとか……ええ、すべて根も葉もないこと。私たち、まったく信じていませんけど……」

「叔母さまがた」

アントワネットは怒った眼で内親王を見あげた。それは美しい少女が侮辱を受けた時にみせるあの気品のある怒りの表情だった。

「わたくし、国王陛下をお裏切りするようなことは、ひとつもしておりません」

「知っています。だから、こうして御忠告、申し上げているのです。こういう噂をまき散らしたデュ・バリー夫人のとりまきをこの宮殿から追放なさらねばいけません。王妃として威厳をお見せになるべき時は、そうなさるのが必要なのですよ」

しばらく沈黙がつづいた。マリー・アントワネットは椅子から立ちあがり、内親土たちにきっぱりと答えた。

「叔母さまたち。わたくしは自分自身がしなければならぬことは、よく存じています」

「わたくしを愛してくださるなら」

その夜、寝室に夫を迎えたマリー・アントワネットは相変らず人のよさそうな顔をして自分の考案した錠前設計図に見いっているルイ十六世により添いながら話しかけた。

「たった一つだけ、戴冠式の前に、願いをかなえて頂けますでしょうか」

「何だろう。この私にできることですか」

「あら、あなたはもう仏蘭西国王でございますのに……」マリー・アントワネットは可笑《おか》しそうに笑った。「ヨーロッパで一番の国王にできぬことがおありですの……」

「だが」

設計図を横において、この小心で善良な男は事実、不安そうに呟《つぶや》いた。

「正直、私は国王として何をしてよいのか、わからないのだ。誰に相談したらよいのかも迷っている」

「御自分のなさりたいことを、なさればいいのですわ。御自信をお持ちなさいませ。そして、わたくしの願いをきいて頂ければ」

「あなたを悦ばせることなら、何でもしたいと思っているのだが……」

「まず大臣のデュ・ギュイヨン公爵を罷免してくださいませ。そしてミルボワ元帥やヴァランティノワ伯爵も遠ざけてくださいませ」

「デュ・ギュイヨン公爵を？」

「ええ」

マリー・アントワネットはうつくしい指を夫のあまり多くはない栗色の髪のなかに入れた。そして子供をあやすように、

「この方たちやその夫人たちは、デュ・バリー夫人の昔のお仲間ですわ。わたくしは今でも、この人たちを見るのが、嫌なのです」

怯えた眼でルイ十六世は妻の顔を見つめた。そして気が弱そうに、

「そういうことはできない。デュ・バリー夫人が宮殿から追放されただけで、もう充分と思うが……」

「でも、この方たちはわたくしに無礼な噂をまきちらしているのです。わたくしが陛下をお愛ししていないという噂を……」

「誰がそのような噂を、あなたの耳に入れたのだ」

「あなたの叔母さまたちですわ」

マリー・アントワネットはこの言葉を愛らしく微笑《ほほえ》みながら呟くように口にした。まるで悦ばしいニュースを大に伝えるような口ぶりだった。

「叔母さまたちも、わたくしの考えと同じ御意見をお持ちでしたもの……」

新国王は不安そうに黙りこんだ。人がよく、気の弱い彼は誰かを傷つける勇気はとてもなかった。大臣のデュ・ギュイヨンはたしかにデュ・バリー夫人のとりまきの一人だったが、決して悪い男ではない。デュ・バリー夫人だって叔母や妻の憎しみをかったが、献身的に前

国王に尽してくれた女性なのだ。彼女が宮殿から追放された今、更に追い打ちをかける必要がどこにあろう。

「わたくしの頼みを、きいてくださらないのですか」

「考えてはおくが……」

「陛下は……わたくしを愛していらっしゃらないのですわ」

例によってマリー・アントワネットは駄々をこねる少女のように泣きはじめた。我儘な女性が自分の意見が通らぬ時使うあの泪《なみだ》という武器を用い、愛していないからだ、という飛躍した論理を盾にした。

「何とか、しましょう」

途方にくれたルイ十六世は彼女をなだめるため、心にもない嘘をつかねばならなかった。そしてその夜も彼女に「愛している」ことを証明するため、無器用に、懸命にいつもの愛撫《あいぶ》をこころみた。

たった一つの願いを、と妻から執拗《しつよう》にせがまれても、国王ルイ十六世には、デュ・ギュイヨンたちを罷免したり、追放する勇気はなかった。彼の性格が子供の時から、すべてを事なかれ主義にさせていたのだ。

「男らしくない方でいらっしゃいますわね」

何日たっても煮えきらぬ夫の態度を見て、マリー・アントワネットは自分を抱こうとする国王の手を払いのけ、この言葉を口にした。怒った時の彼女の蒼白な顔は美しかった。

「では、わたくしから大臣にはっきり、申して宜しゅうございますか」

国王は彼女の怒りに逆らうことはできなかった。うつむいたまま、彼は何かを呟き、結局、妻のなすままに任せることにした。

宰相のモールパが王妃に呼ばれたのはその翌日である。

「デュ・ギュイヨン公爵はあなたの甥御でしたね……」

しばし雑談をかわした後、マリー・アントワネットはきっとした表情をとって話題を変えた。そのきっとした顔から、モールパは王妃が何を言おうとしているのかを推察した。

「たしかに、デュ・ギュイヨン公爵は私の甥でございますが……」

「これはわたくしよりも陛下の御考えですけれども、公爵は政務から離れて休息なさったほうが、よいのではないかしら」

マリー・アントワネットは視線をそらせて、この言葉を口早やに言った。

「私の甥を罷免なさりたい、と……」

「そうです」

「それは陛下のお気持でございますか」

「ええ」

「お言葉をかえして失礼とは存じますが、なぜ、このような政務事項を陛下御自身のお口から私に、お伝え頂けないのでしょう」

突然、王妃の頬にいらいらとした顔色が走った。それはまるで自分の好きな人形を召使が早く持ってこないのを怒っている少女の表情にそっくりだった。

「たしかにそうかもしれません。わたくしも二度とこんな差し出がましいことは致しませんわ。でも、この指示はわたくしから伝えるよう、陛下が申されたのです」

「私の甥は御不興をかったのでしょうか……」

宰相のモールパはまるで彼自身の責任であるかのようにおどおどとして訊《たず》ねた。彼は昔、前国王ルイ十五世とデュ・バリー夫人から失脚させられた苦い経験を味わっただけに、ふたたび獲たこの地位を失いたくはなかったのである。

「率直に言って、わたくし、デュ・ギュイヨン公爵が嫌いです。公爵もまた、わたくしのことをお嫌いと思いますけど……」

「妃殿下、そんなことは……」

おどろくモールパの言葉にマリー・アントワネットは強く首をふって、

「でなければ、デュ・ギュイヨン公爵はなぜ、わたくしについて、いわれのない中傷や蔭口《かげぐち》をまきちらすのでしょう。だから、国王陛下もわたくしも公爵に大臣をやめて頂きたいのです」

彼女は椅子からすっくと立ちあがり、モールパを見つめた。もうこれ以上、抗弁や反対をゆるさない威厳が、そんな時のマリー・アントワネットにあった。宰相は頭をさげ、そのまま部屋から出ていかねばならなかった。

王妃が自分の手で大臣を罷免したという話はたちまちヴェルサイユ宮殿に拡がった。国王ならば兎《と》も角《かく》、王妃がこのように大臣の人事に口を出したことはヴェルサイユ宮殿では例がない。廷臣のなかには眉をひそめ、蔭口をきく者も多かったが、その声はマリー・アントワネットの耳に届かなかった。

いや、逆に、彼女はこの時から自分の気儘が押し通せるという悦びを忘れられなくなったようだ。力と地位を与えられれば、多くの女はどうしても我儘になる。他人の心に思いをはせることも少なくなる。聡明で、慎《つつま》しく、控え目であることはむつかしい。マリー・アントワネットの場合も決して例外ではなかった。彼女はその点、ごく当り前の女の一人にすぎなかったのだ。もし彼女がオーストリアの貴族の妻となっていたら、多くの女が持つあの欠点はこれほど外には出なかったかもしれぬ。幸か不幸か今、苦労も知らず、甘やかされて育った女性に仏蘭西《フランス》王妃という最高の地位が与えられたのである。

六月十一日、新国王と新王妃との戴冠式《アントロニザシイオン》がランスの大聖堂で行われた。花々に埋められた祭壇に小肥りの髪のうすい男が跪《ひざまず》いている。それがルイ十六世だった。金色の祭服と金色の帽子をかむったランスの大司教が長い祈りを唱えたあと、王の額《ひたい》に聖油をつけた指で十字の印をつけた。

国王の背後には六人の貴族たちがそれぞれ、美々しく着飾り、重々しく直立していた。

やがて――。

大司教は震える手で重い王冠をもちあげた。純金で作られ、ルビーやエメラルドの宝石が燭台《しょくだい》の炎にきらめく王冠。重く神聖な王冠。

その王冠が今、新国王の頭《こうべ》にゆっくりと置かれる。続いて黄金の百合《ゆり》のついた王笏《おうじゃく》が彼の手にわたされる。ルイ十六世はそれを無器用に持ち、無器用に立ちあがる。この瞬間、彼は文字通り、仏蘭西国王としてローマ法王庁から認められたのだ。

大司教がまず国王を抱擁する。つづいて六人の貴族たちが同じ動作をする。そして声をそつえ、

「とこしえに国王の生き給わんことを……」

と三度、叫ぶ。叫びにあわせて大聖堂の扉がさっと開かれた。六月の強い光が聖堂に流れこみ、六月の強い光のなかで大聖堂前の広場を埋めつくした群集が見える。群集の嵐のような歓声が聖堂にぶつかり、鐘楼にあたり、鳩がいっせいに舞いあがった。

「王さま、万歳。王さま、万歳」

王妃マリー・アントワネットは礼式に従って夫から離れた席で、群集の声、祝砲、そしてたからかに、嬉しげに鳴る鐘の音を聞いていた。

この時ほど、自分の夫が素晴らしく見えた時はなかった。この時ほど、自分がこの夫の妻である悦びを感じたことはなかった。夫は仏蘭西国王であり、自分はその王妃であるという悦びが波のようにひたひたと彼女の胸に押し寄せてきた。

記録によると、この日、戴冠式のあと盛大な宴会があり、宴会が終ってから、国王ルイ十

六世と王妃とは腕をくみ、護衛もつけず、群集にまじって散歩をしたと言う。おそらくこの日々、マリー・アントワネットはたしかに女としての愛を夫に感じたにちがいない。今までは夫ではあるが、男を感じられなかったこの小肥りの国王に、心惹《ひ》かれたにちがいない。なぜなら彼だけが白分に仏蘭西王妃という地位を与えてくれたのであり、彼だけが他のすべての女性が求めても獲られぬものを充たしてくれたのであり――そう、それはマリー・アントワネットの子供っぽい虚栄心を充分、満足させてくれたからなのだ。

ルイ十六世の肩にもたれ、首を少し横にかしげ、微笑みながら歩く彼女を可憐《かれん》と思わぬ者はいなかった。群集はこの倖せな夫婦のために路《みち》を開き、手をふり、歓呼の声をあげた。

「わたくしたちは……」

マリー・アントワネットは夫に囁《ささや》いた。

「みんなに愛されていますわ」

無邪気な彼女はこの日、夫と自分とがこれらの群集に――いや民衆に、仏蘭西国民に愛されていると信じこんでいた。なぜなら彼等は自分たち夫婦を好奇心と好意と親愛感のまじった笑顔で迎えてくれたからである。

だが、その彼女には彼等と自分たちの生活にどんな隔りがあるか、考えようともしなかった。まとっている豪奢な衣裳《いしよう》一枚でもあれば、この人たちの生活はひと月もふた月も保証されるのだという事実に気がつきもしなかった。

そしてまた彼女は今、この笑顔を向けてくれている民衆の心がどんなに変りやすいかも知らなかった。大衆がどんなに残酷であり、冷酷であるかを察知することもできなかった。

「決して、この夕暮のことを忘れませんわ」

と彼女は夫に囁いた。

「仏蘭西の人たちは、なんて素晴らしいんでしょう」

マリー・アントワネットは小首をかしげ、微笑を送り、時々、手をふり、子供たちの頭をなでた。王妃であるという悦びが胸をしめつけて、彼女は泣きたいぐらいだった。

巴里《パリ》の外では……

兎のおばさんが釈放されたのは刑を受けてから十日目のことである。この十日の間、おばさんは鞭打《むちう》ちをされた背中の傷で身動きもできなかった。

気を失い、血まみれになった彼女は、執行人サンソンの部下たちの手で馬車にかつぎこまれ、シテに近いアベイ女子刑務所に連れ戻された。

医者が来た。まだ呻《うめ》き声をたてている彼女の背に薬を塗ったが、それを見た女囚たちは隅にかたまって、

「人殺し《アササン》」「ひとでなし《サロゥ》」

口をそろえて抗議の声を、あげはじめた。

「ひどいことを……」

その夜、熱をだしたおばさんに水を飲ませながら一人の女囚が呟いた。

「こんな世のなか、目茶苦茶になるといい」

この女囚は盗みを働いた罪で一年の刑を言いわたされていた。寡婦《やもめ》の彼女は二人の子供を食べさせることができず、パン屋からパンをかっぱらったのだった。

「我慢しなさいな。でも今にさ、あんたや、あたしたちを、こんな目に会わせた連中が、きっと同じ罰を受けるんだから。そうさ。きっと、そうなるさ」

だが、兎のおばさんにはそんな時代が来るとは思えない。この世には陽の当る場所に住む人間と日蔭に住む人間との二種類がいる。それは昔から決っていたことで、いつまでも変りっこないのだ。日蔭に住む人間は、もがこうが、わめこうが、日の当る場所に移ることはできぬ。それがおばさんの考えだった。

十日後、警吏がおばさんを連れ出し、刑務所の門まで連れていった。

「もうここに戻って来るなよ」

そう言って彼は片目をつむって笑った。

陽が眼に痛かった。長い刑務所生活で体がすっかり弱りきっているのを感じた。背中の傷はどうにか癒《い》えたものの、彼女には自分の体力をあの刑のためにすべて使い果したように思えた。

足を曳《ひ》きずり、途中で休み、休んでは歩きだし、セーヌ河にそって、やっと「女王通り《クール・ラ・レーヌ》」までたどりつくと、何カ月ぶりで見るこの通りは相変らず雑踏していた。馬車の車輪が石畳に音をたて洒落《しゃれ》のめした男が店を覗《のぞ》くふりをして女を探し、日傘をさした婦人たちが路にたちどまって語りあっている。そんないつもの風景のなかを兎のおばさんだけがまるで病んだ老婆のような歩き方でのろのろと通りぬけたが、誰一人、手を貸してくれる者もなかった。

ようやく、ホテルまで戻った。

だが――

兎のおばさんは金文字の入った扉に斜め十字に大きな板が打ちつけられているのを茫然として見ねばならなかった。

「差し押え家屋。無断立ち入りを禁ず」

そんなこと《セ・パ・ポスィブル》ってあるものか。おばさんは両手でその板を叩きながら叫んだ。

「セ・パ・ポスイブル。セ・パ・ポスイブル」

通りかかった女が立ちどまって、取り乱した兎のおばさんをじろじろと眺めていた。

「マルグリット、マルグリット」

もちろん、返事はなかった。警察から差し押えられた家屋はまるで死人のように黙っていた。

力つきた彼女は扉の外にしゃがみこみ、両手で顔を覆って泣きはじめた。指の間から嗚咽《おえつ》の声が洩れた。向う側の家の窓から年とった女がそれをじっと見おろして、

「可哀そうに」

と呟いたが、今まで、いかがわしい商売をしていた彼女を慰めようとはしなかった。兎のおばさんには何故、自分がこんな不当な仕打ちを受けるのか、わからなかった。あのサド侯爵とその義妹とを一晩、泊め、馬車を借りてやったことが、こんな結果を招くとはつゆ思わなかったのだ。逃亡犯を助けたり、匿《かく》まうことが幇助罪《ほうじょざい》になるなど、兎のおばさんは知らなかったのだ。

夕方が近くなった。あたりが冷えはじめた。それでも兎のおばさんは石像のように両手で顔を覆ったまま、身じろぎもしなかった……。

その時、誰かが彼女の肩に手をおいた。指の間から一人の若い女が自分のそばに顔を近づけているのが、泪に滲《にじ》んで影のように見えた。

「マルグリット」

思わず、兎のおばさんは叫んだ。

「マルグリット。マルグリット。マルグリット」

マルグリットは、自分にむしゃぶりつき、泣きじゃくる懐しい兎のおばさんの体を両手でだきしめ、同じように声をあげて泣いた。泣き終ると、二人はたがいに相手を確かめるように顔を見つめあった。

「マルグリット。もう、わたしには何も残っていないんだよ。苛《いじ》められ、鞭で叩かれた揚句、この旅館まで奪《と》られてしまった……」

「知ってるわ。みんな、知ってるわ」

「話は山ほど、あるんだよ。マルグリット」

「わたしたちだって、どうして良いのか、わからなかったし……」

マルグリットはまだ泪をふいている兎のおばさんを「女王通り《クール・ラ・レーヌ》」のカフェに連れていった。ひょっとすると、仲間だったブリジットやシモーヌがいるかも知れない。そんな気がしたのである。

夕方のカフェは混《こ》んでいて、客たちはそれぞれテーブルがわりの葡萄酒樽《ぶどうしゅだる》を前にして大声で談笑したり、煙草をふかしたり、新聞を読んでいた。

「そうだったの」

マルグリットからあれからの一部始終を聞くと、兎のおばさんは溜息《ためいき》をついて、

「みんなにも迷惑かけたねえ。でも、わたしには、もう、あんたたちを助けてやることもできなくなった……」

「どうするのこれから」

「もう巴里は嫌《いや》だよ。巴里には住みたくないんだよ。マルグリット」

顎髭《あごひげ》をはやした男が扉をあけて入ってきた。彼は入口に立ったまま席でも探すように客たちを見まわした。

「同志諸君」

と彼は皆に話しかけた。

「たった今、耳にしたニュースをお知らせする。財務総監のチュルゴーは各地の凶作の対策として農民の賦役労働を廃止することを提案した。彼はあわせて穀物取引の統制、商人と生産者の組合《ギルド》の廃止も主張している。新国王ルイ十六世はそれを受理した。いや受理せざるをえなかったのだ。でなければ、仏蘭西の経済的破産はまぬがれぬからだ。新国王の体制は早くも崩れつつある」

新聞を読んでいた者も大声で談笑していた者も男を注目し、話が終ると立ちあがって烈しい拍手をした。

「貴族や御用商人は必ずや、彼等にとって不利になるこの提案に猛反対するだろう。しかし、時代の流れは確実に革命に向っている。我々はまだ事を起さぬ。しかし我々が手をこまねいていても、国王の封建社会制度は内部から崩れていく。やがて時が来た時、我々は行動を起そう」

「うるさいねえ」

兎のおばさんは自分の愚痴が妨げられたのに眉をひそめた。

「あの連中は何をしゃべっているんだろう」

「王さまを嫌っている人たちよ」

とマルグリットは説明した。説明をしたものの、彼女には男が話している演説の内容はあまりにむつかしく理解できなかった。

「マルグリット。わたしは巴里を離れて南のほうに行こうと思ってるんだけど……」

「南?」

「リヨンか、マルセイユ。リヨンなら知りあいもいるし……」

わたしも兎のおばさんについて行こうかしら、とマルグリットはぼんやり、考えた。アニエス修道女はやさしく親切だけれども、年とった神父たちと生活するのは嫌だった。彼女はもっと贅沢《ぜいたく》もしたかったたし楽しみたかった。

「もうひとつ、嬉しいニュースがある。今日ブルターニュで大きな農民一揆《いっき》が起った」

拍手が鳴り終ると、顎髭をはやした男は一同の反応を見るように、しばし沈黙したのち、話を続けた。

「うち続く凶作にもかかわらず、何ら手もうたれず、重税を課されてきた彼等も遂に我慢できなくなったのだ。諸君、仏蘭西は今、あらゆる傷口から膿《うみ》を出している。膿は出るがいい。それはやがて新しい、健全な皮膚を作るために必要だからだ。新国王一家や貴族たちはまだ、この傷が彼等に致命的になることに気づいていない。気づかねば気づかぬほど、我々にとっては有難い。なぜなら、そのために民衆の不満と怒りとは全国的に拡がるからだ」

ふたたび拍手が店のなかに鳴りひびいた。しかめ面《つら》をしているのは兎のおばさんだけだった。

アニエス修道女は朝、ミサにあずかると、すぐに自分の修道院を出て、この神父たちの家に来る。そして家事を監督し、神父たちの秘書《セクレテール》のような仕事もするのが、彼女の勤めだった。

修道女の従順という義務にしたがって、アニエス修道女は上司の命じたこの勤めをもう三年もやり続けていた。聡明で賢い彼女は決して不平や不満を顔にも出さず、たえず微笑を浮べてはいたが、心のなかで自分の生き方が、これでいいのかという疑惑が時々、起きるのを抑えることができなかった。

自分の生き方がこれでいいのか――しかし彼女は生涯、修道女であることは自分に神が与え給うた天職だと考えていた。しかし彼女は本当に基督《キリスト》の家であるべき教会が、社会の貧困や悲惨に眼をつむり、その教会の中枢となる枢機卿《すうきけい》や大司教の地位が貴族たちの子弟によって占められているあり方に誰もが黙っていることが耐えられなかった。

彼女は貧しい農家に生れたから、貧しい者たちの生活を知っていた。少女の時まで彼女は羊飼の仕事をやり、粉雪の舞う丘や雨のふる野原で羊を追ったから、飢えと共に貧しい人間の悲しみも骨の髄まで経験していた。たとえば仏蘭西の百姓たちは十二束の小麦を収穫すれば領主に三束、国税に二束、来年まく種に二束、耕作の費用に三束、取られねばならない。しかも手もとに残った二束のなかから、教会は国王から与えられた権威の名のもとに一束の供出を要求するのだ。それが基督の家である教会がやっていいことだろうか。

なのに教会の大司教や枢機卿はこの事実に知らぬ顔をしている。

彼女はこんな噂《うわさ》を最近、耳にした。ストラスブールのロアン枢機卿はウィーンに赴いた時、金にあかせて大規模な狩猟を催したり、豪華な晩餐会《ばんさんかい》を連日催しただけでなく、ウィーン宮廷の貴婦人に言いより、錬金術に異常なほどの興味を示しているという噂である。

噂が事実か、どうか、わからない。しかし神父や修道女たちの最高上司の一人である枢機卿がこのような噂をたてられ、それを教会が黙って認めていることは小さな修道女にすぎぬ彼女には辛《つら》く、悲しく、肯《うべな》うことの出来ぬ事実だった。

アニエス修道女は仏蘭西が一部の貴族や富農や大商人たちの利益のために動かされ、この連中のためにルイ国王の政治が行われていることも知っていた。修道院の年おいた修道女たちはそうした現状の改革を叫ぶ知識人や革命派の言葉を「汚《スキャンダル》らわしい」と眉をひそめていたが、彼女は口にこそ出して言わね、心中、それらの人々の声にひそかに共感をしていた。

けれどもこの聡明なアニエス修道女は自分に出来ることと、自分に出来ぬことを区別する眼を持っていた。だから今は彼女は従順に微笑を浮べて、この神父たちの住居の世話を熱心にやっているのだった。

この朝も彼女はミサにあずかり、祈りが終ったあと、神父たちの家にいつものようにやってきた。

神父たちは朝食をすませ、それぞれ自室に引きこもるか、外出をしていた。

「マルグリット」

空虚な台所には誰もいなかった。いつもはそこで馬鈴薯《ばれいしょ》の皮をむいたり、皿を洗っているマルグリットの姿は見えない。朝食の皿はきれいに片附《かたづ》けられている。

「マルグリット」

アニエス修道女は台所の机の上に一枚の紙がおかれているのを見つけた。紙には修道女が教えたばかりの稚拙な文字で、たった、それだけ書いてあった。

「さいなら」

懸命にこれを書いたマルグリットの姿が修道女のまぶたに思い浮んだ。怒る気はなかった。ただあの心がけの悪くはない娘がふたたび食べるために男たちに抱かれ、体をいじられる職業に戻るのだと思うと、アニエス修道女にはそれが耐えがたく悲しかった。彼女はいつものように祈る以外、この社会で何もできぬ自分の無力さをみじめに思い、溜息をついて椅子に腰をおろした。

兎のおばさんとマルグリットを乗せた馬車は晴れた朝、巴里を出てオルレアンに向けて走っていた。裸の耕作地にも、葉の落ちたポプラの並木に冬の弱い陽があたり、馬車は幾つもの同じような村を過ぎていった。

「本当にいいのかい。折角、まともな生活ができるようになったと言うのに」

と兎のおばさんは巴里を棄てて自分についてきたマルグリットを不安そうに見つめた。

「いいのよ」

とマルグリットは首をふった。

「わたしには、とても神父さんの世話をする勤めなんか向かないわ。退屈で」

マルグリットは窓外の風景に眼をやりながら、自分はなるようになるのだとぼんやり思った。幸福などとは一部の人間だけが持つことができるので、あとの大多数の者は何時《いつ》までも貧しさや惨めさに追いかけられる。それを彼女は巴里での生活で身をもって知った。

馬車のなかは数人の客がいるだけで、座席はゆったりとしていた。兎のおばさんとマルグリットの真向いには薬の行商をしているという禿《は》げた男がさきほどから、しきりに舟を漕《こ》いでいた。やがて大きな欠伸《あくび》をして眼をあけた彼は窓の外を覗いて、

「や、火事だ」

と叫んだ。

村はずれの城館《シャトオ》から黒い煙がたちのぼっているのが見えた。城館《シャトオ》というのはその村を支配する田舎貴族の家のことだった。

鍬《くわ》や鋤《すき》、それに棒を持った百姓の一群が馬車の行く手に立ちふさがり、両手を拡げて馬をとめた。

「一体、どうしたんだね」

と御者が百姓たちにたずねた。

「俺たちは一揆を起したのさ。もう我慢できねえからね。俺の村たけじゃねえよ。隣の村の連中も、今、こっちに集まってくるところさ。だから路はふさがれているし、馬車はこっちの街道は通させねえ」

「弱ったね。こっちも商売だ」

「だから間道を行ったほうがいい」

御者は馬車から飛びおり、百姓たちと何か相談しあっていた。

「なにが、あったんです」

兎のおばさんは眼を丸くして薬の行商人にたずねた。

「知らないのかね」

と行商人は得意そうに教えた。

「珍しいことじゃないよ。百姓たちが一揆を起しているのさ。そりゃ当り前だろう。去年からの大凶作なのに、王さまと貴族と教会とは相も変らず同じ税と供出をきびしく取りたてる……これじゃ百姓は飢え死にするほかはないだろ。その上、水車を使うにもパンを焼くにも高い使用料を領主様に払わなくちゃならないんだから」

「おお、こわい」

「鼠だって追いつめられれば、猫に嚙《か》みつくさ。俺は商売がら、あちこちを旅しているが、このところ一揆はノルマンディにもブルターニュにも起っているぜ、ま、それぞれ役人が来て棍棒《こんぼう》で追い払っているが、やがては仏蘭西中に大きな騒動が始まるだろうね」

兎のおばさんは信じられぬと言うように肩をすくめた。彼女の頭には国王や貴族に歯向うなどとはとても出来ないことであり、そんな反逆は神さまが（おばさんは、いかがわしい仕事をしていたが神さまは信じていた）お許しにならないと思ったのだ。

「これというのもあの長い、くだらん戦争のせいさ。イギリス野郎と七年も戦争をつづけたから、仏蘭西はまあ、俺たち商人の言葉でいえば借金で首がまわらなくなったんだね。借金を穴埋めするためには、税金をもっと取りたてねばならない。暴動が起らないとしたら、ふしぎと言うもんだよ」

行商人の得意げな説明を聞きながら、マルグリットはあの「女王通り《クール・ラ・レーヌ》」のカフェを思いだしていた。彼女にとっては理解できぬような連中が口角、泡《あわ》を飛ばして、国王と貴族を倒せとか、革命を起そうと論じあっているカフェである。

愚にもつかぬ男たちの議論と思えていたことが、今、マルグリットにはどうやら嘘ではないように思えてきた。

「それで、王さまや王妃さまは何も心配していないの」

マルグリットの唐突な質問に行商人はせせら笑った。

「王さまや王妃さまが心配しているかって？　何も気づいてはいないさ。気づいていたら、あのオーストリアから来た女はあんな眼に余るような贅沢をしている筈はないだろうよ」

行商人の言ったことは嘘ではなかった。なぜならオルレアン、ブルージュ、ヴァレンヌの町々を経て、仏蘭西第二の都会リヨンに着くまで、マルグリットたちは幾度も女、子供までまじえた百姓たちが、都会や村の広場に集まり、気勢をあげ騒いでいる光景を見たからである。

自分も貧しい血を受けたマルグリットにはそんな光景を眼にするたび、詳しい事情はわからなかったが快感を覚えた。その快感には一種の復讐心《ふくしゅうしん》もまじっていた。兎に角、今日まで自分を苛めてきた人間や金持たちに百姓たちが遂に歯向ったのだ。彼女はその都度、なぜかあのストラスブールで見たオーストリアの王女を思いうかべた。自分と年もちがわぬのに、自分の手の届かぬ幸福をすべて獲ているあの女や貴族たちに、みんなが憎しみを持ちはじめたのだ。今までのように温和《おとな》しく黙っていることをやめたのだ。

（いい気味……）

馬車の窓から騒ぎを眼にするたび、彼女の心にまず起った感情はこれだった。この騒動や暴動がもっと拡がればいい、風にあおられた野火のようにもっと大きくなればいい、そうしてみんながあの女たちを恨めばいい。

リヨンに着いた時は夕暮だった。おそろしいほど濃い霧が夕暮の街を包みこんでいて、ソーヌ河を上下する舟から男たちの声が霧のなかで聞えた。泊った小さな旅館はそのソーヌ河の河岸にあったが、巴里とちがってこの街はまだ夕方だと言うのに、ひっそり静まりかえっていた。

旅でつかれた二人が翌朝、眼をさました時もリヨンはどんより曇っていた。古綿のような雲が街の上を覆い、教会の尖塔《せんとう》がその雲を寒そうに刺していた。旅館の内儀《おかみ》は春の復活祭までリヨンでは晴れ間がないのだと言った。

朝飯がすむと兎のおばさんは街に出ていった。リヨンに住む知りあいに、今後の身のふり方を相談するためである。

おばさんが外出している間、マルグリットは旅籠《はたご》屋を出て、河岸のまわりを歩いてみた。

河にそって古い大きなサン・ジャンの大教会があり、よごれた、汚い家がぎっしりと並んでいた。背後はフルビエールの丘が迫っていて、丘の中腹までやはり貧しい小さな家々がかたまっていた。巴里にくらべ、すべてが田舎くさく、野暮だった。

旅館に戻って間もなく、兎のおばさんが彼女と同じぐらいの年齢の女と戻ってきた。

「マルグリット、あたしの友だちのマダム・ヴィレットだよ」

ヴィレット夫人はひどく好奇心のこもった眼でマルグリットの頭から足の先まで眺めまわした。彼女は、一眼でそのいかがわしい職業がわかるような羽飾りのついた帽子をかぶり、派手な毛皮のついたマントをまとっていた。

「マダム・ヴィレットはね」と兎のおばさんは機嫌をとるように「あたしたちがリヨンで食べていけるよう、手を貸してくれるんだからね」

だが、ヴィレット夫人のほうは相変らず好奇心の溢《あふ》れた顔でマルグリットを見まわし、

「誰かに似ているね」

とひとりごちた。

「あんた、たしかに誰かに似ているよ、どうも思いだせないけど……」

「わたしが……」

「そう……。まあ、いいさ。兎のおばさんから話はもう、みんな聞いたよ。しかし、わたしはあんたに巴里でやったような仕事をしてもらおうとは思わないね。あたしと仲間《コパン》とはもう少し、スケールの大きな仕事を次々と企んでいるし……」

「どんな仕事でしょうか」

ヴィレット夫人は何も言わずに頬にうす笑いを浮べた。やがて彼女は部屋の呼鈴をならし、内儀に上等の葡萄酒とチーズとを持ってこさせて振舞ってくれた。

「あたしたちは三十年前、このリヨンで会ったんだよ。あの頃、二人とも可愛い縫子《ぬいこ》さんでね」

と酔いがまわったらしく、ヴィレット夫人は兎のおばさんを指さして、昔話をしはじめた。

「それから仕事がなくなってね、あれは戦争のおかげだった。二人とも放り出されたのさ。そして街に立って、食べるためには仕方なかったし……しかし人間、いつ運が向いてくるか、わからない。この人がディジョンの商人に見そめられて足を洗った時、わたしは本当に羨《うらや》ましかったね」

「それももう駄目だよ。むかしの話」

兎のおばさんは悲しそうに首をふった。

「あのサド侯爵をかくまったばかりに……」

「そのサド侯爵はね、今、牢屋《ろうや》にいるよ」

突然、ヴィレット夫人は葡萄酒を飲むのをやめて、兎のおばさんとマルグリットとに向きなおった。

「ここから遠くないミオランの収容所。マルセイユでまた妙な事件をしでかしたもんだから……」

「何をしでかしたんです」

「四人の女の子を集めてね、この子たちに奇妙な菓子《ボンボン》を食べさせたのさ」

「奇妙なボンボン？」

「それが……」とヴィレット夫人はにやにや笑いながら「面白い趣味だねえ。下剤入りのボンボンだよ。勿論《もちろん》、それを食べた女の子たちは吐くやら、お腹《なか》をくだすやら、侯爵はそれを見て、満足していたんだから。でもわたしは面白いと思うよ。あの侯爵さまが……」

マルグリットはうす気味わるかったサド侯爵の姿を思い出していた。だが、あの人も「女王通り」のカフェに集まる連中と同じように国王や貴族の世界を憎み、革命が必要だと言っていた。

「ところで、あんた」

ヴィレット夫人は兎のおばさんに、

「このわたしも、サド侯爵さまに、どうやら関《かか》わりを持たなくちゃならないようだよ」

「関わりを？」

「ああ。わたしの仲間《コパン》の一人に夫人から連絡があってね。夫の脱獄を手伝ってくれと言ってきているんだ。もしそれが首尾よく成功すれば、充分な礼をするってさ」

兎のおばさんは肩をすぼめ、

「そんな、こわいこと」

「わたしはね、もう、あぶく銭をかせぐような仕事は飽きているんだよ。そりゃ危ない橋は渡るかもしれないが、儲《もう》けの大きな口がこれからは面白いものさ。世のなかは今、どんどん変っているんだ。こんな時はビクビクしていても仕方ないし、わたしはでっかく稼《かせ》ぐつもりだよ」

酒がまわったのか、ヴィレット夫人は饒舌《じょうぜつ》になり、得意気に肩をゆさぶった。

「わたしには……」

と兎のおばさんは怖ろしそうに首をふって、

「とても、そんな仕事は手伝えないよ。もう牢屋に入るのはたくさんだし……」

「いいさ。あんたは昔馴染《むかしなじみ》だし。ひもじい思いは当分させないさ。でもマルグリットは手伝ってくれるだろう。それとも寒い町かどに立って、巴里の時と同じように男を探し歩くかい」

マルグリットは黙っていた。黙ってはいたが彼女はこの羽飾りのついた帽子をかぶり、派手なマントで身を包んだヴィレット夫人に妙な魅力を感じた。

「わたしはね」と夫人はマルグリットにだけ話しかけた。「金もうけだけにこんな仕事をするんじゃない。百姓だって御領主さまに歯向う世のなかだろ。わたしたちだって奴等の鼻をあかせてみたいじゃないか。今日までわたしたちを苛めてきた役人や警察に」

「どんなことを、すればいいんです」

「それは、わたしの仲間たちが考えるさ。考えても面白いじゃないの。教会の神父さんや貴婦人たちが世のなかで一番いやらしいと思っているサド侯爵を脱獄させて、もっと、もっと、いやらしいことをさせるのは……」

話しながら自分でも興奮してきたのか、ヴィレット夫人の眼は異様に光りはじめた。それはマルグリットが今まで知らない悪の世界で生きてきた人間の眼の光だった。

「この世のなかを目茶苦茶にしてやるのは、結構、たのしいことだよ」

「あんた、おそろしい女だねえ」

兎のおばさんは怯《おび》えたように呟《つぶや》いた。

「うじうじ、泣いて生きる世の中じゃないんだよ」とヴィレット夫人はせせら笑った。「世の中はこれから変るんだ。どう、マルグリット、手伝うの？ 手伝わないの」

「手伝うわ……」

とマルグリットは顔をあげてうなずいた。世のなかを目茶苦茶にしてやるんだ、というこの奇妙な夫人の言葉がマルグリットには魅力的だった。世のなか——それは彼女にとってマリー・アントワネットのような女性には自由も贅沢もすべて与えられ、自分のような女には飢えと苦しみしかないような世界のことだった……。

二日目の夜ふけ、ヴィレット夫人はマルグリットをソーヌ河に近い皿町《リュー・ド・プラ》につれていった。

この夜、リヨンは格別に霧が深く、二人の乗った馬車は地獄にむかうように這《は》いまわり、押しよせ、たちのぼる乳色の霧をかきわけ、かきわけ、皿町《リュー・ド・プラ》の工房の前に停《とま》った。

「と、と、と、と」

と酔っぱらった御者は手綱を引きながらわざと馬に話しかけた。

「こんな霧の夜は、一杯、飲まなくちゃやりきれねえよな」

「だから酒代《さかて》はちゃんと、はずむと言ってるだろ」

ヴィレット夫人は馬車代を払うと、立ちすくんでいるマルグリットを促して工房の扉を押した。

がらんとして、印刷機械や油の壺のおいてある埃《ほこり》くさい工房のなかに三人の男が陰気臭い顔をして酒を飲んでいた。作業台においたランプの芯《しん》がじりじり燃える音がかすかに聞えた。

ヴィレット夫人は、

「さあ、連れてきたよ。わたしはこの子なら仲間に入れてもいいと思うがね」

三人の男はじろじろ無遠慮にマルグリットの顔を見つめた。仲間に入れていいのか、役にたつ女かをじっと調べているような鋭い視線だった。

「ふん。まんざら信用おけねえ女でもなさそうだ」

とその一人が言い、大きな手を差し出して、

「俺がこいつの亭主のヴィレットだ。この二人は相棒のアルバレとヴィオロンだ」

アルバレとヴィオロンとは握手はせず、ただ、ちょっと顔をふって、

「今日は《サリュー》」

と答えただけだった。

「それじゃあ、儲けの話を続けるか。マルグリット、これは小さい儲けじゃねえよ。それな

りの稼ぎのあるような仕事さ。だけに危《やば》い目をみなくちゃならねえが……」

「マルグリットはそのことぐらい承知しているさ」

「うるせえな。お前、黙ってろ」

ヴィレットは女房を叱りつけると、ジロリとマルグリットにきつい視線を走らせ、

「あんた、サド侯爵を知っているそうだな」

「はい」

「向うもあんたを憶《おぼ》えているのかね」

「そうだと思うけど……」

「なら、かえって都合がいい。あの侯爵はまたぞろ猥《みだ》らなことをやってな、サルジニヤ王国のミオラン牢獄に監禁されているのさ。ま、俺たちにとってはそれはどうでも良いことだが、侯爵の奥方さまが、俺たちがお尋ね者や犯罪者の味方だということを耳にしたのか、金は幾らでも払うから脱獄させてほしいと言ってきたのさ」

それからヴィレットは仲間《コパン》の一人のヴィオロンに向って、

「さあ、ヴィオロン、ミオラン牢獄の説明を続けてみろ」

と命じた。

ヴィオロンは大きな手でポケットから折りたたんだ紙をとり出し、埃だらけの机の上に展《ひろ》げた。アルバレが洋燈をその紙の上にかかげた。

「これが牢獄の見とり図さ」

とヴィオロンは木片の先で城門、見張台、牢屋、看守室などをひとつ、ひとつ示した。それは牢獄というより小さな要塞《ようさい》のようだった。

「俺はね、三日ねばってあの周りをうろついたさ。ところが、いや監視の厳しいったら、ありゃしねえ。隊長はロオネと言う野郎で、こいつがカチカチの難物、おまけに侯爵のことを心の底から憎んでいるときた。侯爵との面会は勿論、手紙も許さねえわけだ」

「おめえ、肝心の侯爵の姿を見たのか」

ヴィレットが噛み煙草を噛みながら訊《たず》ねると、ヴィオロンはうなずいて、

「中庭を散歩しているのを見ることは見たがね、歩哨《ほしょう》がたえず侯爵の横についていて絶対、眼を離さねえのよ」

「こういうわけだ」

ヴィレットはこの報告に落胆したのではなく、むしろ満足したように皆の顔をみまわし、

「ヴィオロンの調べた通り、この仕事はたやすくは運ばねえことがよくわかった。だが容易《やさ》しい仕事なら、儲けも安くなる。こうなりゃ俺は二万リーブルを侯爵夫人に要求するつもりさ」

「二万リーブルを」

皆は一瞬、ヴィレットのつけた大きな数字に黙りこんだ。

「どうしたい。なにを驚いてるんだ」

「お前さん」

とヴィレット夫人は、

「そんな高い値をふっかけて、サド侯爵の奥方が払うと思うのかい」

「嫌ならよすさ。そして亭主は一生、ミオラン牢獄で臭い飯を食うさ。だがな。侯爵のような貴族には二万リーブルぐらい鼻糞《はなくそ》にもならねえのよ。お前たちも知っているだろ。オーストリアから来たあの王妃マリー・アントワネットさまが、ついこの間、腕輪ひとつに三十万リーブルを払ったのを」

「三十万リーブルを？　たった一つの腕輪に？」

ヴィレット夫人は大仰に胸に手をあてて叫んだ。

「それじゃ、お前さんが二万リーブルをふっかけても、文句は言えないねえ」

マリー・アントワネット。マリー・アントワネット。あの女の名がまたしてもマルグリットの耳に飛びこんでくる。彼女は皆から顔をそむけ、唇を嚙んだ。

「さてと……それでこの監視きびしい牢獄に忍びこむのは尋常一様の方法ではできないしねえ。そこでマルグリット、あんたに働いてもらうわけだ」

「何をするの」

「どれほど監視がきびしくてもよ、どこかに抜け路《みち》がある筈だ。何よりも侯爵に俺たちが脱獄の手引きをすることを教えなくちゃならねえ。その手紙をあんたに届けてもらうのよ」

ヴィレットは今度は仲間の一人のアルバレに話しかけた。

「アルバレ。お前から言ってみな」

「ヴィオロンが牢獄の周りをうろついている夜、俺はすぐそばのアルビニイ村の居酒屋で酒を飲んでいたさ。酒を飲むためじゃないぜ。そこの肥っちょの内儀から話を聞きこむためだ」

「なるほど」

「それで……牢獄の警吏やサド侯爵たちのため洗濯や料理をこのアルビニイ村の女たちがやっているとわかったのさ。料理女は半日、牢屋に出かける。洗濯の汚れものは週に二度、別の女がもらいにいく」

「聞いたか」

ヴィレットは得意そうに彼の女房とマルグリットを眺め、嚙み煙草を吐きだすと、

「それこそ、俺の知りたかったことよ。抜け路があると言うのも、まったくこのことさ。さあ、もう何も言わなくても、俺の考えがわかるだろう」

「マルグリットが洗濯女に化ける。そしてサド侯爵に手紙を届ける。そうだろう。お前さん、流石《さすが》だねえ」

ヴィレット夫人は夫を悦ばせるように、甘えた声を出した。

「でもね。一つのことはやはり考えておいたほうがいいね。たとえマルグリットがうまく洗濯女に化けられても、ミオラン牢獄のなかまで入れてもらえるか、どうか、わからないだろ」

「縫いこむのよ」

「なんだって」

「侯爵の下着なら下着のなかに手紙を縫いこんでわたすのよ。外側からは手紙が縫いこまれているとはわからねえ。だが下着を着た御当人には、どうも妙な感触がするところがある。おやっ、と思うだろう。そういう縫いこみ方をするのよ」

マルグリットは次第にこのヴィレットとその仲間に興味を持ちはじめた。ミオランの牢獄に忍びこむのは今、ふしぎに怖《おそ》ろしくも、こわくもなかった。と言うより、まだ彼女には実感が持てなかったのである。

それよりもマルグリットにはこの面白い連中の仲間に入れてもらえたのが嬉しかった。彼女は飽きもせずヴィレットの仲間に眼をむけ、彼等の話を聞きつづけていた。

「だが、どうやってマルグリットを洗濯女にさせるんだ」

「それは俺の女房がやるさ」

「任せておき」

「侯爵はどうやって牢獄の外に出られるんだ」

彼等は葡萄酒を飲み、ひそひそと計画をねっていた。

サド侯爵の脱走

ヴィレットはその魁偉《かいい》な体や顔や荒々しい言葉にも似ず、素ばしこく智慧《ちえ》のまわる男だった。侯爵を脱走させるための計画をすべて立て終ったあと、彼は用意してきた暦を丹念に眺めて女房にこうも言った。

「満月の日じゃ、事はうまく運ばねえよな。追手はこっちの姿を見つけやすいし、城壁から一斉射撃でもくえば、一巻の終りだ。雨の日か、霧のふかい、月の欠けた夜を選ばなくちゃいけねえ。お前はこのマルグリットやアルバレと一緒に、明日にでもアルビニイの村に行くことだな」

その夜、この工房に泊らせてもらったマルグリットは翌朝、アルバレが用意した馬車に乗りこんだ。彼女もヴィレット夫人も粗末な服に着がえ、農婦や洗濯女がかぶるような安物の帽子をかぶった。誰がみても三人はどこか巡礼に出かける素朴な百姓一家のようにみえた。

リヨンを流れるソーヌ河をわたると、そこからはもう田舎である。前夜、あまり眠れなかったマルグリットは、いつの間にか、ヴィレット夫人の肩に靠《もた》れ、かすかな寝息をたてはじめていた。時々、眼をさますと、馬車は暮れかかった冬の枯れた畠《はたけ》を単調に車輪を軋《きし》ませながら、ゆっくり進んでいた。

「胆っ玉のある子だね」

籠のなかからパンとチーズとを出してヴィレット夫人はマルグリットに与えるとたずねた。

「どうやら、こわくもないようだ。あんたは相当な悪《わる》になれそうだよ」

「どうして？」

なぜ、こんな質問をされるのかが、むしろマルグリットにはふしぎだった。悪とは何か。

善とは何か。彼女はよくわからなかった。ただ一方では勝手気ままに人生を送れる人たちがいて、その人間たちが何をやろうと社会も教会も認めているのに、自分たち貧しい者が同じことをやりたいと思うと、それが悪となる世の仕組みだけはたっぷり巴里《パリ》の生活で味わってきたのだ。

単調な車輪の音はそのあと、ふたたび彼女が眠りこけても何時《いつ》までも何時までも続いたが、三時間ほどたつと、

「そろそろ、眼をおさましよ。ほれ、あの谷間に」

とヴィレット夫人が呆《あき》れてマルグリットの横腹をつついた。

「アルビニイの村が見えたよ」

日は暮れかけ、弱い冬の陽が谷間のアルビニイの村をそれでも薔薇《ばら》色に染めている。村の真中には教会があり、その周囲を白い石をつみ重ねた粗末な農家が囲んで、すべてが静かだった。だがそんな何処《どこ》にもある平凡な寒村の風景を破っているのは背後に屹立《きつりつ》する城塞のような高い牢獄の塔と見張台とだった。陽をうけた見張台には銃を持った玩具《おもちゃ》のような制服姿の兵隊が動きまわっていた。

村は死にたえたようにひっそりとしていた。どの家も粗末で貧しそうだった。

アルバレは例の居酒屋を見つけると、そこに馬車をとめた。彼は二人の女を馬車に残し自分だけが居酒屋の戸を押した。

「すまねえが、少し休ませてもらえねえか」

彼はいかにも実直そうな農夫を装って、帽子をぬぎ、おどおどとした声で挨拶をした。

「なにせ、ここまで女二人づれの旅だったもんでね」

居酒屋のなかには客は一人も見えず、人のよさそうな夫婦が椅子に腰かけ馬鈴薯《ばれいしょ》の皮をむいていたが、

「いいとも」

とその亭主のほうが包丁を動かすのをやめて、

「何処から来たんだね」

「ヴィシイの近くからで」

「一人かね」

「いえ。家族づれで」

アルバレは馬車に残っているヴィレット夫人とマルグリットを呼びにいった。一人の女たちもこわごわと居酒屋に入ると、恥ずかしそうに会釈をした。

「あんたたち、巡礼だね」

「いえ。女房の里に帰る途中でさ」

とアルバレはヴィレット夫人を顎《あご》で示し、

「俺の村じゃ近頃、流行《はやり》の騒動が起ったです――なんせね、御領主が年貢をきびしく取りたてるもんで。そんなら一層《いっそ》、畠は売って女房の里に近いグルノーブルで働こうかと思って」

「わかるさ。あっち、こっちで同じ話を耳にするからね」

亭主はうなずいて、

「この村だっていつかは同じ騒ぎが起きるよ。百姓だって収穫の麦の大半を御領主や教会に取りたてられちゃ、何時までも我慢できねえもの。巴里でもパンが不足して、騒ぎが起ったというじゃないか」

彼はたちあがって葡萄酒の壺と陶器のコップとを取りだし、二人に奢《おご》ってくれた。

「すまねえ。ついでだが……この村で女たちの働く口はないですか」

とアルバレは少し酔った口調で切りだした。

「女二人づれじゃ、どうも旅は足手まといだて。いっそ、俺一人で先に女房の里に行き、グルノーブルで仕事があるか、どうかを確かめてから、こいつら、呼びに来《く》べいかと思ってね」

「この村で？　とんでもないよ」

今まで黙っていた女房が馬鈴薯をむくのをやめて驚いたように叫んだ。

「こんな猫の額《ひたい》のような村に働き口なんか、あるもんかね」

「そうか。やっぱり駄目かねえ」

アルバレはしょんぼりした顔をみせ、

「なにも何時までも、とは言わねえんだが……ほんの半月でも、お宅さんで働かしてもらうわけに、いかねえすか」

「駄目だよ」

女房はつめたく手をふった。

「うちじゃ、二人が食べるのに精一杯なんだから」

「おい、おい」

亭主が横から口をさしはさんだ。

「ミオラン牢獄のロオネ隊長さんに話せば洗濯や縫物ぐらいの口はまだ、あるかもしれないぜ。話してやれよ」


夜になると居酒屋はたてこんだ。村の若い衆たちではなく、背後のミオラン牢獄に勤務する非番の兵隊たちが飲みに来るのだ。ほかに娯楽のないこの牢獄勤務では、兵隊たちは酒を飲むだけが気を晴らすことだった。

アルバレはわざと馬車に姿をくらましてマルグリットとヴィレット夫人だけが亭主と女房とを手伝って葡萄酒や食べものを兵隊たちに運んだ。

兵隊たちははじめはふしぎそうに二人の女をじろじろと窺《うかが》い、それから馴々《なれなれ》しく声をかけはじめた。女たちは恥ずかしそうに眼をふせ、しかし、彼等の気を引くように、その横を通りぬける時、兵隊と膝《ひざ》がふれあうように歩いた。


「何という名だい」

「マルグリット」

マルグリットもわざとおぼこ娘を装って、小声をだした。

「マルグリット、来いよ。たまらねえな、女の匂いを嗅《か》ぐのは」

扉があいて士官服を着た男が三人、入ってきた。すると兵士たちは急に騒ぐのをやめて立ちあがった。

「そのまま。そのまま」

隊長のロオネは手で部下を制すと、自分は部下の士官二人と隅の席で何か話しながら酒を飲みはじめたが、眼は時々、見知らぬ二人の女に向けられた。

居酒屋の女房が卓上の蠟燭《ろうそく》をとり変えにいくと、ロオネはマルグリットとヴィレット夫人をちらっと見ながら、女房に質問し、うなずいた。

「あの女たちに囚人の洗濯物を？ ふん。手は足りとるよ。だが、真面目に働くと言うなら考えんでもない」

女房の口ききで仕事をもらえたヴィレット夫人とマルグリットが礼を言うと、ロオネ隊長は二人の女の体を舐《な》めるように見まわして、

「そのほか、士官たちや俺の給仕もやってもらうかもしれん」

と意味ありげなことも口に出した。

葡萄酒の代りを運びながら、三人の士官の話をそっと聞いていると 話題はサド侯爵のことに集中していた。

「あの男ほど我儘《わがまま》な奴はおらん」

ロオネ隊長は髭《ひげ》をひねりながら、

「牢獄の待遇の悪いことを法務院に上告するといきまいている。貴族として不当な扱いを受

けていると出鱈目を言っているのだ。こちらも何時までも黙ってはおらんぞ。破廉恥な行為を犯した囚人はたとえ侯爵だろうが伯爵だろうが甘やかす必要はない。規則は規則だ。今までの部屋から暖房のない二百五十号室に移してしまえ。そのうちに悲鳴をあげて温和《おとな》しくなるさ」

ヴィレット夫人は聞き耳をたてながら、しかし、あくまでも知らぬ顔をしていた。しかし彼女は二百五十号室という部屋番号だけは、しかと頭に叩きこんだ。

翌日、風がつめたかった。居酒屋の亭主の好意で台所の隅に寝かせてもらった二人の女は昼ちかく、馬車にのって村からミオラン牢獄に行く坂道を登っていた。

「こうした苦労をする以上は」とヴィレット夫人は呟いた。「たっぷり礼金は頂かなくちゃね」

灰色の塀《へい》の前に馬車をとめ上を見あげると、見張台から銃を持った一人の兵士がこちらを見おろしていた。

「おまえたち、昨夜の女じゃないか」

兵士は白い歯をみせて笑った。

「隊長から話はきいている。裏門にまわりな。裏門に」

二人が裏門に行くと、そこにも二人の兵士が銃を手に立っていた。ヴィオロンの言ったように牢獄の警戒は実に厳重をきわめていた。

「洗濯女か。よし、入れ」

ヴィレット夫人は、マルグリットと肩を並べながら小声で教えた。

「よく見るんだよ。いざと言う時、何が役にたつか、わからないからね」

見張台は二カ所あり、内庭を散歩する囚人たちの動きはたえず監視されていた。左手に小さな建物もみえ、真中に牢獄になっている城館《シャトオ》風の三階建ての建物、そしてその入口にはやはり玩具の兵隊のような制服を着た見張りの兵が一人、配置されている。

洗濯物は左手の小さな建物にとりに行くように言われた。建物の前にたつと、中年の男が出てきて彼女たちに二つの大きな籠をわたした。

「いつまでに乾くかね」

「天気次第ですけど」

「うん、雨が降らなければいいがね……」

二人の女たちにはむしろその雨が降る夜が待ち遠しかった。ヴィレットの言うように、雨か霧の夜はサド侯爵を脱出させるに向いているからである。

籠のなかに洗濯物は幾つもの袋に入れられて放りこんであった。袋にはそれぞれ数字が書きこまれていたが、数字はあきらかに部屋番号を示している。後年、別件で逮捕されたアルバレの供述書によると、一階の部屋は百のナンバーで、二階の部屋は二百のナンバーをつけられていることは、すぐ、わかったそうである。そしてヴィレット夫人が聞きこんだ二百五十号の番号からサド侯爵の監房が二階にあることは推定できたという。

ヴィレット夫人は洗い終えた二百五十番の洗濯物からサド侯爵の下着《シュミーズ》をえらび出し、腕のつけ根の部分に手紙を縫いこんだとアルバレの供述書はのべている。最初の通信は次のように簡単なものである。

「侯爵、我々はあなたを救出するよう、奥方さまから依頼を受けました。今後、洗濯物に御注意ください」

問題は果してサド侯爵がこの通信に気づくか、どうかと言うことだった。もし彼がこの通信に気がつかなければ、いっさいは無駄になる。監視のきびしい牢獄に他の方法で侯爵と連絡をつけるのは絶望的だった。

雨のない、乾いた、そして寒い日が続いた。村の真中には公共の井戸があって、女たちはそこで洗濯物をする。だが口うるさい女たちを避けるために、ヴィレット夫人とマルグリットは村から離れた川で仕事をした。つめたい水に手はかじかみ、真赤にふくれた。

「こんな目に会ったんだから、うんと稼《かせ》がせてもらわなくちゃね」

焚火《たきび》に手をかざしながら時々、ヴィレット夫人はまた例の愚痴をこぼしたが、マルグリットはこのくらいの労働は辛《つら》いとは思わなかった。子供の時からもっと悲しい仕事をさせられてきた彼女は、むしろ村に来てから、一種の楽しさを感じていた。今まで歯向うことなど、とてもできないと思っていた人間たちの鼻の穴をあかせてやる——そう考えただけで胸がぞくぞくするのである。

三日に一度、洗濯物をミオラン牢獄から運び、四日に一度、洗濯したものをあの小さな建物に届けた。だが牢獄になっている城館風の家には足を踏み入れることはできなかった。侯爵と接触するどころか、最初の手紙を彼が気づいたか、どうか判定する方法《すべ》さえなかった。

だが思いがけない幸運が不意に舞いこんだ。居酒屋に久しぶりに顔を出したロオネ隊長が士官たちだけで開かれる会食の給仕をするよう、命じてきたからである。

「でも、こんな恰好で……」

とヴィレット夫人は一度、辞退したが勿論《もちろん》この機会を逃す気持は毛頭なかった。

その後、二人ははじめて牢獄のなかに入った。

燭台《しょくだい》を並べた食堂でロオネ隊長も士官も酔っていた。酔ったあまり彼等は、マルグリットやヴィレット夫人の腰に手をまわし、大声で歌を歌った。

嫌だね 囚人相手の勤務は
戻りたいね 花の都に
行きたいね 伊達《だて》な軍服に着がえ
抱きたいね いきな巴里娘を

やがてヴィレット夫人がマルグリットに目くばせをして、外に出ていこうとすると、

「おい、何処に行く」

目ざとく、見つけた士官の一人がとがめた。ヴィレット夫人はおずおず恥ずかしそうに、

「あの……用足しさせて頂けないでしょうか」

「便所《シオツト》か。だが監房のあるほうに行っちゃ、いかんぞ。兵隊、彼女を便所に連れていけ」

酔っぱらっているように見えても士官たちの頭はまだ一点さめているようだった。

「お前は今晩、ここに泊っていかんか」

ロオネ隊長は酒臭い息をマルグリットの耳に吹きかけて囁《ささや》いた。彼女は胸の上に這《は》いずりまわる彼の手を押えて黙っていた。

一方、兵隊に連れられて廊下に出たヴィレット夫人はそのまま便所《ラトリイヌ》に連れていかれた。所まで歩きながら彼女は何処に階段があり、何処が兵士らの詰所かを素早く探ろうとした。詰所はこの廊下にはないらしく、ひっそりと静まりかえっている。

便所にはいると彼女は早速窓を調べた。窓には木の格子がはめてある。そして窓の大きさはちょうど人の抜け出られるほどで、木格子に手をかけてみると、腐蝕《ふしょく》して力を入れればはずれるようだ。ヴィレット夫人は思わず、

「これだね《ヴオワラ》」

と小声で叫んだ。

何くわぬ顔をして便所から出ると、兵隊は糞真面目《くそまじめ》な顔をして彼女を待っていた。

「御苦労さま」

と彼女はにっこり言った。

洗濯物にふたたび次の通信文が縫いこまれてサド侯爵のもとに送られた。

「侯爵の脱出日をこの手紙がついてから一週間後に行おうと我々は決めました。一週間後に士官たちの会食があるからです。雨がふっていてもかまいません。逆にそのほうが都合がいいのです。士官食堂に近い便所の窓の木格子は腐っていて、少し力を入れれば、はずせる筈です。十時に馬車が中庭で待っているでしょう。十時十五分に番兵が中庭を巡回することをお知らせします」

通信文を果してサド侯爵が読んだのか、どうかは皆目、見当はつかなかった。だが見当がつかなくてもこれに賭《か》けねばならなかった。

アルバレは村に二人の女を残して（もっとも彼はとっくに村を離れたふりをして、別の場所にかくれていたのだが）リヨンに待機しているヴィレットとヴィオロンに連絡に行った。

相変らず晴れた乾いた日が続いた。

「あんたの亭主は一向に戻ってこないじゃないか」

いつまでも腰をすえている二人の女に居酒屋の女房は嫌味を言った。

「ほんとに、亭主はグルノーブルに出かけたのかい」

「五日したらここを立ちのきますから……それまでおいてください」

ヴィレット夫人は下手《したて》に出た。

「この二人のおかげで、毎夜、満員じゃないか」

居酒屋の主人は二人の女が自分の店を手伝ってくれるのが満更でもなかったようだが、女房のほうはたしかに嫉妬《やきもち》をやいていた。

ロオネ隊長はどうやらマルグリットに気があるらしく、夜になると部下の士官を連れて飲みに来ると、彼女を自分のそばから離さなかった。

「いいか、今度の会食のあとは、泊っていけ」

彼は気づかれぬように小声で彼女をくどいた。

「いいか」

「はい」

マルグリットはうぶな顔をしてうなずいた。こうした手管は巴里にいる時、憶《おぼ》えたものだった。


決行の日、雨がふった。雨はふったが、ミオランの牢獄《ろうごく》ではロオネ隊長をはじめ士官たちの会食が催されていた。

会食には一人の仏蘭西将校が招かれていた。巴里の近衛部隊のアンドレ・セルデニイ中尉で、用あって故郷のアビニオンに戻る途中、ミオラン牢獄をたずねてきたのである。

都の匂いのまだ残っている口髭をはやし伊達な軍服を着こんだこの中尉を士官たちははじめは妬《ねた》ましそうに眺めたが、やがて酔いがまわるにつれて陽気になっていった。

「諸君」

あたりはばからず、マルグリットの肩に手をまわして、ロオネ隊長は大声で叫んだ。

「この洒落者《しゃれもの》から、巴里の特種をひとつ聞こうじゃないか。中尉、片田舎で無聊《ぶりょう》をかこつ我我に、ひとつ面白い話を聞かせてくれたまえ」

「そうですな」

セルデニイ中尉は杯を持ったまま、しばし考えこんだが、

「面白い話ですか。いろいろありましてな。なかでも秀逸なのは国王ルイ十六世が然《しか》るべき部分を手術されたことで……これがただ今、口さがない巴里雀たちの話題の種になっております」

「さよう。諸君は既に御存知と思いますが、あの陛下はお気の毒にも皮かぶりで――ために王妃マリー・アントワネットとの夜のお楽しみも長い間ままならず」

「ほう。国王は皮かぶりであられたのか」

士官たちは吹き出し、マルグリットは顔をあげた。中尉の口にしたアントワネットという名が彼女に聞き耳を立てさせたのである。

「それは、さぞかし、お痛かったろう」

「いや、いや、手術後、数日にして国王は叔母君の内親王にこう洩らされたとか。長い間こんな楽しみを知らなかったのが残念だ。まことに結構なものですなあ……と」

ロオネ隊長は卓子《テーブル》を叩きながら笑いころげた。外には久しぶりに雨が降っていた。静かに、音もなく、夜の闇をいっそう深めるように……。

「わたしですよ」

その雨のなかを馬車の上からヴィレット夫人は衛兵と話していた。

「士官さんたちの会食の給仕をしろって、隊長に言われてるんですよ。えっ、マルグリットは先に行っていますけど」

衛兵は馬車のうしろを覗《のぞ》きこんで、

「洗濯物か。この油紙の下は」

「そうですよ。どうせ明日、お届けしなくちゃならないなら、ついでに今夜持って行こうと思って」

彼女は葡萄酒を入れた皮袋を衛兵にわたすと、

「隊長さんにはないしょですよ」

雨でけむる中庭に馬車は泥水をはねあげながら消えていった。牢獄の前にくると彼女は馬車をとめ、じっと身じろがなかった。

あの通信を果してサド侯爵が読んだか、どうか、まだわからない。約束した時間までまだ一時間もある。ヴィレット夫人は頭巾をかむりなおして石のようにじっと待っていた。

食堂ではまだ宴《うたげ》が続いている。燭台の火はゆらめき、酔った士官たちの赤黒い顔を浮きあがらせた。

「ところで巴里では王制打倒を口にする不穏分子の動きが目だつと言うではないか」

眼をこすりながらロオネ隊長は客人のセルデニイ中尉に話しかけた。もっともそれは儀礼的に訊《たず》ねただけで、内心ではマルグリットと早く自分の部屋に引きあげたいものだと、そればかり考えていたのである。

「なに、あの連中のことなど御心配には及びません。奴等には何ができます。新聞を出すことと、当節流行のカフェで御託をならべることだけです。軍隊は王室に味方しておりますし、軍隊の前には百の論議も歯もたちません」

「ならいいが、この仏蘭西《フランス》もこれほど財政が乏しく、税金をとりたてると暴動が起きるんじゃないかな」

隊長はマルグリットの腰に指を這わせながら少し不安そうな顔をした。

「暴動？　水呑み百姓たちのですか。百姓に何ができます。それに万一、暴動が起きればお忙しくなるのは隊長のような方で……しかし、そのため御出世も御昇進も早くなるではありませんか」

「そういうものかな」

雨はまだ小やみなく降りつづいていた。静かに、音もなく、夜の闇をいっそう深めるように……。

記録によるとこの夜、サド侯爵は同じ囚人ラレ男爵と夕食をとったあと、鵞《が》ペンをとってロオネ隊長宛《あて》の置手紙を二通したためた。

それから彼は自分の従僕であるラトゥールと連れだって一階の便所までそっと歩いていっ

た。便所のなかで彼等は窓の格子をはずし、そこから外にぬけだした。壁をおりる時、闇から一人の男があらわれ、二人の体をささえてくれた。

「こちらへ。馬車が待っています」

三人は雨のなかを辛抱づよく待機している馬車まで走っていった。そして男が言うままに油紙の下の洗濯物の袋に身をかくした。

同じ時刻、マルグリットは腰からロオネ隊長の手をはずして、

「もう寝ましょうよ」

と小声で甘えるように囁いた。

「わたしね、隊長さんのお部屋でそっと待っていますから。突きあたりでしょ」

隊長は満足そうにうなずいて、彼女が食堂をすべり出るのを素知らぬ顔をしていた。すばやく出口に走り出たマルグリットが馬車にのりこむと、ヴィレット夫人は馬に鞭《むち》を入れた。風が出たのか、霧雨は斜めに二人の女の顔をぬらした。しかし彼女たちは物ひとつ言わなかった。

衛兵はさきほどふるまわれた葡萄酒に酔って、馬車を調べようともせず、

「もう、宴会はすんだのか」

「そうよ。恵みの雨ね」

ヴィレット夫人は恵みの雨という言葉に力を入れて言ったが、衛兵は何も気づかない。

馬車が村から離れ、街道を突っ走りはじめると、荷台の洗濯物の袋が芋虫のように動いて

三人の男が這い出した。

「うまく、いきましたぜ。侯爵」

先ほどの男が肩で息をしているサド侯爵とその従僕に話しかけた。

「心から礼を言いたいが、どこの方たちだ」

「俺はヴィオロン。あの二人の女はマダム・ヴィレットにマルグリットと呼びますさあ。まだ連中、気づいていませんぜ。しかし追手が来ると面倒だ。ゆれますが間道まわりでリヨンまで突っ走ります」

雨をまともに顔に受けながらマルグリットは体の底から言いようのない快感がこみあげてくるのを感じた。自分たちを苛《いじ》める者の鼻をあかせてやった楽しさ。胸のどきどきするようなこの悦び。

「あんた。みごとだよ」

ヴィレット夫人もはじめて口をきいた。

「これからも安心して仕事を頼めるね。あたしたちは、もっと、もっと大きな儲《もう》けをやるつもりなんだから……」

闇の一点をじっと見つめ、何かを考えこんでいる、サド侯爵に、

「侯爵」

とヴィオロンは酒を入れた皮袋をさしだし、

「一杯いかがです。体が暖まりますぜ」

「いや、結構だ。だがお前たちはなぜ、この私を助けてくれた」

「別に理由はありませんや。儲けになるなら何でも致します。今度のことも奥方さまから、ひそかに御話がありましてね」

「礼は存分にはずむつもりだが」

「でもねえ……侯爵」

一口あおりながらヴィオロンは臆せずたずねた。

「なんでまあ、結構なお身分のお方が、俺たちみたいに悪さ、火あそびに手を出されるので……」

「私か」

サド侯爵は皮肉な嗤《わら》いを頬にうかべ、

「私には、この社会が善とみなしたものは悪であり、悪と考えることが善にしか思えぬからだ。だがそれは私一人だけではあるまい。この仏蘭西は今、大きく変りつつある。みているがいい。新しい革命は必ずやってくるぞ。それは王制を倒し、あのルイ十六世やマリー・アントワネットの首をお前たちが血まみれの手でかかげる暴動からはじまり、人間も人間の道徳もすべてその腐敗から立ちなおって新しい命をえるような革命だ。私はそれを予感している。だからこそ貴族でありながら反貴族となり、基督《キリスト》教に代って新しい人間の道徳を創ろうと実践しているのだ。そのためにはこの仏蘭西に破壊と血と殺戮《さつりく》が行われ、多くの人間が死に民衆は狂人となるかもしれぬ。しかし革命にはそれもまた必要だろう。むごい手術を行わねば病人が恢復《かいふく》せぬように……」

宮殿のなかで

「申しあげにくいことですが」

財務総監のチュルゴーは、当惑の色を顔に浮べて国王ルイ十六世に訴えた。

「王妃殿下の御支出が、私には多少、過度のように思えます」

「王妃の……」

「さようでございます。最近、王妃殿下はたったひとつの腕輪を三十万リーブル（小林良彰著「フランス革命入門」〈三一書房刊〉によると、一万リーブルは現在の邦価にして約一億円）でお買上げになりました。これではいかに財政をたてなおそうとしても我々の努力は水泡に帰しましょう」

ルイ十六世は人の良さそうな顔に同じく困惑をみせて黙っていた。

「更に先月はそれと同じ額ほどの一対のダイヤモンドの耳飾をお求めになっております。何とぞ、陛下のお口から現在の我々がおかれている苦境を御説明いただき、御支出をお抑え頂くようお願いしたいのですが……」

ルイ十六世は弱々しくうなずき、今日中にも王妃に忠告をしようと答えた。財務総監はうやうやしく一礼して部屋を退出した。

国王はうなだれたまま溜息《ためいき》をついた。この気の弱い男は妻の機嫌を損じるのが嫌だったのだ。しかも彼は彼女が悦ぶようなことなら何でもやってやりたいと何時《いつ》も思う優しさがあった。しかしチュルゴー総監の言葉を無視するわけにいかない。仏蘭西は財政破綻《はたん》をきたしているのだ。

そう、仏蘭西はもうルイ十四世時代の栄光を失っていた。アメリカの独立戦争に際し、独立側を助けてイギリスと戦った戦費は二十億リーブルに達し、ために王室の財政は破産寸前の情況におかれている。財務総監チュルゴーは必死にその立てなおしを図ったが、改革プランは、はかばかしく進んではおらぬ。そんな時、王妃が湯水のように金を使えば、国民の不満は爆発するかもしれない。

ルイ十六世はその夜、王妃にチュルゴーの言葉をそのまま伝えた。予想していた通り、彼女の顔にさっと不快の色が浮んで、

「こんながらくたのことで、あなたのお優しい心を煩わせようとする者がいるとは、思いませんでした」

それがただひとつの彼女の返答だった。

華麗なヴェルサイユ宮殿に生きるマリー・アントワネットには王室財政の破綻など、実感としてわからない。王妃たる者がどうして、その身分にふさわしい身支度をしていけないのだろうか。そんな気持なのである。

「わたくし、あのチュルゴーは好きになれません。あの方は結局、無能ですもの。貴族たち

も彼の節約政策に不満を持っていますわ」

「しかし、誰を後任にできるだろう」

ルイ十六世は弱々しく首をふった。

「誰でもよろしゅうございますわ。誰が財務総監になりましても同じでしょうから」

すねた彼女がうしろを向くと、おろおろとした夫はその肩に両手をかけ、ひたすら機嫌をとるのだった。

アントワネットは勿論、国王にも仏蘭西の財政がどれほど危なくなっているか、実感がない。ヴェルサイユ宮殿には相変らず七千人の近衛《このえ》兵《へい》のほかに三千人の廷臣、侍僕、侍女、小姓、労務者、職人たちが蟻《あり》のように集まり、無駄な給料をむさぼっているのだ。そしてルイ十六世は年間、四億七千万リーブルの金をそのために使わねばならなかった。

無駄な給料。それは確かに無駄な給料にちがいなかった。マリー・アントワネットには毎日、女官長に十二名の侍女、首席侍従、首席厨房長《ちゅうぼうちょう》、主馬頭、経理官、宮中司祭がついていたが、寝台の埃《ほこり》ひとつを払うのも、その役目の者でなければ決して働こうとしなかった。ある日、寝台の汚れに腹をたてたマリー・アントワネットが侍僕にそれを注意すると、その侍僕は平然として、こう答えた。

「王妃さまが今、寝台にお休みでしたら、埃を払うのは私の仕事でございましょう。しかし王妃さまはただ今、寝台にお伏せになっていらっしゃいませぬ。ですからこれは家具にすぎません。家具である以上、家具係が勤めるべきだと存じます」

無駄な給料が無数の人間に支払われ、そして無駄な行事と形式とが毎日、繰りかえされていた。

たとえばルイ十六世は毎朝、きめられた時間に眼をさまし、寝まきのまま王族たちと侍従長、宮廷の各長官、叔母たち、貴族たちの挨拶を受け、それがすんでから十字を切り、初めて理髪師、衣裳師《いしょうし》の手をかりて衣服を着がえねばならなかった。この朝の馬鹿馬鹿しい儀式は儀式である以上、やめることはできないのだ。ためにルイ十六世は朝早く狩りに出て、この儀式に間にあうように宮殿に戻ると、もう一度、寝まきに着がえたこともあった。

湯水のように金が使われ、無意味な行事と形式とが相変らずヴェルサイユ宮殿で続けられている間、宮殿の外の仏蘭西は喘《あえ》いでいた。物価は賃金にくらべて約三倍にはねあがり、財源はきびしい増税によってまかなわねばならなかった。そしてその税金の大半は特権を持つ貴族や教会からではなく、貴族と聖職者ならざる者——第三身分と言われた商人や農民たちから取りたてられた。

身分ある家柄に生れたというだけで免税特権を持っている貴族は約三十万。それに金をためて没落貴族の株を貰い、この階級に成りあがった新貴族は十万。これにたいして第三身分の者は約二千六百万というのが当時の仏蘭西の人口構成だった。

生活の苦しさと税のとりたてに二千六百万人の人間たちが、あちこちで喘いでいた。彼等の怨嗟《えんさ》の声は次第に次第に大きくなっていく。

だがヴェルサイユ宮殿では、相変らず華麗なメヌエットの調べが流れ、銀燭ゆらめくなかで舞踏会がひらかれ、晩餐会《ばんさんかい》が催されている。貴族たちの大部分も国王夫妻も人民の怨嗟の声がいつか大きな叫喚となって渦まき、堰《せき》を突き破って怒濤《どとう》のように流れ出す日が来るのにまだ気づいていない。

アントワネットのこの頃の楽しみは、オペラ座での舞踏会、宮殿の庭での散歩、そしてトランプの賭けだった。

勝負事。トランプの賭け。

ヴェルサイユ宮殿の遊戯室で貴族や貴婦人たちがマリー・アントワネットを中心にしてチップとカードとを今夜も並べていた。しなやかな、美しい指で王妃はトランプを切り、皆にくばった。

「王妃、勝負をなさいますか」

シャルトル公爵は皮肉な笑みを浮べてアントワネットに勝負を挑んだ。

あれ以来――そう、仮装舞踏会で彼女に侮辱を受けて以来、公爵は心に恨みを抱いていた。勿論、表面ではこの恨みと怒りをあらわすことなく、王妃にたいする貴族の作法を守っていたが、その冷たい眼に時折、憎しみをこめて、アントワネットを見ることがあった。

「いたしますわ」

アントワネットは無邪気に答えた。彼女もまたシャルトルにたいしてもう特別の感情は抱かなかった。かすかな軽蔑《けいべつ》が残っているだけだった。

「幾ら、お賭けになります」

「一万リーブル」

「一万リーブルでございますか。私は十万リーブルを賭けます」

どよめきが起った。当時、十万リーブルと言えば現在の日本の金にして十億円を下らない金額だからである。奢《おご》りに馴れたヴェルサイユの貴族たちもトランプの賭けにこれはどの金を使う者は少なかった。

マリー・アントワネットの顔に少女時代から見せた負けず嫌いの表情が浮んだ。

「公爵がお望みでしたなら、お相手いたしますわ」

と彼女は微笑をたたえながら、周りを見まわした。

「私はおります」

「わたくしも」

他の貴族たちはカードを捨てて二人の勝負を見守ることになった。チップが卓上につまれた。

「いかが?」

アントワネットはその身分に相応《ふさわ》しいスリー・カードを卓上に並べてみせた。

「王妃。私は、これでございます」

シャルトル公爵は皮肉に笑い、自分のカードをゆっくり、ひっくりかえした。フラッシュだった。見物人のどよめきが起った。

「いいわ。負けましたのね」

微笑を浮べようとしたが、マリー・アントワネットは口惜《くや》しさを怺《こら》えることができなかった。

「もう一番、公爵はわたくしと勝負なさいますか」

「受けさせて頂きます」

夜を徹して賭け事は続いた。驚くべき金がマリー・アントワネットを中心にこの賭け事で動き、王妃自身も王室の会計係から次々と金を借りる始末だった。

そんなある夜ふけのこと——、
しばし、賭け事の騒ぎがおさまった時、マリー・アントワネットは別の卓子《ターブル》で一人の貴婦人がつくねんと、トランプのカードを置き並べているのに気がついた。そのうりざね顔に憂いをただよわせ、じっとカードを見つめているのが王妃の好奇心を唆《そそ》った。ランバル公爵夫人だった。

「何をなさっていらっしゃるの、公爵夫人《マダム・ラ・プランセス》」

王妃はやさしく訊ねた。

夫人はあからめた顔をあげると、

「占いでございます」

「占い？　おできになるの」

「はい。下手ではございますが……」

「皆さん、お聞きになりましたこと？」

マリー・アントワネットは嬉しそうに周りを見まわした。こんな時の彼女はあたらしい遊びを見つけた少女のようだった。

「公爵夫人は占いをなさいますのよ。わたくし、みて頂きたいわ」

マリー・アントワネットは一人ぽつんとしている若い公爵夫人を慰めるためにそう言ったのである。我儘《わがまま》な彼女にも衝動的にそんな優しさを見せる時がときどき、あるのだった。

椅子から立ちあがり、この相手の卓子に移った王妃は、

「さあ、あなたの占いで、わたくしの運命を占ってくださいます？」

「しかし、王妃さま、わたくしは習ったばかりでございます」

恐縮したランバル公爵夫人はうつむいて、

「お当てする自信はございません」

「いいえ。あなたなら、きっとお上手だわ」

公爵夫人は仕方なく、トランプをアントワネットにわたして思いついたまま、四枚のカードを並べてほしいと頼んだ。

「でも王妃さま。右手ではトランプをお取りになりませんように」

「左手を使うのですね」

「それがジプシーのやり方でございます」

「あら、あなたの占いの先生はジプシーなのですか」

「いいえ。今、巴里《パリ》で評判のカリオストロ博士でございます」

「カリオストロ博士。それは、言いにくい名ですこと」

王妃は可笑《おか》しそうに笑い、言われる通り左手でトランプを並べた。

公爵夫人は更に四枚を先のカードの上におかせた。それから一列ずつをひっくりかえすと、

「王妃さまはお生れの時から名誉とお血すじとを生涯、神からお約束になられております。これはそれを示す素晴らしいカードでございますわ。申し分のない御健康にも恵まれます」

アントワネットは楽しげに微笑し、うなずいてみせた。別段トランプ占いなど信じてはいなかったが、よく言われること、ほめられることはマリー・アントワネットはいつも好きだった。

「お悩みごとは勿論《もちろん》おありでも、あかるい御性格がそれを克服されます」

「わかりましたわ。公爵夫人。それよりわたくしの今後のことは見て頂けませんの」

「それはこの最後の列のカードに出ていると存じますわ」

ランバル公爵夫人は、小さく十字を切り、それから最後の二枚をめくった。

瞬間、彼女の顔色が変った。憂いがそのうりざね顔にさっと走り、うつむいた。

「どうしたのですか」

「いえ……何でもございません。これからもお倖《しあわ》せでございます」

「あなたは……何か、かくしていますね」

最後の列のカードにはスペードの黒い模様が二枚とも浮き出ていた。王妃はそのカードと

公爵夫人の顔とを交互に見つめ、不安そうに眼を見ひらいた。

「正直におっしゃってください」

背後から覗いていた貴族や貴婦人はこの二人のやりとりを固唾《かたず》をのんで眺めていた。静寂が部屋全体を包んだ。

ランバル公爵夫人は喘ぐように答えた。

「わたくし……習ったばかりでございますもの……」

「おやさしい方ですね。じゃ、これ以上は何もきかぬことにしましょう。そのかわり、あなたはいつか、そのカリオストロ博士をここに呼んでこなくてはいけませんわね」

王妃マリー・アントワネットは少し蒼《あお》ざめた顔に無理矢理に笑みをつくり、公爵夫人のそばを離れた。

「さあ、皆さま」

彼女は快活に一同を誘った。

「もう一度、勝負をいたしましょう」

だが賭け事をしながらも、アントワネットはさっきのことが頭から離れなかった。あの時、口ごもったランバル公爵夫人の表情が眼にちらついてくるのだ。トランプで夫人は一体、何を見たと言うのだろう。

勝負はさんざんだった。王妃は今夜も大きな賭金を支払わねばならないだろう。

「わたくしは、もう、おりますわ」

彼女は不機嫌を微笑でかくしながら、ビロードの豪奢《ごうしゃ》な椅子から立ちあがると、

「でも、皆さまはお続けなさいませね。お楽しみをわたくし一人のため、妨げるのは好きではありませんから……」

一同は恭しく頭をさげ、遊戯室から侍女たちと出ていく王妃を見送った。

大理石の廊下には燭台《しょくだい》がまだ炎を動かしていた。不寝番の衛兵が直立している。彼等はマリー・アントワネットが近づくと、長靴《ちょうか》を鳴らし、槍を斜めにして直立の姿勢をとった。マリー・アントワネットは背後に従ってついてくる侍女の一人（この侍女が後にバルザックの恋人となり、彼にあの有名な『谷間の百合《ゆり》』を書かせたのだ）をふり向いて言った。

「ランバル公爵夫人に、カリオストロ博士を呼ぶようにと、お伝えなさい」

時刻はもはや午前二時を過ぎている。そしてこの時期、彼女が寝室に戻るのはいつも真夜中、いや、時には朝がた近くになることも多かった。

その時刻、彼女の夫である国王の寝室はわずかな燭台の火がともるだけで静まりかえっていた。今、大きな鼾《いびき》をかいて眠りこけているルイ十六世は妻のように勝負ごとが好きではない。なぜ、あんな愚かなことに彼女や一部の貴族が熱中するのかも理解できないのだ。

しかしこの気の弱い夫はアントワネットに楽しみごともほどほどにせよ、と言う勇気もなかった。もし、そんなことを口に出せば、

「あなたもあの鍛冶屋《かじや》遊びに夢中でいらっしゃいますのに……」

一言のもとに反駁《はんばく》されることはわかっているからだ。人のいい彼は妻が楽しんでいることだけに満足せねばならなかった。そしてマリー・アントワネットはその夜、そんなあわれな夫よりもランバル公爵夫人の不安げな表情に気をとられたまま眠りについた。

数日後の午後、占師カリオストロ博士と称する男が四輪馬車に乗ってヴェルサイユ宮殿にあらわれた。複雑な手続きの後に彼はようやく、長い廻廊を幾つもわたり、小さな接見室に通された。

背も低く、色も黒く小肥りのこの男はそれでも流行の洋服は着ていたが、流石《さすが》に豪華なヴェルサイユ宮殿のなかで落ちつかぬ様子だった。彼は爪をかみ、窓の外を眺め半時間その接見室に腰かけていた。

「まもなく王妃さまがお見えです」

やがて侍女がそう告げにくると、男は居ずまいをただし、頭をさげて遠くから近づいてくるアントワネットと女官たちの滑るような足音を聞いていた……。

「カリオストロ博士ですのね」

アントワネットは愛想よく、この醜い男に声をかけた。

「あなたは今、巴里で評判だそうですね」

「お言葉、光栄に存じます」

「わたくしの運勢も見て頂けますか」

王妃はその芙蓉《ふよう》のような顔に笑いをみせた。カリオストロは許しを得て、上衣《うわぎ》からトランプを出し、この間と同じやり方でアントワネットに並べさせた。そして胸のポケットから出した銀の小さな棒でその一枚、一枚を実に器用な手つきでひっくりかえしていった。

彼の顔が曇った。そしてハンカチを出してその額《ひたい》をぬぐった。

「わたくしの未来について、おわかりになりまして？」

「はい」

「それで……」

「申しあげにくいことなのです」

「遠慮なくおっしゃい。そのためにあなたを呼んだのですから」

「王妃さま御自身の運命よりも王室の運命がこのカードに出ておりまして……」

それからカリオストロは言葉を切った。いらいらとした王妃が少し怒ったように、

「それは悦ぶべきことですか」

と訊《たず》ねると占師は首をふった。

「遺憾ながら、このカードには王室にとって暗い影が暗示されております」

「暗い影？」

「王室は昔の力を失い、その栄光も色あせる。お許しくださいますよう。それは私の考えではなく、トランプが語っているのです。王家の没落を……」

「では陛下も玉座を離れ、わたくしも王妃でなくなるのですか」

「そこまでは、わかりませぬ。わかることは今、申しあげたことだけでございます」

占師カリオストロが恐懼《きょうく》したように退出したあとも、マリー・アントワネットは小さな謁見室でじっと虚空の一点を見つめていた。

王室に暗い影がさす——。

トランプはそういう不吉な運命を暗示していたという。

「つまらぬことを……何故《なぜ》、信じるのですか」

母のテレジア女帝のきびしい声が耳に聞えるようだ。

「あなたはカトリック信者ではありませんか。人間は運命を自分で作るもので、それがはじめから決っていると考えたのはプロテスタントのルッターですよ」

そうだ。馬鹿馬鹿しい。たかが遊びの小道具であるカードに王室の運命など見える筈はない。

そう自分に言いきかせ、彼女は部屋の外で待っている侍女に退出の合図をした。だが不安の気持は意識の閾《しきみ》から離れない。

その夜、彼女はいつものように遊戯室には顔をみせず、久しぶりに晩餐のあと、夫、ルイ十六世の居間で夜をすごした。

「私たちがこの宮殿から追い出される？　信じられませんね」

夫は妻の不安を当惑したように慰めた。

「私たちが人民にどんな悪いことをしたのですか。政府の失政はありますが、王室は人民たちから愛されていますよ」

彼女は夫の言葉に安心感を得ることはできなかった。このお人好しで善良な彼はルイ十四世のように国政の万事をとりしきる能力もなかった。そんなことぐらい、マリー・アントワネットにはよくわかっていた。

にもかかわらず、その夜、彼女は夫の愛撫《あいぶ》に溺《おぼ》れようとした。懸命だが無器用なその愛撫に。心の不安を誤魔化したかったからである。

「久しぶりに、あなたは優しくしてくれましたね」

ルイ十六世は少し汗ばんで眼をつむっているマリー・アントワネットに菓子をもらった子供のような顔をして囁《ささや》いた。

「私もあの手術以来、やっと自信ができましたよ」

眼をつむったまま彼女はこの人を生涯、伴侶《はんりょ》とせねばならぬ自分の姿を考えた。もし占師の言葉が本当ならば、自分は彼と共にこの宮殿を去るのだろう。宮殿と王妃の椅子。それを失ったあと、自分はこの人の何処《どこ》に力を見つけ、この人のどこに生き甲《が》斐を発見すればいいのだろう……。

財務総監チュルゴーが王妃によばれたのはその翌日である。王妃はこの口やかましい財務総監が嫌いだった。しかし今日は真剣に仏蘭西《フランス》の国政について訊ねねばならなかった。

「わたくしにはその権利がありませんから、個人的に教えてくださいまし」

とマリー・アントワネットは生真面目な顔をして質問をした。

「人民たちは王室や政府に不満、不平をどれほど持っているのでしょう。彼等はこの王室を倒そうと考えているのですか」

「まだ、そのような不穏な気配はございませぬ。しかしアメリカ出兵による借入金と打ち続く凶作で農民たちが苦しんでいるのは事実でございます。更に物価の騰貴に小売商人たちも悩んでおります。私もそのため穀物取引の自由化、ギルドの廃止を行ったのですが、ある理由で思うような成果があげられなかったのは遺憾に存じます」

「ある理由とは……」

「それは王室を支えております貴族の方々や御用商人などが私の改革案を御自分たちにとって不利と考えられ、反対なされたからでございます」

チュルゴーは経済学者でもあったから律儀《りちぎ》に数字を出して王妃に説明しようとした。しかしマリー・アントワネットにはそんなむつかしい、頭の痛くなるような話は御免だった。

「では、このままで参りますと、わたくしたち王室の者はどうなるのですか」

チュルゴーは黙りこんだ。黙っているこの男がマリー・アントワネットをいらいらとさせる。

「歴史がどう動くかはわかりませぬ」と財務総監はかすかに呟《つぶや》いた。

「ともかく仏蘭西は今、重病に喘ぐ病人だと考えて頂かねばなりませぬ」

「あなたは医者としてそれを治す御自信をお持ちでしょうか」

「医者の自信だけでは病気は治療はできませぬ。病人の協力もなければ……」

「協力とは何でしょう」

「仏蘭西の今の制度をすべて改革することです。莫大な利益を享受している少数の貴族から多くの税をとらねば、税金はすべて貧困にあえぐ第三身分の者たち、農民、職人、商人の肩にかかります。彼等はもう限界に来ております」

結局チュルゴーの説明はマリー・アントワネットに不快感だけを与えた。財務総監という要職にありながら貴族たちの特権を批判するような言葉が納得できなかったのだ。

「あの人はどちらの味方なのでしょう」

と彼女はルイ十六世に告げた。

「この前も申しあげた通り、財務総監をあの方に委《まか》せることはできませんわ。あの人はあちら側なのです」

ルイ十六世はためらったが、チュルゴーは間もなく罷免されてクリュニーが後任になる。だが半年にして彼が死ぬとネッケルという元銀行家が総監に就任する。だが誰がいかなる案を出しても焼け石に水だった。仏蘭西という病人はもう内科療法では見込みない財政危機に陥っていた。徹底的な外科手術――それしか望みを託《たく》す方法《すべ》はないのだ。

占師カリオストロがヴェルサイユに招かれた日から、こうして漠とした不安がマリー・アントワネットの心の底に漂いはじめた。彼女はまだ現実的に事態をつかむことはできなかったが、自分たち夫婦の上に夕暮のように不吉な影が少しずつ忍び寄っていることだけは理解できた。その影の実体はヴェルサイユ宮殿という小さな世界しか見ていないこの王妃には勿論わからない。けれどもこちらは晴れているのに、遠くで遠雷を聞く旅人のようにマリー・アントワネットは何かがやがて始まるのではないかと、不安に駆られはじめたのである。

この不安を夫のルイ十六世は考えてもくれない。相変らず人のよい顔に人のよい微笑をうかべ、自分の義務である国王としての接見や閣僚の報告を午前中に聞くと、午後は狩猟か、趣味の鍛冶工場に出かけている。

「女のあなたたちが心配することはないのです」

彼は妻の不安をこう慰める。

「何とか大臣たちが処理してくれますよ。私は彼等の能力と忠誠とを信じています。それに信頼して委せることです」

だが、もし、そうでなかったら。いや、そんなことは考えないようにしよう。起ってもいないことに気をもむほど馬鹿なことはないのだ――マリー・アントワネットはつとめて、そう思おうとする。

不安をまぎらわすために王妃は烈しく遊びはじめる。烈しく。貴族たちまでがびっくりするほどに……。

彼女はまず義弟のアルトワ伯爵と共に競馬に熱中しはじめた。アルトワ伯爵は兄のルイ十六世とはまったく反対に当世風のプレイ・ボーイであり、遊ぶことだけにすべての生活を費やしているような男だった。彼はまた兄に王位をとられたことを生涯の不満として、その不満を遊びほうけることで誤魔化そうとしているのだった。

義姉と彼とは当時、英国にしかなかった競馬を仏蘭西でも開催することを思いつく。ブローニュの森はずれでその最初の競馬レースが開催された。

当日は雨だった。だがその雨のなかをマリー・アントワネットはスカートのなかまで、しとどに濡れながら、泥と水とをはねあげて疾駆する馬とその馬に鞭《むち》を入れる貴族の子弟たちを声援した。彼女が臨席するというのであまたの貴族、貴婦人がこのレースを見物にきた。歓声が雨の音にまじってブローニュの森に響いた。

彼女が賭けたのは若いローザン公爵とその馬だった。重馬場《おもばば》の悪路を、はじめは出遅れたローザン公爵はしかし直線コースに入ると一気に鞭を入れて先頭にたった。雨にぬれ、泥だらけになった彼と彼の馬がゴールに近づく時、マリー・アントワネットは瞬間、こう思った。

「もし、公爵が優勝してくれたならば、私たちの王室はゆるぎないのだわ」

祈るような気持で王妃は他よりも一馬身の差でローザン公爵の栗毛がゴールを風のように駆けぬけるのを見た。

その途端、馬は突然、前脚を折るようにして転倒し、公爵は泥に叩きつけられた。群集のどよめきのなかで公爵は立ちあがったが、馬は二度と動かなかった。不吉な予感がこの日もマリー・アントワネットを苦しめた。

競馬のほかに舞踏会。恒例の舞踏会のほかにマリー・アントワネットはただ馬鹿騒ぎをするだけのためのパーティを幾度も催しはじめた。若い軽薄な青年貴族と夫人たちが集まり、無遠慮に王妃と軽口を叩きあう。この舞踏会にマリー・アントワネットは彼等から嘆賞されるような華麗な衣裳をまとって姿をあらわした。

今度はどんなドレスをお召しになるか、貴婦人たちは好奇心をもって王妃の衣裳を待ちうけ、それがたちまち彼女たちの新しい流行になる。だがそれらの衣裳のため王室の会計官がふかい溜息《ためいき》をついていることに王妃は気がつかない。

だが彼女はまだ不安だった。どんなに遊びに陶酔しようとしても、その陶酔の奥に不安はちらりと顔をみせるのである。彼女は自分にこうした不安を与えたあの占師カリオストロを憎み、ひそかに（表向きではさすが王妃の体面上できなかったので）このカリオストロが巴里で占いをしないように命じさせた。

不安が鋭い刃のように胸を刺す日々、彼女は観劇や競馬や舞踏会に目まぐるしく出席している。この裏には女として自分の未来を本能的に予感した彼女の苦しみがかくされているようだ。

だがその頃のマリー・アントワネットは実に芙蓉のように美しかった。たぐいなく美しかった。

詐欺師カリオストロ

春のやわらかな陽がリヨンのヴェルクール広場にさしていた。

このリヨンは冬の間、ほとんど太陽が出ない。十月から四月の復活祭の頃まで、鉛色の雲が空を覆い、夕暮、ローヌ河からたちのぼる霧がこの街を包むのである。

だから——。

四月、ようやく晴れた日が来ると、市民たちは争って外に出る。そして飢えた者が食べものをむさぼり食うように陽の光を体にあびようとする。

今日もヴェルクール広場にはそんな男女が嬉々として溢《あふ》れ、サンドイッチや飲物やライラックの花を売る物売りまで集まっていた。

広場に面したカフェで一人の小肥りの男が伊達《だて》な服に身をかため、ゆっくり珈琲《コーヒー》を味わいながら、広場の風景を眺めていた。

「おい、給仕《ギャルソン》」

指をならして彼は給仕を呼んだ。

「はい。カリオストロ博士様」

「新聞を見せてくれないか」

なぜか、畏敬《いけい》の念をその顔にあらわして給仕は新聞をカリオストロに持ってくると、

「ほかに御注文は」

「ないね」

カリオストロは相手をからかうように笑いながら、

「おい右ポケットに手を入れてみろ」

「私の……右ポケットに？　何でございましょう」

「まあ、いいから手を入れなさい。勘定と君のチップが入っている筈だ」

給仕はあわてて仕事着のポケットに手を突っこみ、驚いて一枚の金貨をとり出し、

「おお、神様《モンデュウ》！」

と叫んだ。

「カリオストロ博士様。こりゃ、どういうことでしょう。まるで奇蹟《きせき》です」

「そうさ奇蹟さ、君」

とカリオストロは可笑しそうに笑った。

陽ざしをたのしみながら足をくんだ彼は、ゆっくりと新聞を読みはじめた。新聞は王妃マリー・アントワネットが内親王を出産した後も相変らず遊びにうつつをぬかし、オペラ座で仮装舞踏会を催したり、例の競馬にうつつをぬかしていることを攻撃していた。

「先日王妃は彼女の仮装が招待客に見ぬかれぬよう、巴里でわざと辻馬車《つじばしゃ》に乗られたことも判明した。しかも、その辻馬車を見つけてきたのはコワニー伯爵の従僕だったことは、我々

にこの伯爵と王妃とのただならぬ仲を想像させるのである」

カリオストロはつまらなそうに新聞をテーブルに放り出し、広場の群集のなかを歩きはじめた。

一人の老婦人が彼をみとめ、その袖を引っぱって話しかけた。

「あの……カリオストロ博士……でいらっしゃいましょう」

「いかにも。マダム」

「わたくし、先日のあなたさまの心霊術の会に出席しましたポワチエ夫人ですの。もう夢中で最後まで拝見させて頂きました。あんなふしぎなことが、この世にあるのでしょうか」

「ございますが、マダム」

カリオストロは手入れをした口髭《くちひげ》をなでながら、この老婦人に微笑をなげかけ、

「あれはふしぎでも何でもなく、霊力なのです。霊力は普通、誰にも与えられてはおりませぬが、しかし我々が眼で見、耳で聞くと同じような能力とも言えましょう。私には……」

彼はそこで一呼吸おいて、おごそかに言った。

「その霊力が備わっているのです」

雑踏のなかにカリオストロが悠々と姿を消すと、ポワチエ夫人は手をあわせて呟いた。

「本当《セ・ブレ》だわ、本当《セ・ブレマン・ブレ》にそうだわ」

老婦人が出席したというカリオストロの心霊術の会はソーヌ河のほとりフルビエールのあ

る邸《やしき》で行われていた。フルビエールはリヨンでも一番ふるい地区でそこには昔ながらの大きな邸が何軒もある。カリオストロはそうした古めかしい邸の一つを借りうけ、リヨンの金持たちを集めて、奇妙な心霊術を見せていた。

集まった人々はまず重い緞帳《どんちょう》をしめきった古色蒼然《そうぜん》たる客間に入れられる。彼等の前の大きなテーブルに一本の燭台がおかれ、その燭台のゆらめく炎が二つの小さな人形を照らしている。人形の横には横笛が一本。たったそれだけの支度なのである。

待つことしばし。やがて白い長いマントを羽織ったカリオストロが悠々と姿を見せる。彼は用意してきた紐《ひも》で参会者の一人におのれの手足をきつく縛らせ、更に身動きできぬようその紐で体を椅子に固定させる。そして蠟燭《ろうそく》の炎を吹きけしてほしいと頼むのである。

炎が消され、一瞬部屋は闇になるが、その闇に眼の馴れた参会者にはやがて緞帳がぼんやりと見え、縛られたカリオストロの姿も影のように見えてくる。

と、ゆっくり卓上の人形が空中に舞いはじめる。横笛までがゆらゆらと海草のように動いている。そして驚くべし、この横笛から妙《たえ》なる音が鳴りはじめるのだ。

茫然とした参列者はやがてふたたび燭台に火がともされるまで物も言えない。我にかえったあと、ただ互いに顔を見まわし、カリオストロが先ほどと同じように手足を縛られたまま腰かけているのに気づくと、烈しく拍手するのだった。

心霊術の会は週に二回ひらかれる。かなりの金を払わないとこの会には出席できなかったが、毎回とも押すな押すなの盛況で、このふしぎな会は今や、リヨンの上流階級の話題になり、カリオストロ自身もあちこちの晩餐会《ばんさんかい》やパーティに招かれ、終日、席を暖める暇もない忙しさだった。

そういうパーティや晩餐会でカリオストロはいつもりゅうとした流行の服をまとい、指には高価な指輪をはめて出席した。話題は豊富で、医学、心理学についての造詣《ぞうけい》は深げにみえ、人々の訪れたことのない未知の国の旅行談も本当か嘘かわからぬが、婦人たちの眼を赫《かがや》かせ、男たちの好奇心をあおった。要するに彼は至るところで人を煙に巻く術を心得ていたのである。

「私は今、一つの研究に没頭していましてな」

彼は婦人たちに口癖のようにこう言った。

「ひとつは不老長生とまではいかなくても、若がえりの美顔水です。これを常用なされば、どんなお年寄りでも十歳はお若くなられますでしょう。勿論《もちろん》、適当な運動と食事療法も必要ですが……」

いつの世にも美しくありたいというのは女性の願いだから、カリオストロのこの話は彼女たちを夢中にさせた。いつ、その美顔水ができるのか、自分たちにも手に入るだろうか、と質問されるとカリオストロは少し悲しそうに、

「もう一歩です。ただ、これには相応の実験費用がいりますので、この私も頭を悩ましているのですが……」

と呟くのだった。その翌日は人のいい、そして金と暇とをもてあましたリヨンの老婦人た

ちが彼の借りている邸を訪れて、そっと寄附を申しこむのである……。

やがてマリー・アントワネットにある事件を起させるこの山師カリオストロなる人物は、記録によると「背は低く、色黒く、肥えふとり、すが目で、幾分社交界の言葉をまじえたシチリア方言を話し……」とある。だがそうした肉体的な欠点をこの男は舌先三寸とはったりと、そして自己宣伝の才能とで補いながら、生涯人をだますことを生き甲斐とし、人をだますことに独特の能力を発揮したのだった。

文字通り彼はヨーロッパ一の山師、ペテン師、詐欺師であり、社交界に巧みに入りこみ、金持たちから金をまきあげていた。だが他方、奇妙な義俠心《ぎきょうしん》を持ちあわせたこの男は貧者たちにたいしてはまことふしぎな術でその病気を治してやりながら、びた一文も取りたてなかった。ために庶民からは大いに人気を博するようになったという。

いずれにしろ彼は巴里《パリ》からこのリヨンに姿をみせると、旬日たらずして、その「心霊術」によって有名人になっていた。

だが――。

その彼にもひとつ気づかぬことがあった。それはその昔、巴里でふとしたことから彼と出会っていた娼婦、マルグリットがこのリヨンでやくざの仲間に加わっていることだった……。

復活祭が過ぎ、フルビエールの丘に野薔薇《のばら》の花が咲きはじめた頃、カリオストロはリヨンの市長夫妻を主客にして二十人ほどの貴族、有力者を晩餐会に招いた。もちろん、この晩餐会のあと、あの心霊術を公開し、彼等をあっと言わせるのが目的である。

その夜——。

彼の借りている邸の門を次から次へと客を乗せた馬車が入っていった。粋《いき》な服装をしたカリオストロは玄関まで出迎え、馬車からおりる婦人たちの手には恭しく口づけを、男たちには優雅に腰をかがめた。

晩餐会は豪華なものだった。リヨンはもともと料理のうまい街だが、この夜は特に一流のコックがよばれて腕をふるった。

「私は伊太利《イタリー》のドン・カリオストロ侯爵家の出です」

彼は婦人の一人に自分の身の上をこう語った。

「ナポリの大学で法律をやっていた頃、ひどい事故にあい、十日間、生死の境をさまよいました。その時、天啓を受けて霊界の存在をこの眼でみたのです。まさにダンテの『神曲』そのままの体験でした。それから中近東をまわり、東洋の霊媒たちからあらゆる秘法を学ぼうと試みました」

カリオストロの荒唐無稽な話も、その一流の弁舌で夫人たちを魅了した。彼の容貌と体軀《たいく》はむしろ醜いほうだったが、醜さのため、一種、独特の魅力があった。

「今夜、これからお目にかける心霊術もアラブの霊媒師から学んだものです」

「それで、どういう事が起りますの」

「私は今日、わが主イエス・キリストの時代に生れた誰かをこの世に呼んでみるつもりです。そして、もし彼がイエスを目撃していたならば、その光景をありのまま語ってもらうつもりです」

食卓の客たちはこのカリオストロの言葉を耳にすると、しばし沈黙した。ありえないことを淡々と語るカリオストロの声が何か怖《おそ》ろしく聞えたのである。イエス・キリストと同時代の者を霊界からこの世に呼ぶことも、教会と神とを冒瀆《ぼうとく》するように感じられたのだ。

「だが、皆さまがお望みでないのなら、とりやめましょう……」

「いいえ。拝見したいわ」

と婦人の一人が溜息をついてうなずいた。こわいもの見たさの気持がとりわけ女性たちの心を支配したのである。

一同は立ちあがり、厚いカーテンで窓を覆った別室に案内された。カリオストロは小肥りの市長にむかってこう言った。

「恐縮ですが、私の手足をこの紐で強くお縛りください。そして眼かくしもして頂きたい」

準備がすべて出来あがると、召使が一つの燭台《しょくだい》を残して、すべての火を吹き消していった。部屋のなかは暗くなり、人々の頭や背の影だけがうかびあがった。

どこからか、ひくく音がきこえた。それは木靴で歩きまわるような跫音《あしおと》だった。

「どなたです」

と手足を縛られたカリオストロが怯《おび》えた声でたずねた。

「わたしは……ヤコブ」

ひくい、くぐもった声がこれに応えた。客たちは体をかたくしてこの声を聞いていた。

「あなたは……どこの人ですか。そして、いつの人ですか」

「わたしはユダヤの国に生れた。ローマ人が治めていた時で、ユダヤの王はヘロデ、ローマの知事はピラトだった」

「では……あなたはイエスという方を知りませんか」

「イエス？　その名の者はあまりに多い」

「わたしの言うのはエルサレムで十字架にかけられたイエスです。ナザレで育ち、大工をしていたイエスです」

「ナザレ人のイエスと言われた師《ラビ》のことか」

「そうです」

「見たことがある。私は彼がユダの荒野でその仲間たちとエルサレムに向う姿を見たことがある」

「それだけですか」

声は消えた。返事はなかった。部屋は静寂に包まれ、誰一人として立ちあがる者もなかった。召使が火を燭台につけると、カリオストロは椅子の上で首を横に傾けたまま、気を失っていた。

一人の婦人が悲鳴をあげ、召使があわててカリオストロの口に葡萄酒を流しこんだ。ゆっ

くりと眼をあけた彼はしばらく客たちをぼんやり見た後、
「一体、なにがあったのでしょうか」
とふしぎそうに訊《たず》ねた。

客たちが引きあげた後、カリオストロは自分の寝室で顔と手を洗い、それから召使に運ばせた瓶《びん》の葡萄酒をコップにつぐと、やわらかなビロードの椅子に腰をおろし、葡萄酒の匂いと味とをうまそうにたのしんだ。

彼の顔にはひと仕事を終えたあとの満足感があふれていた。今日の催しのおかげで彼はリヨンの貴族、有力者たちから高額の金をとって、たえず彼等の相談相手になれるのである。未来のこと、これからの運命のこと、口からでまかせにしゃべり、存分に報酬をもらう。当分、このリヨンで悠々と生活できるのだ。

その時だった。カリオストロはかすかな物音を自分の背後で聞いた。いつの間にか誰かが忍びこんでいたのだ。

素知らぬ顔をして彼は葡萄酒のコップをテーブルにおいた。そして右手でその引出しをそっとあけた。拳銃がそのなかに入っていた。

「カリオストロの旦那、そりゃ、いけませんぜ」

背後で男の鋭い声がカリオストスロに浴びせかけた。

「旦那、怪しい者じゃありません、旦那と同じように危《やば》い橋をわたって生きている、いわば仲間でさあ」

「ふん」

カリオストロは傲然《ごうぜん》と肩をいからせ、

「名前を言え。名前を」

「ヴィレットと言う吝《けち》な野郎で。お見知りおき願います。だが旦那も大したもんだ。腹話術を使って別の声を出すんだから。そうでしょう。そしてそれを心霊術と言われるんだから」

「わかったのか」

「ええ。わかりましたとも。それに俺たちの仲間にマルグリットという娘がいましてね。旦那には巴里でお世話になったそうで……」

「マルグリット……」

カリオストロは初めて椅子から立ちあがりヴィレットのほうに向きなおった。精悍《せいかん》な顔をした大男がそこに立っていた。

「あの巴里で夜鷹《ピュタン》をやっていたマルグリットか」

「そうです。だから俺たちも旦那の心霊術をはなから信用しなかったんで」

カリオストロは愉快そうに相手を見あげ、

「で、この俺に金をねだりに来たわけだな。もし、払わねば皆にこの心霊術の絡繰《からく》りを言いふらすって……」

「冗談じゃありませんぜ」

今度はヴィレットは楽しそうに肩をすぼめた。

「旦那も俺たちも、まあ同じ穴の狢《むじな》だ。そんな阿漕《あこぎ》なことはできませんや」

「じゃ、何が望みだ」

「旦那と一緒に商売をやりたいんで。こっちは旦那がこの仏蘭西《フランス》やよその国で何をなされたかぐらい心得ています。いや、そのお頭《つむ》の良さと才覚とには感心しているからこそ、その旦那の智慧《ちえ》を拝借して、どえらい仕事をやりたいわけでしてね」

「ふん」

馬鹿にしたようにカリオストロはせせら笑うと、

「この俺をお前たちの仲間に入れようというのか。身のほど知らぬ奴だな」

「いや、飛んでもない。旦那は客分ですよ。お智慧さえ貸してくだされば有難いと思えばこそ、ここに伺ったわけでしてね」

「一体、何をたくらんでいるのだ」

「俺たちはね、千、二千の小さな儲《もう》けは嫌なんで。一万リーブルほど稼ぐ仕事を旦那、ひとつ、考えて頂けませんか」

「俺が断わったらどうする」

「その時は仕方ありませんや。リヨンは俺たちの縄張りだ。その縄張りのなかで旦那の心霊術に儲けさせておくことはできねえ。旦那の儲けから分け前をいつももらいます」

カリオストロはジロリと大男を睨《にら》みつけるとふたたび椅子に腰をおろし、葡萄酒のコップを手にとった。

「よかろう。じゃあ、お前たちを使って一仕事やろう。前から考えていた仕事だ、儲けだってお前の言う一万リーブル、二万リーブルの小さなもんじゃないぞ。眼の玉の飛び出る大金が転がりこむ算段だ」

「何ですって。で、どんな仕事です」ヴィレットは唾を飲みこみながら「それは……」

「今は決めてはおらぬ。だがたしかなことは仏蘭西の王妃に一泡ふかせる仕事だ。あのマリー・アントワネットにな……」

マリー・アントワネットに一泡ふかせる――。

この言葉をカリオストロはまるで大したことでもないように平然と言いきった。そして葡萄酒のグラスを口にあてて、ゆっくりとそれを味わった。

ヴィレットは驚いた眼でしばらく相手を見つめていた。彼も彼で自分は相当のしたたか者だとは考えてはいたが、今、このカリオストロの言葉はあまりに衝撃が大きすぎた。まるで狂人と向きあったようにヴィレットは一歩、二歩、うしろに退《さが》った。

「旦那、本気ですかね」

「本気だとも。お前はこの私が根も葉もないハッタリを口にしていると思うだろうな。だがこっちには自信があるのだ。俺はな、もともと勝負にならぬ仕事には手を出さん。前から考えていたことに充分な計画をねり、周到に準備もして実行しようと言うのだ。だから……」

とカリオストロはヴィレットを見て、皮肉な笑いを頬にもらし、

「お前が尻ごみをするなら、手を引いてもいい。その代り、このリヨンでの私の仕事に口出しをするな」

「とんでもない、旦那。手伝わせて頂きますよ。ただお話があまり、でかすぎるんでね」

今や守勢にたったのはヴィレットのほうだった。

「だから、どんな仕事かを一寸《ちよつと》でも洩らして頂けませんか」

「まだ具体的に決めたわけじゃない。だが、この仕事は私にとって金儲けのためじゃない。私はもともと自分の仕事を儲けのためにやったことはない。そこがお前たちと違うところだ」

「じゃ、何のためです」

「芸術のためだ」

「芸術のため」

「そう……」

カリオストロはグラスを手に持ったまま眼をつむった。そして深い思索に耽《ふけ》る哲学者が自分の考えを弟子に書きとらせる時のように静かにしゃべりはじめた。

「お前もわかるだろうが、すべての芸術は人をだますことにある。舞台の役者は別人になりきり、観客を感動させ、泪《なみだ》を流させる。美しき詩は読むものに、さながら別の世界に導かれたような錯覚を起させ、その心をうつ。だますことは美であり、芸術だ。私はそれを感得してきた。私はたしかにヨーロッパ一の詐欺師だが、いつか自分の詐欺がモリエールの喜劇に匹敵するものでありたいとさえ、願っていた」

ヴィレットはまるでむつかしい宿題を与えられた生徒のように困惑した表情で相手の顔を見つめていた。

「そのためには、私の次の詐欺は安っぽい舞台で演じられてはならぬのだ。登場人物もまた一流でなければならぬ。だからこそ私はヴェルサイユ宮殿か、トリアノンの離宮をその舞台に選び、王妃マリー・アントワネットに御登場を願おうと思ったのさ」

「で、誰が観客で……」

「仏蘭西国民だ」

「何ですって」

「私はモリエールの喜劇に匹敵する詐欺をやりたいと言っただろう。観客はだまされた王妃マリー・アントワネットを腹をかかえて笑う。彼女の自尊心はふかく傷つけられる。面白いではないか。私は特に今、流行の革命論議には関心はないが、しかし王政には反対の男だ。その点、王妃の威厳を損じさせるやり方で革命派の手助けもできると言うものだ。わかるか」

困ったようにヴィレットは首をふった。だがカリオストロの怪弁に圧倒された彼はその仕事を手伝うことを逆に約束させられたのだった。

カリオストロは王妃マリー・アントワネットに恨みを抱いていた。かつて彼は巴里で王妃のためにトランプ占いをしたことがある。カリオストロはその時、彼らしい計算から王室の運命を不吉なように予言した。彼女を不安がらせ、あわよくば彼女の身の上相談係になろうとさえ考えたのである。

だが失敗した。王妃の不興を買って逆に巴里での営業を停止されたのだ。この恨みはこのリヨンに来ても忘れていない。

（鼻をあかしてやる）

いつかはあの女に恥をかかせてやるという仕返しの念は頭のなかから片時も離れたことはなかった。

だが相手は仏蘭西の王妃である。その王妃に復讐《ふくしゅう》を考えるというのは蟷螂《とうろう》の斧《おの》にひとしい。その点はカリオストロも百も承知していた。だからこそ彼は万一の機会を狙って周到な準備を怠らなかった。

この詐欺師は口先三寸で人をだます小物とはちがい、いつも綿密な準備を怠らぬ男だった。巴里から離れても、王妃マリー・アントワネットの噂《うわさ》には注意して耳をかたむけていた。彼女が今、何をしているか、彼女をとりまく人間関係はどうかをできるだけ調べあげてもいた。

その調べによるとアントワネットは相変らずの贅沢三昧《ぜいたくざんまい》の生活に浸っていた。若さも容姿も衰えず、のびのびと宮廷生活を満喫している。たとえばルイ十六世は彼女にトリアノンの離宮を与えたが、この離宮は王妃を大いに悦ばせ、今はヴェルサイユよりもこのトリアノンに赴くことが多いという。そしてそのトリアノン宮殿を王妃は自分の趣味通りに飾らせ、そのロココ式の雰囲気《ふんいき》のなかで気に入った者たちだけを招き、格式ばらぬ毎日を楽しんでいるというのだ。

気に入った者のなかに彼女の愛人はいないのか。カリオストロはこの点も気をつけていたが、噂は多いにかかわらずこの王妃は意外と夫の国王には節操を守っているようだった。ただ一人、スエーデンの貴族、アクセル・フェルセンという青年将校が格別の寵愛《ちょうあい》を得ているらしいが、それも決して王妃と臣下の規《のり》を越えてはいない。

だが彼女には弱点がある。敵もいる。彼女の弱点は仏蘭西の民衆たちがどんなに既成の秩序に不満を持っているか、わからない点だ。いや、わからないのではない。わかるのが彼女には怖ろしいのだ。怖ろしいからその不安を誤魔化すために贅沢三昧の生活に浸っているのだ。

彼女はまた愚かにも自分の身の周りにひそかな敵がいることを忘れているようだ。オーストリアの王女が仏蘭西の王妃になったことを未《いま》だに釈然としていない貴族たちや、王位を兄ルイ十六世に奪われたと思っている王弟プロヴァンス伯一派や、王妃自身から冷遇されたデュ・バリー夫人の一派がそうなのだ。それなのにマリー・アントワネットはまったく警戒心を持っていない。

詐欺師カリオストロはこうした王妃に関する噂や情報はみんな知っていた。そしてその情報を土台にして、マリー・アントワネットに仕返しをする作戦をねらねばならなかった。

二杯目の葡萄酒をグラスにつぎ、それをなめるように味わいながら彼は眼をつむった、（あのヴィレットという男は見たところ粗野だが、馬鹿じゃない。それに仲間たちもいると言っていた。そうだ、その仲間のなかに巴里で夜鷹《ピュタン》をやっていたマルグリットもまじってい

るわけだ）

彼は少し酔いを感じながら、巴里の同じホテルで顔をあわせていた三人の娼婦たちのことを思いだした。あれは彼がまだ駆け出しで幼稚な術策を用い、金持の婦人に自分の作った妙薬を売りつけていた頃である。そのために娼婦たちに手を貸してもらったのだ。

（マルグリットか……）

彼はマルグリットの顔を思い出した。と、その顔の横に王妃マリー・アントワネットの顔が並んだ。

（どこか似ている）

彼は思わずグラスを握りしめた。マルグリットの顔は庶民的な顔で、もとより王妃のような気品も威厳もない。しかしその輪郭や眼鼻だちに何か似ているものがある。

（そうか。こいつは面白い）

マルグリットを使って何かできないか。双生児の姉妹を舞台に別々に登場させて観客をアッと言わす奇術師のように、彼もまたマルグリットを王妃にすりかえて一芝居をうちたい衝動にかられた。

だが今夜、思いついたのはそこまでだった。酔った時のインスピレーションは酔いがさめると愚かな思いつきにすぎぬことをカリオストロはたびたび経験していた。

彼は手と顔を洗い、寝支度をした。充分な睡眠をとるのがこの詐欺師の健康法だった。

トリアノン宮の日々

この頃、王妃マリー・アントワネットはあたらしい玩具《おもちゃ》に熱中していた。その玩具とは宝石でも豪奢《ごうしゃ》な装身具でもなかった。それはヴェルサイユ宮殿の庭園の一角にある小さな建物——小トリアノン宮殿とよばれる館《やかた》だったのである。

トリアノン宮は宮殿という名には相応《ふさわ》しからぬ別荘風の館だった。館は前国王だったルイ十五世がデュ・バリー夫人と恋の夜を送るためにひそかに使われたこともある。その小さな隠れ家をマリー・アントワネットは夫からプレゼントとして贈られたのだ。

ヴェルサイユ宮殿の格式ばった儀式や作法に飽きあきしていた彼女は、ここで屈託のない、思うがままの毎日を送れると思うと胸がはずんだ。

この別荘風の小さな家は、食堂や客間や寝室、浴室、小さな図書室をのぞくと、七つか八つの部屋しかない。あの仰々しいヴェルサイユ宮殿の装飾などをとり払い、彼女は今、部屋や食堂や客間を自分の趣味で飾ることに熱中していた。

ごてごてとした飾りつけは、いっさい除かれた。どぎつい色彩をした、けばけばしい飾りつけもみんな変えることにした。

そのかわり、マリー・アントワネットはそこにいかにも彼女らしい趣味を表現しようとした。重々しい謁見室のかわりに、おしゃべりを楽しめる客間が、こけおどしの緞帳《どんちょう》のかわりに優雅な絹のカーテンが窓を飾った。そして壁には金色のふちの鏡が飾られた。ワットーやペーターの風景画も部屋をあかるくするに役立った。

こうして館の内部を自分の趣味に変えると王妃はまわりのあの幾何学的なヴェルサイユ庭園を彼女風の趣味で作りなおす計画をたてた。そこに牧歌的な自然をつくろうと思いたったのである。

小川がつくられ、その小川のながれこむ池も掘られ、池には白鳥の群れが泳ぎ、円亭を配した岩山にはロマンチックな洞窟《どうくつ》もこしらえてみた。工事はたしかに莫大な費用を要したが、彼女はそんなことは意にも介さなかった。

そう、ここにはヴェルサイユ宮殿におけるような、しかつめらしい礼儀、規則などいっさいなかった。頭の痛くなるようなそんな約束事にマリー・アントワネットはもう飽きてしまった。

そう、ここには義務で会わねばならぬ大臣や外交使節はいっさい姿をみせなかった。ここには彼女の「心の友」――つまり彼女の気に入った仲間だけがたずねてくることが許された。その仲間と心おきないおしゃべりや賭《か》けごと、オペラや演劇を存分に楽しむことができた。トリアノンは彼女のこの頃のかけがえのない玩具だったのである。

そのトリアノン宮殿から今、痩《や》せた顔のながい男が暗い表情で出てきた。彼は王妃が自慢の牧歌風の庭園には眼もくれず、車寄せで待っている自分の馬車のほうに早足やに歩いていった。

この長身の痩せた男は財務総監のジャック・ネッケルだった。巴里一の富豪であり敏腕の銀行家として知られた彼は、疲弊した仏蘭西の財政を救うため、迎えられてこの責任ある要職についたのである。

ネッケルは人工の池のほとりを歩きながら、たった今、自分が犯した失敗を嚙《か》みしめていた。彼の失敗というのは、前任者のチュルゴーやクリュニーと同じように王妃マリー・アントワネットの浪費に批判がましい言葉を口にしたことだった。

「わたくしは王妃です。王妃にはそれに相応しい経費がいります」

眉を逆だてながらトリアノンの客間でマリー・アントワネットはネッケルを叱りつけた。

「勿論《もちろん》、わたくしはあなたたちがアメリカ独立戦争のために無駄に費やした巨額の戦費を埋めるために努力していることは知っています。でもそれだからといって、王室や貴族の威厳や体面をそこねる政策はとらないでください」

怒った時のアントワネットは美しかった。そして怒った時のアントワネットは子供のように無茶で駄々っ子のようだった。

「しかし」とようやく財務総監ネッケルは反駁《はんばく》した。

「このトリアノン宮殿のための支出だけでも百六十五万リーブルに達しております」

「でもあなたはヴェルサイユ宮殿の使用人を千六百人もやめさせましたわね。私はそれには我慢しましてよ。たしかに国民が飢えている時、王妃であるわたくしがこの宮殿のためのこのような支出を求めるのは不当にみえるかもしれませんけれども」

直立しているネッケルにマリー・アントワネットは皮肉な微笑を炎《ほむら》のように口に浮べて、

「でもこの宮殿はいわば、わたくしの迎賓館なのです。ヴェルサイユ宮殿の公式行事に疲れた外国の使節やお客さまにくつろいで頂くために作ったのです。それは仏蘭西の外交に役にたつと、お思いになりませんか……」

臣下であるネッケルはまともに首をふるわけにはいかない。頭をたれて彼は客間を退出せねばならなかった……。

ネッケルが退出したあと、マリー・アントワネットはしばらく不快そうに椅子に腰をかけていた。その時、扉をノックして一人の貴婦人が姿をあらわし、膝《ひざ》をかがめた。

「まあ、あなた」

不機嫌だった王妃の顔がたちまち陽光のさすようにあかるくなった。彼女は喜怒哀楽をまるで少女のように無邪気にあらわす女だった。

「パッシーにまだ御滞在とばかり思っていたのに……」

「さきほどから隣の部屋で御用事のすむのをお待ちしておりました」

貴婦人はほほえみながら親しげに答えた。彼女はマリー・アントワネットが「心の友」の一人とよんでいるポリニャック伯爵夫人だった。

「じゃあ、今のあの詰らない話を全部おききになったわけね。ネッケルはチュルゴーと同じだわ。財務総監はみな同じ。自分たちの無能をこのわたくしの責任にするのですもの。あの人たちはわたくしの王妃としての立場をこれっぽっちも考えてくれないのよ」

「お察ししますわ」

「あなただけよ。このわたくしの気持や悩みをわかってくださるのは……」

王妃はまるで姉妹にでもするように伯爵夫人の腕に手をおいた。彼女はこの友だちが自分のすべてを理解してくれていると信じていたから、ほかの者たちには言えぬ打ちあけ話も伯爵夫人だけには話すことができるのだ。

「ねえ。あなたの旅のお話をして」

「ええ……でも決して楽しいお話じゃございませんわ」

とポリニャック伯爵夫人はその細おもての顔に愁いをみせながら首をふった。

「あちらこちらで暴動が起っています。むかしと違って農民も商人も平気で貴族に楯《たて》つくようになりましたもの。御時世ですわ」

「わたくしは仏蘭西の王妃になるよりは他の国の王妃になっていたほうが良かったわね」

「何をおっしゃいますの。王妃《マダム》さまほど仏蘭西の女王にふさわしい方はいらっしゃいませんのに」

「国民たちすべてがそう考えてくれれば、いいのですけど……」

「民衆の心というのは変りやすいものですわ。一寸したことで、民衆はもっともっと王妃さまを愛するようになりますわ」

「それはわたくしが王子を生むことね。でもそれができなかったら私は仏蘭西人から次第に嫌われていくのですわ」

マリー・アントワネットは少し淋しげにこの親友に呟《つぶや》いた。

「世のなかは王室にたいして次第に悪意を持っていくでしょうね。粗野や野蛮なことが社会正義の名をかりてひろがっていくのですわ。でもね、わたくしはこう思うの。どんな時になってもこのわたくしは……ひとつのことを守らねばいけないって」

「ひとつのこと？　それは何ですの」

「優雅《エレガンス》ということ」と王妃は思いつめたようにひとりごちた。「私がそのように育てられた優雅《エレガンス》。わたくしは自分の身になにが起っても、何を失っても、これだけはなくすまいと考えているのよ」

ポリニャック夫人はこのように真剣な表情をした王妃を見たことがなかった。言い終ったあとも、マリー・アントワネットは自分の言葉をもう一度嚙みしめるように、じっと黙っていたが、気をとりなおしたように笑顔をみせて言った。

「さあ、あちらに行きましょう。わたくしは今、芝居に夢中なのよ。わたくしも役者として出る芝居に」

トリアノン宮では時々、王妃みずからも出演するオペラ・コミックやミュージカル・コメディが催された。小さな劇場にはそんな夜、ごく少数の観客、ルイ十六世とその弟のアルトワ伯爵夫妻や彼女の心の友であるポリニャック夫人たちだけが招かれる。王妃の侍従たちも特に許されて平土間に坐った。

そんな芝居を夢中になって演じるマリー・アントワネットの演技はつたなく、唄も素人《しろうと》くさく、正直いって見るに耐えないものだったが、彼女は観客の拍手やお世辞を本気で信じ、少女のように無邪気に悦んだ。人のよいルイ十六世は妻がメーキャップをする時はおろおろとしてたちあい、祝詞をのべ、幕がおりると誰よりも先に大きな手で無器用に拍手をするのだった。

芝居をしない時は彼女とその取りまきたちはくだらない遊戯をして時間をつぶした。トランプや賭け事、それに目かくしをして鬼ごっこをする。この頃、マリー・アントワネットはあまりヴェルサイユ宮殿には行かない。王妃としての謁見、公式行事は彼女をいらいらとさせるのだ。

「わたくしは何よりも退屈するのがこわいのです」

この頃の彼女は二十六歳をすぎ、女としての盛りだった。マリー・アントワネットを好かなかった貴族でさえ、その肌のつや、肩と首のギリシャ風の線の美しさには讃辞《さんじ》を惜しまなかった。「これほど美しい腕、これほど美しい手を見たことはない」と一人の貴族はそんな言葉を洩らしている。彼女ほど優雅に歩く女性はヴェルサイユ宮殿の貴婦人にもいなかった。

そしてその会釈の仕方も実に優雅だった……。

更に彼女の瞳《ひとみ》。その青い眼は王妃らしい威厳と共に、人の心を捉《とら》えずにはいられない魅力を持っていた。

だがその瞳に時折、言いようのない寂しさが浮ぶことがある。すべてが充ち足りている筈のこの女の眼になぜ寂しい光がうかぶのか。彼女は何を怖《おそ》れているのか。退屈することがこわいのか。

いや、そうではなかろう。マリー・アントワネットはやがて起る人民たちの革命をこの頃、既に考えはじめていたのではないだろうか。そしてあの占師のカリオストロが予言したように王室がその力をいっさい奪われる日を予感していたのではないだろうか。

不安を誤魔化すために彼女はトリアノンで莫大の浪費をつづけたのである。遊戯や芝居に熱中したのである。だが熱中しても、心の奥底に言いようのない不安がまた起る。誰もその彼女の怖れを理解してくれない。心の友、ポリニャック夫人さえもわかっていない。

この頃、マリー・アントワネットの生れたオーストリア宮廷では廷臣たちが深い愁いに沈んでいた。アントワネットの母であるテレジア女帝の健康がとみに衰え、その臨終も間近だったからである。

病床にあっても彼女は子供たちを心配しつづけた。とりわけ末っ子のマリー・アントワネットのことを女帝は死のまぎわまで案じていた。娘の我儘《わがまま》な性格が王妃としての義務を怠ればすぐにヴェルサイユ宛《あて》にきびしい叱責《しっせき》の手紙を書き送った。

十一月の氷雨のふる日、女帝は呼吸困難に陥り、息子のヨーゼフ二世に支えられて息たえた。

この母親にたいして心配をかけ通しのマリー・アントワネットだったが、流石《さすが》にその死の知らせを受けた時、烈しく泣き崩れた。母の支えがなくなった時、彼女は初めてのように自分の孤独を感じた。もう自分に真心から処世の智慧を与えてくれる人はこの世にいないのだ。

だが一七八一年の十月、彼女は二度目の出産をした。

二度目というのは三年前、彼女は王女を生み、皇太子の出産を待ちうけている巴里《パリ》市民をいささか失望させたからである。王室に不平不満を持ちながらも、市民たちは一方ではルイ十六世にあと継ぎができることを楽しみにしていた。

十月の二十二日、彼女は軽い陣痛を感じ、入浴後に横になった。医師たちが周りにつめかけ、部屋には国王も彼の叔母や弟たちも見舞にあらわれた。

正午から陣痛は時間をちぢめて襲いかかった。一時近く、人々は息をつめて別の部屋で知らせを待っていた。

一時十五分、髪ふりみだした王妃の侍女が控えの間に駆けこんできた。

「皇太子さまです。まだ発表は禁じられていますが……」

人々はたがいに抱きあい、声をあげた。だがマリー・アントワネットは自分が男子を出産したとはまだ知らなかった。眼に泪をうかべてルイ十六世がそれを知らせた。午後三時、生れたての赤ん坊に洗礼が授けられ、母親の寝所に連れてこられた。

巴里では三日三晩、皇太子の誕生を祝って、民衆には金が与えられ、誰もが給食台で自由に食事をたべられ、店も工房もいっさい仕事をやすみ、組合の代表者が次々と献上物をヴェルサイユに運んできた。

マリー・アントワネットの傾きかけた人気はこの祭りの日を契機として、またとり直したようである。

翌年の一月には皇太子出産を祝う催しが巴里当局の手で開催された。国王夫妻は人勢の供を連れてこの催しに出席し、市長や代表者の謁見を受け、夜の花火を見物し、仮装舞踏会にも顔を出し、その返礼として大祝宴に一万三千人を招待した。久しぶりに民衆と王室とが縒《より》を戻した時期だった。

人のいいルイ十六世は巴里市民の歓呼の声を聞きながら、これですべてが解決したのだと思った。

「もう大丈夫だね」

と彼は妻に笑顔をみせて囁《ささや》いた。

「あなたのお蔭《かげ》で国民はわたしにまた友情の手をさしのべてくれたようだ……」

だがマリー・アントワネットはその時、黙っていた。民衆の悦びの声に時折「王室打倒」という叫びがまじっているのを彼女は聞いたのだ。その叫びはたちまち圧倒的な群集によってもみ消されたが、しかし彼女はいつの日か、この叫びがすべての巴里市民の口から起るような気がして一瞬、体を震わせたのである。

頼りとするオーストリアの母は死んでしまった。そして今、自分がその運命を托《たく》さねばならぬ夫はこんなにお人好しだ。彼女は夫の横顔をそっと眺め、いつもの事ながら彼と送らねばならぬこれからの自分の生涯を思った。

彼を愛していないわけではない。彼が自分に忠実な夫であることもよくわかっている。前国王ルイ十五世やあの太陽王といわれたルイ十四世とちがい、マリー・アントワネットの夫は女性に関しては身が堅かった。彼は妻以外の貴婦人に言い寄ったことも、心をよせたことも一度もなかった。文字通り妻と子供とを愛する善良な夫だった。

なのにこの心の空虚感はどこから来るのだろう。それは夫があまりに善良すぎるからだろうか。それとも狩りと鍛冶《かじ》しか好まぬような無趣味な男だからだろうか。でも彼はどんな妻の我儘も聞いてくれる。次々と買いこむ宝石や装身具にも、トリアノン宮での自由な生活にも小言を言ったり、不平を洩らすことはつゆない。

だが我儘を許してくれればくれるほど、マリー・アントワネットは淋しく、物足りなくなるのだ。自分が身勝手とは百も承知していながら、何か自分を強く、荒々しく、横暴に引きずっていってくれる力に憧《あこが》れてしまうのだ。それが夫にはない。

彼女は巴里市民の歓呼の声を馬車のなかで夫と共に受けながら、ヴェルサイユまで帰る路《みち》、ふとそんなことを考えた。そしてその時、一人の男の顔がまぶたの裏にうかんだ。

それはアクセル・フェルセンというスエーデンの士官だった。

身分も国もちがうその士官とはずっと昔、仮装舞踏会で出あった。まだ彼女が皇太子妃の頃でシャルトル公爵にひそかに心を傾けていた頃である。

そのフェルセンが、この間、スエーデン大使クロイツに伴われてひょっこりとヴェルサイユ宮殿に伺候してきたのである。彼女がもうすっかり成熟した女性になったように、フェルセンも落ちついた、思慮ぶかい将校に変っていた。

なぜ、そのスエーデン人のことが今、まぶたに浮んだのかわからない。北欧の人間特有の金色《ブロンド》の髪に長身の体。だが特に美男子というわけではないのだ。けれどもその澄んだ青い眼が彼女をじっと見つめ、そしてやわらかな微笑を唇にたたえて挨拶の言葉をのべた時、マリー・アントワネットは彼に好意を感じた……。

「そうそう。ギヨタンという学者を知っているかな」

と夫は馬車の振動に身を委《まか》せながら彼女にたずねた。

「あたらしい処刑道具を作りたいと申請してきた。囚人に苦痛を与えぬ道具だ。私は賛成した。いかに罪人でも苦しますのは私は嫌いだから……」

だが、それは別に思慕とか、恋というようなものではなかった。それは一寸《ちょっと》した淡紅色《とき》の追憶にすぎなかった。当時のマリー・アントワネットには仏蘭西《フランス》王妃である自分がスエーデンの一将校に心を寄せるなど、夢にも考えられもしないことだった……。

遊び好き、享楽好きの彼女だったが、夫ルイ十六世には兄妹《きょうだい》のような情愛を持っていた。兄妹のような情愛——そう、だから彼女は物足りなかった。だから彼女は空虚だった。夫には彼女をぐいぐいと引張っていくような烈しさがなかった。夫には彼女を一時《ひととき》でも陶酔させるような力はなかった。

その空虚《うつろ》な心を誤魔化すためにマリー・アントワネットはヴェルサイユ宮殿やトリアノン宮で次から次へとあたらしい遊びを思いつく。芝居、トランプそして舞踏会……。

彼女が開催した夜の舞踏会の華やかさは後々までも語り草になった。きらめく燭台《しょくだい》、大理石の床の上をながれる婦人たちの衣《きぬ》ずれの音。

マリー・アントワネットはそんな舞踏会では最後まで優雅で気のきくホステスだったといわれている。気品ある笑顔で招待客に話しかけ、若い貴族たちが慎みのない話題を出さぬように気をつかった。

舞踏会のホールは夏は噴水が貝殻型の水盤に水をそそいで涼をつくり、冬はパイプを通してあたたかな蒸気が流れこむようになっていた。コントルダンスをおどる貴婦人たちの帽子につけた羽毛が燭台の光をうけてキラキラと光った。

だがそうした遊びの最中でもマリー・アントワネットは突然、言いようのない不安にかられることがある。

その不安とは——。

この華やかな舞踏会場に、ある日、急に誰もいなくなることだ。がらんとした大広間に自分一人がたっている。彼女は夫を大声でよぶ。だが夫は姿をあらわさない。親しい貴族の名を一人、一人よぶ。しかし誰もあらわれはしない。

何処《どこ》からか男の笑い声が聞えてくる。

「聞くがいい」

とその男の声は笑いを嚙み殺して彼女に教える。

「お前は一人だ。一人ぼっちだ。このヴェルサイユ宮殿にはもうお前しかいない」

「皆はどうしたのです。夫はどこに行ったのです」

彼女の問いに男の声は笑いながら答えてくれる。

「みんな殺されたよ。巴里の民衆に。お前たちを憎んでいる巴里の民衆に……」

彼女は眼を見ひらく、嘘だ。眼前には手をとり、雅《みやび》やかにおどっている客たちの顔がある。義弟のアルトワ伯爵。ギーヌ公爵。ウォルポール大使、ヴュルタンベール公爵夫人、親友のポリニャック夫人……。

そんなことが起る筈はない。おどっている貴族の顔は楽しげで、倖《しあわ》せそうだ。革命など誰も今は考えてはいない。

舞踏会は夜あけまで続く。別室で玉突きやトランプに興じている貴族もいる。赤と銀との仕着せを着た従僕たちがそれら招待客のために夜食を整えて待っている。

あさがた、夜が白む頃、小姓に送られて貴婦人たちは馬車にのる。馬がいななき、車輪の軋《きし》む音がきこえ、そして舞踏会は終りになる……。

そんなある日の夕方、彼女は親友のポリニャック夫人にハープをきかせていた。夕暮の陽が大きな窓からさしこみ、二人の女性の横顔をてらしていた。

「誰もが、このわたくしを世界で一番倖せな女だと思うでしょうね」

マリー・アントワネットは窓から見える庭園に眼をやりながら深い溜息《ためいき》をついた。

「わたくしは時々、それが怖《おそ》ろしくなるの。ある日、なにか罰を受けるのじゃないかと思って……」

「人間にはそれぞれの役目というものがありますわ」

ポリニャック夫人は首をふった。

「その役を負わされている方《かた》が心のなかでどんなに孤独かは誰にもわからないでしょう。でもその孤独に耐えて、その役を勤めおおせることが高貴な方の生涯だと、ラシーヌが申しておりましてよ」

「あなた、やはり、わたくしの親友ね。わかってくださるのだわ。このわたくしの淋しさを……」

マリー・アントワネットはこういう時、女性にありがちな感傷にすぐ酔うことができた。ポリニャック夫人の言葉は彼女の心を甘くゆさぶり感動させた。

扉がノックされた。従僕が恭しく頭をさげて、

「突然のことでございますが、どうしても御引見をと申される方がございます」

「メルシーや財務総監じゃ、ないでしょうね。またわたくしに小言を言うために来たのかしら」

「いいえ、アクセル・フェルセン伯爵でございます」

「フェルセン伯爵」

マリー・アントワネットはハープから離れて、

「お通しなさい」

それからポリニャック夫人の方を向いて、

「いいのよ。あなたもわたくしと一緒に、同席してくださいな」

長身の、そして金色の髪をした軍人が姿をあらわした。彼は礼儀ただしく身をかがめ、王妃とポリニャック夫人の手に口づけをした。

「この頃は、このトリアノンをお見すてだったようね。お顔を随分、拝見しませんでしたけど」

マリー・アントワネットは悪戯《いたずら》っぽくこのスエーデン人をからかった。しかしその眼には彼にたいする興味と好意とがあふれていた。

「申しわけございません」

フェルセンは少年のように少し顔をあからめ、

「しばらく、この仏蘭西を離れておりました」

「いけませんこと。何があなたをそうさせたのでしょう。どなたかスエーデンの美しい方に心ひかれて、それがあなたに仏蘭西を忘れさせたのでしょうね」

「いいえ、とんでもございません」

からかえば本気になって顔を赤くするこのフェルセン伯爵をマリー・アントワネットは可

愛いと思った。ヴェルサイユ宮殿の貴族たちにはこんな初心《うぶ》な男はいなかった。恋の遊戯に若い貴族でさえ、すっかり、すれっからしになっていた。

「実は本国からこの私に仏蘭西大使にという打診がございました。そのため一時、帰国したのでございます」

「あなたが……大使に？」

マリー・アントワネットはポリニャック夫人に眼をやり、

「何という良い知らせなのでしょう。わたくしたちも嬉しいと思いますわ」

「いいえ。私はあまり悦んではおりません」

眼に愁いをただよわせてフェルセンは首をふった。憂愁をおびた彼の顔に夕陽があたり、マリー・アントワネットはそれを美しいと思った。

「でも、なぜでしょう」

「大使に任命されれば、私の任期は三年か四年でございます。おそらく、その後はこの仏蘭西を去って米国に行かされましょう。王妃殿下。御存知のように私は仏蘭西が好きでございます。いつまでもこの国に住みたいと存じております」

「お気持、よくわかりますわ。では、どのように、わたくしがあなたをお助けすればよいのかしら」

アントワネットは今日、突然、フェルセンが引見を求めてきた理由をいち早く察した。

「できますれば、私を仏蘭西の軍隊に入れ、王室の近衛《このえ》隊《たい》に加えて頂きたく存じます。御存知のように近衛隊には我々スエーデン人だけの部隊がございます」

「知っていますわ。でもあの司令官はスパール伯爵でしたわね」

「彼はその地位を辞任したいと申しております」

王妃はフェルセンの懸命な横顔を見て、少女時代、ウィーンの宮殿でめぐりあった一人の少年のことを思いだした。母の宮殿の音楽師モツアルト家の息子のことだ。アントワネットはその少年と時折、鬼ごっこをして遊んだものだ。(ぼくはね、必ず有名な作曲家になるよ。見ててごらん)。モツアルト少年はいつも、むきになってアントワネットにそう言った。

その少年の顔によく似ている――。

「わかりましたわ」

母親のように彼女はやさしく答えた。

「陛下にそのこと、わたくしからお話ししておきましょう」

フェルセンは嬉しさを顔いっぱいにあらわしながら退出していった。彼の姿が消えると、マリー・アントワネットとポリニャック夫人とは、思わず笑いだした。

「なんて素直なんでしょう。ああいう若い殿方はこのヴェルサイユにはいないわ」

「随分、お気に召したようですね」

とポリニャック夫人は探るような眼つきでマリー・アントワネットを見ると、

「でもあんな青年は一寸、いじめてみたくもなりますわね」

「それはあなたが仏蘭西の女だからだわ。可哀想に。これから彼はきっとヴェルサイユ宮殿のなかで海千山千の御婦人たちから、からかわれたり、持ちあげられたりするでしょうね」

「そして手ひどく傷ついて……」

「いいえ。そうはさせないわ。わたくしが彼を守ってあげますもの。姉が弟を守ってあげるようにね」

マリー・アントワネットは半ば冗談で、しかし半ば本気でこの言葉を口にした。フェルセンの清潔な顔だちも、素直な性格も彼女には気にいっていた。フェルセンはかつて少しばかり彼女が心ひかれたシャルトル公爵などのような手練手管にたけた男たちとはまったく違っていた。

「この仏蘭西では一人の青年が出世するためには女性の保護が必要ですわ。まして王妃さまが彼のうしろ楯《だて》におなりになるなんて……何と光栄なことでしょう」

ポリニャック夫人はアントワネットをおだてるようにそう言ったが、しかし心中、王妃の気まぐれがまた始まったと思っていた。

その後、王妃は夫に少し甘えながらフェルセンの件を話した。

「あなたの頼みなら、断わるわけにはいかないね」

人のいい国王はどんなことでも妻の願いを聞き入れてくれた。彼はその点、マリー・アントワネットにとって申し分のない夫だった……。

姉が弟を守るように、フェルセンの保護者になる……。

この思いつきはマリー・アントワネットを面白がらせた。自分の手で無名の青年を宮廷のなかで出世させていく。やがて彼はヴェルサイユの貴族たちからも注目される男に成長する……。

フェルセンはスエーデンでは伯爵家の生れだが、そう富裕ではない家柄の息子である。ましてこのヴェルサイユ宮殿では彼はたんに異国から来た青年にすぎない。バックもなければ、パトロンもいないのだ。

（わたくしが、彼を立派にしてみせるわ……）

そう思うと彼女は今まで我が子以外には抱かなかった母性愛をフェルセンに感じはじめた。フェルセンの金色の髪や少年のような顔だちが彼女を刺激したのである。

「あなたの御依頼は早速、陛下にお伝えしておきました」

鵞《が》ペンをとって彼女は最初の手紙をあのスエーデンの青年に書いた。

「おそらく半月以内にあなたの望みはかなえられると思います。そしてこのわたくしもあなたのお役にたてたことを嬉しく思っております。

あなたはこれでわたくしたちと同じようなヴェルサイユ宮殿の人間におなりです。ですから、あなたはこの宮殿の習慣や約束をいち早くお憶《おぼ》えにならねばいけません。スエーデンの宮廷作法がわたくしの生れたウィーンのそれと違うように、ヴェルサイユにはヴェルサイユのやり方があります。それを早く、心得てくださるように二つのことを忠告させてくださいませ。

第一にこのヴェルサイユではたった一つのこと以外は大目に見られるとお考えください。あなたは何をなさっても結構です。しかし滑稽であってはいけません。滑稽であることはこの宮殿では許しがたい過失なのです。失笑をかう言葉使いや作法、無器用な踊り方、退屈な会話は決して見逃してはもらえないのです。

第二には御婦人がたを敵にまわさないこと。御婦人がたを味方にした殿方は、それによって目に見えぬ助けや援助をひそかに受けるのだと憶えておいてください。

差し出がましい忠告とお笑いになりませんよう。これもあなたのお役にたちたいからですのよ」

仏蘭西の王妃である自分が、名もないスエーデンの一青年にこんな心こもった、優しい手紙を書いている。彼女はそれに気づいて思わずくすくすと笑った。それもまた彼女にとっては一つの遊びだった。心の不安を誤魔化すための遊びだった……。

フェルセンから返事がきた。彼はこの破格の光栄に驚き、あわて、とり乱していると書いてきた。自分がどんなに感激しているか、文字ではとても書ききれぬとのべていた。そして王妃殿下の御好意と御厚志にそうためにあらゆる努力、忠誠を生涯惜しまぬと誓っていた。

マリー・アントワネットはそれにも返事を送った。二人だけでひそかに通わされる手紙――夫も知らない、親友のポリニャック夫人も知らない、その秘密の面白さが彼女を楽しませた。

そのくせ、ヴェルサイユ宮殿で他の貴族たちと並んでフェルセンが王と王妃との引見を受

ける時などは、マリー・アントワネットは殊更に彼を無視した。他の貴族には話しかけても
フェルセンを素知らぬ顔をして黙殺した。
と、彼の少年のように澄んだ眼に不安といらだちの色が起る。その不安な表情を見るのも
マリー・アントワネットには面白かった。子供をからかっているような楽しみがそこにあっ
たのである。
無視したあとは急にトリアノンの集まりに彼を招いてやる。嬉々としてフェルセンはやっ
てくる。
と、また突っ放してみる。彼から悲しみの手紙が送られてくる。
(お馬鹿さん)
そんな手紙を読みながらマリー・アントワネットは忍び笑いをする。フェルセンは彼女に
とって自由になる人形のようなものだった……。
それはまだ恋ではなかった。マリー・アントワネット自身も、フェルセンに特別な感情を
持つだろうとはつゆ考えもしなかった。彼女は夫のルイ十六世のよい妻ではなかったが、夫
を裏切るような行為はその自尊心のため今日までできなかったのである。
だが彼女は自分の気ままな遊びがフェルセンをどのように刺激し、苦しめているかに気が
つかない。
フェルセンは王妃の心を摑《つか》みあぐねて途方に暮れていた。なんのために彼女が自分を大事

にしてくれるのか、大事にしてくれたと思うと急に冷やかになるあの移り変りの理由がわからないのだ。

心の傷手《いたで》を癒《いや》すため彼は巴里を離れて旅に出た。折しもスエーデンのグスタフ国王が、お忍びの旅行をしていたのに加わったのである。

彼は既にマリー・アントワネットに恋をしていた。恋をしていたが、同時にそれが「叶《かな》わぬ恋」だということも知っていた。

相手は王妃。自分はしがないスエーデンの貧乏貴族の一人にしかすぎない。この恋がみのらぬこと、受け入れられぬことははじめからわかっていた。

寂しさを誤魔化すためにフェルセンは他の女性と旅先で交際をした。

ナポリの町で彼は一人の英国婦人と出あった。レディ・エリザベスと言われる人妻である。

みじかい滞在ゆえに女は燃えあがった。海べを散歩する時、彼女はフェルセンに寄り添ってこう言った。

「わたくし……あることを考えていますの」

「何をお考えでしょうか」

「夫と別れて、あなたと結婚することを」

彼女にそう言われた時、フェルセンは自分の胸のなかで狼狽《ろうばい》するもののあるのを感じた。

レディ・エリザベスが嫌いなのではない。だがそれ以上にあの仏蘭西の王妃への思慕が強いのだ。彼はこの時、自分がどんなにマリー・アントワネットを愛しているかに気づいたのだった。

ナポリを去る時、彼は婉曲《えんきょく》に彼女との結婚を断わった。「叶わぬ恋」に身を殉じようと思ったのである……。

ダイヤの首飾

久しぶりに見る巴里《パリ》だった。

セーヌ河に面したシャトレに近いホテルの窓をあけて、マルグリットはなつかしい空気を胸一杯に吸いこんだ。

「なにも変っていないわ。なにもかも昔のままよ」

彼女はうしろをふりかえって、まだいぎたなく寝台で寝息をたてている兎のおばさんと、部屋着から腿《もも》もあらわに化粧に熱中しているヴィレット夫人とに声をかけた。

「セーヌもおんなじ。岸の朝市もおんなじ」

「少しは静かにおし」

とヴィレット夫人はたしなめた。

「まるで子供じゃないの。昨夜、くたくたに疲れて巴里に来たというのに、一晩ねむるともう元気になれるんだから、若いって羨《うらや》ましいわねえ」

「カリオストロ博士は」

「隣の部屋だよ」

昨夜おそく、四人は馬車でこの巴里に入ってきたのだ。既に夜ふけて霧雨も降っていたから街は真暗だった。このホテルに来るまで馬のひづめの音だけが寝しずまった通りにひびくだけだった。

それがどうだ。今日はうつくしく晴れあがっている。陽がセーヌ河にきらきらとかがやき、その光を受けて野菜や食べものをつんだ小舟がゆっくりとくだっている。この舟たちはみんなルーアンから商売にきているのだ。

朝市がにぎわっている。肥っちょの女が大声をあげて鶏を売っている。新鮮な野菜を売っている。見馴れた巴里の朝だ。何もかもが昔と同じだ……。

「あたし、外を歩いてくる」

「勝手におし。でも朝飯までには戻っておいでよ。わたしたちは物見遊山でわざわざリヨンから巴里に来たんじゃないんだからね。それを忘れちゃいけないよ」

ヴィレット夫人の声を受けてマルグリットは部屋をとび出した。

このあたりのことは鼠の穴まで知っている。むかしの縄ばりだったからだ。セーヌ河にそってルーヴル宮、そしてもう少し進むとルイ十五世広場に出る。ホテルの背後はサン・ドニ街で、穀物市場もすぐそばだ。そしてなつかしい「女王通り《クール・ラ・レーヌ》」もその市場から眼と鼻の先である。

どの家も朝の陽があたって窓がかがやいている。でもその窓の下を歩くと危険だ。時々、鎧戸《よろいど》がひらいて女中が顔をだし、

「気をつけて《アタンシオン》」

と叫びながら、白い陶器を下にむけて液体を落してくる。陶器は小便壺で、液体は小便である。その飛《ひ》沫《まつ》をあびてはたまったものじゃない。

マルグリットは河岸に出て朝市のなかを少し歩きまわった。田舎では百姓たちが食うや食わずだというのに巴里では何でも売っている。籠から家鴨《あひる》が首を出し、卵が山もりに積まれ、兎がぶらさげられ、さまざまな野菜が木の板の上に並べられ、そして商人が行きかう客に大声で話しかける。その間を水売りの男が天秤《てんびん》をかついでやってくる。

（つらい気持でここを歩いたこともあった……）

不意に彼女の記憶にある思い出が甦《よみがえ》った。はじめての失恋の日。初恋がむざんに破れ、傷つけられた日。マラーという医者が連れていた青年に裏切られた思い出である。夕陽が照りつけるこの河岸を彼女は泣きながら歩いた。そしてその夜、はじめて兎のおばさんのお客に体を与えた……。

あれがすべての始まりだった。あの夜から彼女は娼婦になっていった。

（むかし《ロンタン》、むかし《ロンタン》、むかし《ロンタン》のことだわ）

彼女は微笑《ほほえ》んでみせた。微笑みながら自分はもう大人になったのだと思った。だからこそ仲間と共にカリオストロ博士に連れられて巴里に戻ってきたのだ。あたらしい、びっくりす

るような大仕事をするために……。

ホテルの食堂でそのカリオストロは珈琲《コーヒー》をすすりながら「メルキュール・ド・フランス」紙を読んでいた。

メルキュール紙は十年ほど前に発刊された新聞でヴェルサイユ宮殿の消息、催し物、出来事などを詳細に書いている。王や王妃、貴族、大使たちの動きを知るにはこの新聞を読むにしくはない。

カリオストロは慎重だった。ある事を起すまでは充分に準備し、考えをめぐらす男だった。まして今度のように仏蘭西王妃マリー・アントワネットを相手にして大仕掛な芝居を企んでいる彼は、計画をたっぷり練らねばならぬと考えていた。

手に入れたメルキュール紙を丹念に読み、カリオストロはマリー・アントワネットの消息を頭にたたきこんだ。

(あの女には恨みがある……)

彼はヴェルサイユ宮殿の小さな一室で王妃に会ったことをその後も決して忘れてはいない。あの部屋に滑るように入ってきた彼女はカリオストロを見くだすように部屋の閾《しきみ》で眺め、ゆっくり椅子に腰をおろした。その瞬間、カリオストロはこの驕慢《きようまん》な王妃に不安と怯《おび》えとを与えたい衝動にかられ、彼女とその家族に不吉な運命が待っているとつい予言をしてしまったのだ。もっともこの時、彼には王妃に不安を与えることで、今後、王室の身の上相談係として出世するという計算がなかったわけではない。

けれども――、

この計算はみごとにはずれた。驕慢な王妃の顔に怯えの表情を浮ばせることには成功はしたものの、逆に彼女の恨みをかったのである。カリオストロは巴里から追放された。

(あの女には恨みがある……)

その恨みをいつか晴らそうと彼はいつも思っていた。行く先々の町で心霊術を行い、不老長寿や錬金術で貴族と金持との金をまきあげてきたが、その旅先でもマリー・アントワネットのことは一度も忘れたことがない。だが今、彼は自分の仲間となった女たちを連れて巴里に上《のぼ》ってきたのだ。王妃に恥をかかせるために、王妃に仕返しをするために……。

卓上にひろげたメルキュール紙はこの一カ月の王宮の催しものやヴェルサイユの出来事を面白可笑《おか》しく書きつづっている。

「仏蘭西は王妃の母国と戦火を交えるか」

大きな見出しが眼にとびこんでくる。マリー・アントワネットの母国オーストリアは近頃オランダと険悪になっている。ひょっとすると両国の間に戦争が勃発《ぼっぱつ》するかもしれぬ。そうなるとオランダの同盟国、仏蘭西はオーストリアと戦わねばならない。仏蘭西王妃はその時、彼女の兄弟たちの支配する国を敵とするのだ……。

だがマリー・アントワネットは、そうした国政の問題よりも今はトリアノン宮で催すオペラに熱中している。彼女は「セビリヤの理髪師」のロジーヌ役で出演するつもりなのだ。王妃は自分を本当に名女優だと思っているのだろうか……。

　メルキュール紙の辛辣《しんらつ》な筆はマリー・アントワネットの行状を皮肉り、からかっていた。

「ルイ十六世、ギヨタン博士の考案せる処刑機械に興味を示す」

　仏蘭西の残酷な処刑方法に反対するギヨタン博士は二年前より囚人に苦痛を与えずに殺す死刑器具ギロチンを設計していたが、ルイ十六世はその設計図をとりよせ、自分もまたこれに協力して手を加えたいと側近に語ったという。「王の鍛冶屋《かじや》的趣味はここに極まれり」とメルキュール紙はのべていた。

　珈琲をすすりながらカリオストロは新聞の隅から隅まで眼を通した。朝の光が食堂いっぱいに明るくさしはじめた頃、ヴィレット夫人と兎のおばさんが朝食をとりに姿をあらわした。

「素晴らしい天気じゃない《ケル・ボウ・マタン》」

　ヴィレット夫人は大袈裟《おおげさ》に手をひろげ、そして女中に珈琲とジャムとを注文すると、

「で、あたしたち、何をやったらいいの、カリオストロ」

「カリオストロ博士とよびたまえ。あんたたちは当分、何もしなくていい。体をやすめることだ」

「それじゃあ、なんのために巴里に上ってきたのか、わからないわ」

「あせる必要はない。俺には俺の考えがある」

「そりゃ信用しているけど……あんたはその考えを自分一人の胸にしまっておくんだもの……」

カリオストロはうるさそうにテーブルから立ちあがると、杖《カヌ》を持って食堂を出た。彼にはたった今、読んだメルキュール紙のある記事のことが頭にひっかかっていた。

「宝石商ベーマー氏、豪華な首飾の買い手を探す」

その見だしで書かれた記事には、王室御用達の宝石商が五百四十粒のダイヤモンドをちりばめた首飾を百六十万リーブルで売却に出しているという話が載っていた。「されどヴェルサイユ宮殿の貴婦人さえ、この価格には尻ごみをなし手を出さず……」

カリオストロの頭に何かピンとくるものがあった……。

サン・トノレ街の石畳をかっかっと音をひびかせ一台の豪奢《ごうしゃ》な馬車が通りすぎていったのはその日の昼すこし前だった。

「どう、どう、どう」

御者が手綱を引いて馬車を一軒の店の前にとめ、恭しく扉をあけると伊達《だて》な服装をした紳士が杖《カヌ》を小わきに馬車をおり、店のなかに姿を消した。

店は王室御用達の宝石商人ベーマーのものである。硝子《ガラス》のケースにはさまざまの首飾や指輪がならべられ、そのひとつ、ひとつに店員が立って番をしていたが、

「いらっしゃいませ」

紳士の風采《ふうさい》が身分あるもののごとく見えたから、主人のベーマーは客に近よると、

「ベーマーでございます」

と進んで挨拶をした。

カリオストロはうなずいて杖を手に持ちかえ、

「一寸《ちよつと》、拝見してよろしいか」

主人の許しを求めると硝子ケースのひとつ、ひとつを丹念に見まわった。

「素晴らしい細工だ。当節、ロンドンにもローマにもウィーンにもこのような宝石店はありませんな」

「恐れ入ります。すべて当店で私めの工房が作りましたものばかりでございます」

「宝石は生きものです。そしてそれを身につけた者を倖《しあわ》せにもし、不幸にもする。富ませもするし、その富をも奪う。たとえば、このダイヤの指輪はそれを指にはめる女性に幸運を約束しています」

爽やかなカリオストロの讃詞《さんじ》に宝石商ベーマーは嬉しそうに顔をほころばせた。

「さようでございます。私どもも宝石が魔力を持っていることは身をもって存じております」

「ところで」

とカリオストロは口髭《くちひげ》に軽く指さきをあてて、

「当店には世界に二つとないダイヤの首飾があると聞きましたが……」

「十年かかって製作いたしましたものでございます。おそらくこのような首飾はこれからも作られはしますまい。十七の大粒のダイヤを中心に総計五百四十の小粒のダイヤをつないで出来あがったものでございます」

「しかし、そのような前代未聞の装身具をなぜ、お作りになったのかな」

カリオストロの質問にベーマーは我が意をえたりと肯《うなず》くと、

「私が作りたかったからでございます。画家が絵を描かざるをえないように、宝石商の私も生涯に一度、自分の納得する首飾を製作してみたかったのでございます。ただそれを身につけられる方が……まだ、おありではない」

「売るとされると、値段は」

ベーマーは悲しそうに微笑した。

「百六十万リーブルから百八十万リーブルはいたしましょう。しかし値段の問題よりも私はそれに相応《ふさわ》しい御婦人を見つけることはできませんでした。はじめデュ・バリー夫人が興味を示されましたが、ルイ十五世の御崩御でお諦《あきら》めなさいました。以来、どなたも尻ごみをされておられます」

「拝見できますかな」

唐突なカリオストロの頼みにベーマーは困惑の表情を浮べた。彼にはこの客があの宝石を買うとは考えられなかったからだ。

主人の困ったような表情に気づいたカリオストロは笑いながら、

「勿論《もちろん》、私などには手の出ない品物だ。だが私は占いと霊術とを天職としております。その首飾の運命、それを身につける人が存在するか否かを見透してみたいだけです。お嫌なら、お断わりくださって差支えない」

ベーマーは半信半疑の眼で客を見あげた。実は彼もあまりに豪華な首飾を十数年前作りあげたものの、その買い手が見つからぬのに弱り果てていたのだった。

「お疑いのようですな。私の霊術を……」

カリオストロは指をポキンとならすと、硝子ケースの前にたってこちらを凝視している若い店員に声をかけた。

「君の上衣《うわぎ》のポケットを探ってみなさい。私の金製香入れがたった今、そこに移動した筈だ」

顔あからめた若い店員はあわてて上衣のポケットに手を入れた。金鎖のついた香入れの小箱がそのポケットから引きずりだされた。

驚愕《きょうがく》しているベーマーと店員たちに向ってカリオストロは笑いながら告白した。

「驚かせて申しわけない。実はこれは霊力でも何でもない。子供だましの手品《トリック》でしてな。しかし私の占いはこのようなものではありません。ムッシュー・ベーマー。是非その首飾の将来を占わせて頂きたいのだ」

ベーマーはカリオストロに魅せられていた。ポケットの鍵《かぎ》をとり出すと、

「承知しました」

と肯いて別室に歩き出していた。

別室には鉄製の頑丈で大きな金庫がおかれている。ベーマーはゆっくり鍵を鍵穴に入れ、それをまわして金庫の扉をあけ、自分は一歩さがって、

「御覧ください」

と促した。

五百四十粒の燦然《さんぜん》たるダイヤの光がカリオストロの眼を射た。金の総《ふさ》にダイヤはまるで満天下の星のようにきらめいていた。そしてそのうち中心部の十七個のダイヤは流石《さすが》のカリオストロも息をのんだほど微妙な光を放っていた。

「みごとだ《メルベイユー》。芸術中の芸術だ」

と占師は思わず声をあげ、顔を首飾に近づけ、微動だにせず、長い間、見つめつづけていた。

「ムッシュー・ベーマー、生涯、これほど絢爛《けんらん》たる物を私は見ることはできないでしょうな」

「有難うございます。だが私めも同じように考えております」

ベーマーはふたたび金庫の扉をしめ、鍵をかけると、

「で、占ってくださいましたか」

「勿論。私にはこの首飾をそのあでやかな首にかけられる方が眼に浮んでおります」

自信ありげに彼はベーマーに寄りそい、その手に自分の手を重ねた。

「残念ながら、その方の名をはっきり申すわけにはまいりません。ただ次の事だけは暗示しておきましょうな。そのお方は仏蘭西《フランス》のなかで最も高貴な女性だと……」

「まさか、マリー・アントワネット王妃殿下では……」

ベーマーは落胆したように首をふると、

「失礼ですが、それではその占い、はずれています。王室御用達の宝石商の私は勿論、王妃

殿下にはこの首飾のお買いあげを二度お願い申しあげましたが」

「しかし、断わられた」

とカリオストロは相手の言葉を遮《さえぎ》り、

「知っていますよ、そのことは。しかしやがて彼女はこの品物を自分のものになさる。それは確かです。私の占いには狂いはないのだ」

カリオストロは口髭をなでながら傲然《ごうぜん》と宝石商を見つめた。

「今はどうぞ存分にお疑いになるとよい。しかし、いつか、あなたは私の申したことが嘘でなかったとお気づきになるでしょうな」

彼はベーマーをそこに残すと店を出て、ふたたび馬車に乗った。御者は鞭《むち》をあげ、うしろをふりかえってカリオストロにたずねた。

「ホテルにお帰りですか」

「いや、ヌーヴ・サン・ジル街十三番地に行ってくれ」

馬車の振動に身を任せながらカリオストロはたった今、眼にしたあの燦然たるダイヤの首飾をまぶたに甦《よみがえ》らせていた。あの首飾を使ってマリー・アントワネットに復讐《ふくしゅう》をする。――それが彼の狙いだった。

だが相手は何と言っても仏蘭西の王妃だった。王妃にたいして大仕掛な芝居をうつためにはそれ相応の役者をそろえねばならないのだ。

その役者の一人として彼はある女性を前から考えていた。その女性はカリオストロと同じように生来の詐欺師であり、嘘の天才でもあるような女である。

（あの女と手を組みたい）

あの女に比べれば自分が手下にしたヴィレットやその女房たちなども物の数ではない。芝居ではいわば端役を勤めさせるにすぎない。

馬車は馬の蹄《ひづめ》の音をたててヌーヴ・サン・ジル街に向っていた。その十三番地にカリオストロが手を組もうとする女は住んでいるのだった……。


ヌーヴ・サン・ジル街十三番地。

その中庭を通りぬけたカリオストロは奥の建物の呼鈴をならし、銀髪の執事が出てくるのを待った。

「伯爵夫人は御在宅かな」

カリオストロの問いに執事は首をふって、

「いえ、御外出中でございます」

「そうかな。だが中庭に馬車がある。心配はいらん。昔馴染《むかしなじみ》のカリオストロが参ったとお取りつぎを願いたい」

執事はカリオストロから金貨を一枚もらうと途端に愛想がよくなった。

控えの間に入ると、この山師は周りを見まわし皮肉な微笑をうかべた。彼は銀の飾のついた杖《カヌ》をこわきにはさんで、廊下を歩いてくる衣《きぬ》ずれの音をきいた。

「まあ、ジュゼッペ」

扉をあけて葡萄酒色の衣裳《いしょう》をまとった女が両手をひろげ、嬉しげに叫んだ。

「何年ぶりかしら。よく憶《おぼ》えていてくれたわね。忘れないでたずねてきてくれて本当に倖せよ」

彼女の抱擁を受けながらカリオストロはその耳もとに、

「お楽しみの最中だったのだろう。邪魔をして申しわけないが、相変らずお盛んなようだな」

「どういたしまして。でも何でも私の言うことをきく坊やなの。今、裏口から帰したから、気にすることはないわ」

「嬉しいよ。伯爵夫人」

カリオストロは相手の両腕をとって、その眼をじっと見つめた。

「この世でただ一人、気心のあう友だちに再会できるのは」

「そして悪の楽しみを分ちあえる仲間《コパン》ね」

伯爵夫人と言われた女はほがらかに声をたてて笑った。年の頃は二十七、八をこえている感じだったが、真黒な髪をもち、文字通り小股《こまた》の切れあがった粋《いき》な感じのする女性である。笑った時、その眼には男心をくすぐる何とも言えぬ魅力があった。

「巴里を追われてから、どうしていたの」

「情けないことだがね、リヨンにしばらく居すわって一儲《ひともう》けを企んだが、客は田舎紳士ばかりじゃ相手にもならぬ」

「で、ふたたび、この巴里に出てきたと言うわけ」

と伯爵夫人はまたあかるく笑った。

「そして、今度はその狡《ずる》がしこい頭のなかで何を考えついたわけ」

「大きな仕事だ。というより、この私が今まで手を出した計画のなかで、とてつもない火種を仕こんだ舞台だと言ってよい。だがそれには俺と同じくらい智慧《ちえ》のきく相棒がいる。リヨンの小悪党たちを仲間にはしたが、そいつらでは相談相手にもなれん。やはり頭のいい協力者がいなければ、とつくづく思ったね」

「それで……わたしを……」

「図星だよ。この仏蘭西で私の最も尊敬する美しい悪女はジャンヌ・ラ・モット伯爵夫人……あなただからな」

微笑をうかべてカリオストロはまた相手の眼をじっと覗《のぞ》きこんだ。

「力を貸してくれるかね」

「仕事によるわ。そして条件にもよるわ。わたしはあなたの役にたちたいけど、できないことにははっきり否《ノン》というほうが好きよ」

そう言って彼女は愛撫《あいぶ》するようにカリオストロの手に自分の白い美しい掌をのせた。

「そうか。じゃあ、はっきり言おう。私は王妃マリー・アントワネットに一泡ふかせてみたいのだ。彼女のあの驕慢な顔を歪《ゆが》めてみたいのだ。どう思う？」

「面白いわ……」ラ・モット伯爵夫人は事もなげに答えた。「でも何のために……」

「私をこの巴里から追い払った仕返しもある。だがそれよりも、私は彼女とその家族がこの国から失脚するのを見てみたいのだな。いずれは革命の炎が燃えあがることは明らかだが……。その火をこの手でつけてみたい気がするのさ」

「あなたが？」

「そうさ。今までは政治や社会の動きに無関心だった私だが、その私が革命の導火線になる。面白いじゃないかね。あなただってあの王妃を好きだとは言わないだろう」

「好きなものですか」

今まで笑顔でカリオストロの話を聞いていた伯爵夫人の眼に突然、憎しみがうかんだ。

「私の祖先は本来ならばこの国の王たる血すじなのよ。私の祖先はヴァロワ朝のアンリ二世なのよ」

「だが、あなたはみじめな少女時代を送った。むかし巴里で物乞いをしていたあなたを誰もが高貴な血を引く子供だとは思わなかったろう。それを一人の貴婦人が拾いあげて育ててくれなければ……」

カリオストロは彼女の怒りを更にあおるように静かにその過去を口にした。

「そうよ。わたしは苦労したわ。だからわたしの心には今でも、あのルイを名のる国王たちとその一族を憎む気持はどうしても残っているわ」

「だから二人は志を同じくしたわけだ。手つだってくれるだろう。あの王妃に何かの形で仕返しをしてみることが、二人手を合わせてできないかね」

「うまく、わたしを丸めこんだわね」
ふたたびラ・モット伯爵夫人は楽しそうに笑った。しかしその表情から彼女がこの申し出に好奇心を起していることは確かだった。

カリオストロの言ったように、伯爵夫人になるまでのこの女の過去と経歴とはみじめなものだった。二十七年前に巴里の慈善病院で父親のジャック・ヴァロワ男爵がアルコール中毒で息を引きとると、女中あがりの母親とその愛人から毎日、叩かれ通して物乞いをさせられた。そんなみじめな彼女を路上でみつけて一人の貴婦人が拾ってくれた。その貴婦人のおかげで一応、教育を受けた彼女は、やがてラ・モットという憲兵大尉と結婚し、自分たちをラ・モット伯爵夫妻と自称するようになった。野心にみちた彼女は、その自称の爵位を利用してヴェルサイユ宮殿に出没し、時には貧血したふりまでして王妃アントワネットの眼をひこうとしたが、王妃は眼もくれなかったという。

だがそんな彼女の心に少女時代から悪の楽しみが充分、育っていることをカリオストロは見ぬいていた。あわよくばヴェルサイユ宮殿で王か王弟を誘惑し、第二のデュ・バリー夫人と同じ座につこうとするその野望もわかっていた。結婚をしたあと、彼女が少年をふくめた数々の男と情事を重ねていることもカリオストロは耳にしていた。

だが頭はいい女である。悪事にかけては格別に頭が働く。だから彼はどうしても相棒に彼女をほしいのだ。

「でもねえ。まず、その計画をきかしてくれなくちゃあ」

「それがまだ、まとまってはおらん。しかし一つだけ使えることがある。知っているだろうが宝石商ベーマーが作った世にも素晴らしい首飾のことだ。百六十万リーブルもすると言う。私もさっき拝ましてもらってきたが、それは眼もくらむばかりの品だった」

「知っているわ。その宝石のことは」

「王妃は有名な宝石狂いだ。ベーマーはだから、その首飾を王妃に売りつけようとした。しかし、あまりの値段に、さすがのアントワネットも手が出なかった……。その話も聞いているだろう」

「ええ。でもその宝石を使ってどうしようと言うの」

「だから、それを、あんたに考えてもらいたいのさ」

伯爵夫人は椅子に腰をかけて、その脚をくんだ。葡萄酒色の長い衣裳がわれて、その脚があらわに見えた。

「私の目的は王妃に恥をかかせることだ」

「というより、あなたの目的はあの王妃がどんなに租税を湯水のように使っているかを、巴里の市民に知らせることなのね」

さすが、この女は頭の回転が早いとカリオストロは舌をまいた。十を言わず、五を言っただけで、こちらの狙いをぴたりと当てるのだ。

「そして国民の、あの女への憎しみを起したいんでしょう」

「まあ、そういうことだ」

「革命の火つけ役になりたいと言うのも、そのこと？」

「御想像通りだよ。伯爵夫人」

二人は声をだしてほがらかに笑った。

「いいわ。お手伝いしましょう。王妃アントワネットを相手どって一芝居をうつのなら、モリエールの舞台に出るよりやり甲斐《がい》があるもの」

「それに観客は仏蘭西国民だ」

カリオストロは片目をつぶってみせた。

「乾杯をしたいものだ。伯爵夫人」

罠《わな》

マリー・アントワネットは無類の宝石好きである。

そしてここに彼女が流石に手を出しかねるほど高価な、そして彼女が咽喉《のど》から手のでるほど欲しいであろうダイヤの首飾がある。

その首飾を餌《えさ》と道具にしてヴェルサイユ宮殿だけでなく、巴里《パリ》中にもたちまちに拡がるような王妃の醜聞《スキャンダル》を作りあげよう。

更にあわよくばその首飾を自分たちのものにしてしまおう。

こうした目的にもとづいてカリオストロはその夜、遅くまでラ・モット伯爵夫人と計画をねった。設計図の下書きを幾つも書き、それを次々と破り捨てた。

「今夜はもう、よしましょう」

夜がふけ、伯爵夫人は遂に溜息《ためいき》をついた。

「今まで考えたやり方ではどこか不完全だわ」

「残念だが、世紀の詐欺事件にしては土台がお粗末のようだ」

カリオストロも苦笑した。

「私も頭をひやして視点を変えてみる。明日になれば、いい智慧も浮ぶかもしれん」

「時間はいくらかかってもいいのよ。急《せ》いては事を仕損ずるわ」

カリオストロはたちあがって身支度を整えた。その時、遠くで呼鈴の音が聞えた。

「この時刻に……」

口髭に皮肉な笑いをつくってカリオストロは伯爵夫人をからかった。

「また御来客か。さっき、寝床から追い出された坊やがまた現われたのかな」

「まさか」

銀髭の執事が扉をあけて姿をみせた。彼はおごそかな顔をくずさず静かに言った。

「ロアン大司教が……お見えでございます」

「あら……お約束はしていなかったのに」

顔をあからめて伯爵夫人はカリオストロの顔をちらっと見ると、

「何の御用事かしら」

「私にまでかくさなくてもいいさ。あんたがあの宮廷司祭長のひそかなお相手だぐらい、この私だって知っているよ……では私は先ほどの坊やと同じように裏口から帰してもらおうかね」

笑いを怺《こら》えながらカリオストロはマントを羽織り、銀の飾のついた杖を手にとると、この控えの間《ま》から出ようとした。そして突然、何かを思いついたように、足をとめ、

「ロアン大司教はどうやら、ヴェルサイユ宮殿で宰相の座を狙っているという噂《うわさ》だが……彼のその野心を今度の計画に利用できないものかな」

それから彼は風のように部屋から消えていった。その姿を眼で見送りながらラ・モット伯爵夫人はほがらかな笑い声を出して笑った。

（悪い奴。本当に悪い奴……）

彼女はこのカリオストロの小気味よさに好感を持っていた。兄弟か従兄弟《いとこ》に抱くような愛情さえ抱いていた。彼に会うと自分と種族を共にした相棒のような懐しさが胸に起ってくるのである。

その小気味いいカリオストロがたった今、坐っていた場所に赤い大司教の法衣をまとった色白の、背の高い男が腰をおろしていた。醜男《ぶおとこ》だが精悍《せいかん》な魅力を発散するカリオストロにく

らべ、このロアン大司教とよばれる男は、どこか甘ったれた我儘《わがまま》な坊ちゃん育ちの表情を、この歳になっても、まだ顔に残していた。

「今日、お出《いで》になるとは思いませんでしたわ」

「伯爵夫人、失礼はお詫《わ》びするが。ただ今夜、とても一人で時間を過せそうになかったのは……」

大司教は神経質な眼で部屋のなかを見まわした。

「何か、おありだったのですか。お話しになっても良いようなことなら、お話しなさいませ。気も晴れるかもしれません」

ラ・モット伯爵夫人は男のそばに腰をおろし、その膝《ひざ》に自分の手をおいた。

「私はどうも王と王妃のおぼえがめでたくないようだ。蔭《かげ》で私の悪口をいう者がヴェルサイユ宮殿にいるにちがいない」

「どんな蔭口を……」

「この私が仏蘭西の教会すべてを司る大司教でありながら身持ちが悪いと言って」

「でも……」

笑いながら伯爵夫人は答えた。

「身持ちがおよろしいとは決して申せませんわ。あなた様がウィーンにおられた頃、何をなさったかは、わたしなどの耳にも入っておりますもの……」

「あれはずっと昔のことだし、若気の過ちだった。神に仕える者も時には過失《あやまち》を犯す。巴里に参ってからはこの私が人眼をはばかり、身を固く守っていることは誰でも知っている筈だ。どんな人間にも起るような昔の過ちを殊更にほじくり出して王と王妃のお耳に告げているのは、私の失脚を願う宰相の派閥かもしれない」

大司教の青白いこめかみに小さな炎《ほむら》のような怒りの色が浮んだ。

「宮内大臣ブルトゥイユは私が彼の地位を継ぐのを妬《ねた》んでいるのだ。アントワネット王妃は彼やその仲間の讒言《ざんげん》を信じておられるのか、今日も私に一言《ひとこと》も言葉を賜わらぬ。会釈さえしてくださらない」

「アントワネット王妃さまが？」

「そう」

ラ・モット伯爵夫人は眼をそらせ、大理石の壁の一点を見つめた。

（彼を今度の計画に利用できないものかな）

さきほどこの部屋から姿を晦《くら》ます直前、ほのめかすように呟《つぶや》いたカリオストロの言葉が彼女の耳に甦った……。

霊感のような女の智慧がうかびあがった。あの首飾を使ってマリー・アントワネットを世間の曝《さら》し者にする妙案が今、天の啓示のように頭をかすめた。

「お可哀想なかた。それでこの夜、このわたしの家まで来てくださったのですね」

彼女はいとおしくてたまらぬように大司教の手を自分の掌にはさみこんで、

「嬉しいですわ」

と泪《なみだ》ぐんだふりをして呟いた。

「わたしが……あなたをお助けできたなら……いえ、お助けしますわ。王妃さまがあなた様に抱いていらっしゃる誤解を解いてさしあげますわ」

「伯爵夫人？　あなたが……」

「ええ。勿論成りあがり貴族のわたしなどヴェルサイユ宮殿では物の数ではございません。発言力もありませぬ。でも、わたしには愛する方への愛がございますもの、きっと国王殿下や王妃さまの御親任《おおぼえ》をとり戻してさしあげます」

ロアン大司教は母親に力づけられた子供のように伯爵夫人を眺め、

「やはり……夜ふけでも、ここに参って良かったような気がする。あなたのその言葉だけで憂鬱なこの心が少し晴れてきたが、しかし、どういう方法があるのだろう」

「まず王妃に贈物をなさいませ」

「贈物ならたびたび、致して参ったが……」

「尋常の贈物ならば、どんな貴族たちでもいたします。あの方が心の底から欲しいとお思いでも、さすがに手に入れかねているものをお贈りになることですわ」

掌にはさんだロアン大司教の手を伯爵夫人はしずかに自分の小さな唇に持っていった。そしてその指を唇にふくんで、柔らかく愛撫した。

「御存知でいらっしゃいますこと？　王妃が心の底から欲しいとお思いになりながら、手に入れかねている品物を」

「あのような方にも、そんな品があるのか」

大司教は指を伯爵夫人の唇の愛撫に任せたまま、不審そうにたずねた。

「ございますとも。王室御用達の宝石商人ベーマーが作りました首飾のこと……お聞きになりませんでしたの」

「いや、知らぬ」

「あれは、はじめ先王ルイ十五世がお愛しになったデュ・バリー夫人のためにベーマーが製作したもの。でも夫人の失脚でこの首飾は買い手もないままに長く放っておかれましたの。王妃は御存知のように宝石にお眼のない方でいらせられますから、一時はかなりそのお気持もお動きになられましたけれど、百六十万リーブルという値に足ぶみをなさいました。手をお引きになったのでございますわ」

「百六十万リーブル……」

「大司教さま。王妃さまの御親任《おおぼえ》さえめでたければ、お望みの宰相のお椅子も獲られるのですよ。百六十万リーブルでその椅子をお買いになったとお考えになれば……およろしいのではありませんか」

巴里に来てからマルグリットはまだ何もすることがなかった。カリオストロは毎日のように何処《どこ》かに出かけ、夜ふけ、人知れず戻ってくる。

彼が一体、何を画策しているのか、ヴィレット夫人も兎のおばさんもわからないのだ。なんのためにこのホテルで無駄な金を使い、滞在させられているのかも皆目、見当がつかない。カリオストロはいっさいの質問を皆に禁じ、

「言うべき時がくれば言う」

ときびしく申しわたしていた。彼はこの大計画が万一、女たちの口から一寸《ちょっと》でも洩れるのを警戒しているようだった。

何もすることがないからマルグリットは日中、なつかしい巴里の町をよく歩きまわった。「女王通り《クール・ラ・レーヌ》」の雑踏を横切りながら彼女はすべてがあの日々と同じなのに胸しめつけられる思いだった。通りすぎる馬車。着かざった女たち。その女をひそかに物色している若者。ただ違うのはそこを歩いている自分が昔のように金のために身を売らなくていいことだった。

そんなある日のことだった。彼女は夕暮のセーヌ河の岸辺をぶらぶらと散歩をしていた。夕陽をあびた舟が河をゆっくりとくだり、遠くから教会のアンジェラスの鐘が小波《さざなみ》のように巴里の街の上を拡がっていく時間だった。

彼女はその河岸を向うから一群の女工たちが列を作ってこちらに向ってくるのに気がついた。いずれも一日の仕事を終えて、家路を急ぐ若い女たちだった。

その列と行きちがった時、

「マルグリット」

女工の一人が突然、声をかけた。埃《ほこり》によごれた帽子の下に、疲れた身憶えのある顔がマルグリットに微笑《ほほえ》みかけていた。

「マルグリット。憶えている？　わたくし」

それはアニエス修道女だった。むかし行き倒れになったマルグリットをゴマール神父の司祭館で面倒をみてくれたあの若い修道女だった。

「こんなところで会えるなんて」

修道女はマルグリットの肩に手をかけて、その顔をなつかしそうに覗きこんだ。

「あなたがどうしているか、ずっと心配をしていたのよ。あなたが本当の意味で倖《しあわ》せであってくれたらいいと祈っていたの」

何と答えてよいかわからず、マルグリットは思わずうつむいた。この修道女が恩知らずだった自分を責めるかわりに、こんなやさしい言葉をかけてくれるとは夢にも思わなかったのだ。

「今、何をやっているかは聞かないことにするわ」

黙っているマルグリットを修道女はいたわるように、

「今の社会にはあまりに不正や間違いが多すぎるんですもの。このわたしを見て頂戴。このわたしも女工になったのよ」

「修道女はやめたのですか」

「いいえ。わたしはまだ修道女よ。でも修道院のなかに住んで、社会の苦しんでいる人を外側から助けることが次第に不満になったの。その気持はずっと前からあったのだけど……あることから爆発したんだわ」

「爆発？」

「ええ。この仏蘭西の教会の煮えきらぬ態度がそのきっかけ」とアニエス修道女は恥ずかしそうに笑った。

「今のこの国の教会は必ずしもイエス様の教えに忠実ではないわ。そのことをはっきり口に出すには何という勇気がいったでしょう。たとえばウィーンの大使からこのヴェルサイユ宮殿の宮廷司祭長になったロアン大司教のことを考えると、わたしは腹がたったの。聖職者でありながら、そして百姓たちが飢えている時、あの人は湯水のようにお金を使っているわ。品行わるい生活を送っているわ。でも教会は彼を非難もしない。彼が大貴族の出身だからよ」

修道女はまぶしそうに自分を見ているマルグリットに気づいて、

「ごめんなさい。わたし、自分ばかりしゃべりすぎたわ。でもわたしがなぜ修道女でありながら修道院長さまの特別のお許しで女工の一人として働いているか、わかってほしかったの」

マルグリットは何も答えなかったが、この修道女だけは信じられるような気がした。自分たちと種族のちがう貴族や金持や聖職者たちの側にいるのではないように思えた。

「いつでも、たずねてきて頂戴。わたしはあの昔の修道院にいるわ」

彼女は手をふって、ずっと向うを歩いている仲間の女工たちを追いかけていった。そのうしろ姿をマルグリットはしばらくの間、じっと見送っていた。

ホテルに戻ると、ちょうど一台の美しい馬車が停《とま》ったところだった。その馬車から一人の

年とった女性がおりてきた。出迎えた帳場の主人に老女が、

「カリオストロ博士にラ・モット伯爵夫人が馬車のなかでお待ちです、とお伝えください」

と言う声がマルグリットの耳に聞えた。

ラ・モット伯爵夫人。一体誰だろう。好奇心を起して馬車をふりかえったマルグリットを金の装飾をほどこした馬車の窓から羽毛をつけた帽子をかぶった一人の女が見おろした。二人の視線があった時、相手の顔にありありと驚きの色がうかんだ。

やがて今日も洒落《しゃれ》た恰好をしたカリオストロが銀の杖《カヌ》をこわきにしてあらわれると、その馬車にのりこんだ。

「驚いたわ。たった今、あのホテルの前にいた娘は誰なの」

「あの娘か。あれは巴里で昔、知りあった淫売婦でね。それが偶然、リヨンで再会した」

「なんて横顔がマリー・アントワネットに似ているんでしょう。わたし、息をのんだぐらい」

「あなたもそう思うかね」

とカリオストロは我が意をえたように微笑すると、

「だから、何かの役にたつと思ってあの娘をこの巴里にも連れてきているのだ。ところでロアン大司教を使う方法は考えてくださったかね。伯爵夫人」

「ロアンは王妃にとり入って宰相の座を獲ようと思っているでしょ。だからその王妃の御機嫌をとるためにあの男は何でもするわ。首飾だって、ひょっとすると贈物にするため買うかもしれない。そこをわたしは狙ってみようと考えたのよ」

「ふむ。それで？」

「でも二つの難点があるの。あのロアンが本気で首飾を買いとり、それを自分の手で王妃に献上をすれば、得をするのは王妃だけよ。一リーブルも損をせずに、咽喉から手の出るほど欲しがっていた首飾を自分のものにできるのですもの。勿論《もちろん》、そんな馬鹿なことをわたしがさせるものですか」

「勿論だ。で、あなたの考えではどうしようと言うのだ」

「わたしの書いた筋書きはこのようなものよ。首飾を悦んで献上したいというロアン大司教の好意を耳にされた王妃はいたく感動なさったが、百六十万リーブルもするような高価きわまるものをお受けはできぬとお答えになる。そしてもし、その気持がロアン大司教にあるならば、王妃として、ひそかに個人的にその百六十万リーブルを彼から借り、御自分でその首飾を買い求めたいお気持だ――そうロアンに伝えるわけよ」

「なるほど。そして、その百六十万リーブルと首飾は誰の手にわたるのだね」

カリオストロは相手をさぐるように伯爵夫人の横顔に眼をやった。

「わかっているじゃないの。わたしとあなた」

「下世話でいう猫ばばだな」

「いいえ。お金と首飾とは忽然《こつぜん》として空中で消えるの。まるであなたの手品か、魔法のように。わたしもあなたも私の書いた舞台には直接には登場しないのですもの。登場するのは、ロアンと偽《にせ》の王妃と二人か三人かの偽の女官たちと偽の侍従よ。それだけの役者をあなたはそろえられる?」

「それくらいのことは考えて、さっきの娘のほか、二人の女をリヨンから連れてきている。男たちだってすぐこの巴里に呼んでこられるさ。いずれも、それぞれ頭のきく悪党たちだよ」

カリオストロは感動してラ・モット伯爵夫人の手を握りしめた。

「いい友だちを持って……私は倖せだよ。しかし、いずれはこの事件は明るみに出るだろうが、その時はどうする」

伯爵夫人は例によって朗らかなあかるい声をたてて笑った。

「百六十万リーブルとその値段の首飾よ。それだけのお金があれば、わたしたちはアメリカに逃げて悠々と生活できるわ。アメリカがいやなら伊太利《イタリー》でもスペインでも。そしてやがて革命さえ起きれば、わたしたちは大手をふって仏蘭西《フランス》に戻れるのよ。王妃の醜聞《スキャンダル》を天下に知らせた英雄として……」

この夜、ホテルに戻ってきたカリオストロはいつになく上機嫌だった。平生はヴィレット夫人にさえも必要以外には口をきかない彼が、彼女と兎のおばさんとマルグリットとを自分の部屋に夜食に誘った。

「どういう風の吹きまわしかね」

と兎のおばさんが皮肉をこめた口調でマルグリットに肩をすほめると、

「いよいよ、仕事がはじまるのさ」

とヴィレット夫人が教えた。

「もう、これからは遊んでもおられないよ」

彼女の言ったことは本当だった。カリオストロの部屋で食事の間中、この天才山師は自分の旅行談を次から次へと面白おかしく話していたが、食後の珈琲《コーヒー》が運ばれると、

「では真面目に聞いてもらおうじゃないか」

と皆の顔を見まわした。

「長い間、皆には黙っていたが近いうちに大きな仕事をやる。リヨンにはもう手紙を出したから、ヴィレット夫人——あんたの御亭主もこの巴里にやってくるだろう」

「主人も……」

「そう、御亭主の手も当然、借りねばならん。しかし断わっておくが、今度の仕事のボスは決してあんたの御亭主じゃないぞ」

「わかってますよ。でも一体、どんな仕事かを話してくれませんか」

珈琲茶碗を卓上においたカリオストロは静かに首をふった。

「話す必要はない。皆はただ、言われた通りにやればよいのだ。秘密にする理由は二つ。ひとつは万が一、皆のうち誰かがこの仕事の計画を誰かに話をすれば、すべてが失敗するからだ」

「わたしたちがそんなに口が軽いと思うんですか」

少し酔っぱらったヴィレット夫人は鼻じろんだが、カリオストロは平静だった。

「もう一つ。それはお前たちのためだ。もし仕事が失敗して警察につかまり、裁判にかけられるようになったとしても、仕事の内容をまったく知らなかったなら、お前たちは無罪になる。なにも存じませんでした、とこう言えば釈放される。だから仕事のなか味は私に訊《たず》ねないほうがいい」

「でも分け前を、あんただけが取るんじゃないんでしょうね」

つめよったヴィレット夫人にカリオストロはせせら笑った。

「そんなケチな男に俺がみえるか。一人について十万リーブル以上はくれてやろう。一人についてだぞ」

「それで、あんたの取り分は」

「俺？　俺は一文もいらん。俺は金よりも完全犯罪を演出するという芸術の楽しみがあるからだ。俺は考える。演出する。役者はお前たちだ。たとえ捕縛されてもお前たちと同じようにこの私も無罪だ。そこまで思案する楽しみだけで充分だ」

そばで聞いていたマルグリットはじっとこの小さな男の自信ありげな横顔を見つめた。決して美男子ではない。むしろ醜男《ぶおとこ》といってもよい。しかし頭がよく、自信にみちた男はなんと魅力があるのだろう。マルグリットは一瞬だがこのカリオストロに心ひかれるのを感じた。

「でも少しぐらい教えてくれませんか」

「何をやるか、どうかもこの私は言わん。ただ、近いうちにある女性があんたたちを呼ぶだろう。彼女の指図通りにすればいいのさ」

「彼女の指図通りに？ じゃ、カリオストロ博士。何をするんです、あんたは」

「私かね。何もせんよ。何もせんから無罪なのだ」

ひくい声をたててカリオストロは笑った。その嗄《かす》れた笑い声に三人の女たちはこの男の考えていることがつかめず途方にくれたような顔をした……。


ラ・モット伯爵夫人が自分の家からほど遠からぬロアン大司教の館《やかた》を訪れたのはそれから一週間ほどたってからだった。

緋《ひ》の垂幕がひとつひとつの窓にかかり、ラオコンの像がその真中におかれた大理石の面会室で、伯爵夫人はこの宮廷司祭長と向きあっていた。

「お悦びになるようなニュースだと思いますわ」

伯爵夫人はこの色白の、甘やかされたような顔をした男を見あげた。

「シメー公爵夫人を御存知でいらっしゃいますね」

シメー公爵夫人。ロアン大司教は首をかしげた。貴族の夫人ならヴェルサイユ宮殿に千人はいる。その千人の名をひとつひとつ憶《おぼ》えてはいない。

「わたしはシメー公爵夫人にお頼みしたのですわ。あのかたは、わたしと違って王妃さまに自由にお話もできますもの。大司教さまが王妃さまから遠ざけられていることをどんなにお悩みかと……」

「そうか、それで？」

「公爵夫人はきっと王妃さまの御機嫌をなおしてくださると思っていましたの。すると昨日、お使いがあって、王妃さまは公爵夫人のお話をおききになって、お笑いになったとか……」

「お笑いになった？」

「ええ。いい前兆ですわ。心から憎んでいる相手のことを聞いて、わたしたちは笑いませんもの。そして王妃さまはこうなつかしげにおっしゃったそうですわ。わたくしがはじめて仏蘭西に来た時、ストラスブールの大聖堂で引見したのが、あのロアンだったわ……と」

「なつかしげに、そう、おっしゃられたのか」

宮廷司祭長の顔にうれしそうな笑いが浮び、

「思いだしてくださったのだな、あの日のことを。あの時、私は司教補佐で叔父の枢機卿《すうきけい》に代って皇太子妃マリー・アントワネットをお迎えしたのだ。私の歓迎の挨拶を聞かれて皇太子妃はその時、眼に泪をおうかべになった……」

「その日のことを王妃は思いだされたのですわ。もう、それで充分だと思いますよ。これから、きっと、いい御沙汰があるでしょう」

「よく、やってくれた……」

「ええ。でも、まだ御満足なさってはいけません。これからが大切ですもの。王妃のお気持が和らぐよう、ますます御努力なさらなくちゃ……」

「私が何でもすることぐらい、あなたにもわかっているだろう」

「ええ。それで……あの首飾を王妃に献上なさりたいお気持はまだございますの」

「勿論だ」

ロアン大司教はかたく約束するようにうなずいてみせた。

「わたしはその点もそっとシメー公爵夫人に御相談しましたの。すると公爵夫人はしばらくお考えになって……おそらく王妃はそのようなあまりに高価なものはお受けにならないだろうと。でも、お話だけはそっとしてみると、おっしゃってでしたわ」

シメー公爵夫人――そのような女性は王妃のそばには存在しなかった。口から出任せのこの人物をおどらせて、この悪女はロアン大司教の心を自由にこれから操ろうとしていた。

「私の気持だけでも王妃がわかってくだされば有難いのだが」

「ええ。御心配はいりませんよ。わたしが一所懸命に動きまわりますもの」

「すべてが首尾よくいけば、決してその努力は無駄にはしないつもりだよ。伯爵夫人」

とロアン大司教は彼女の手に顔を近づけた。

(王妃の御機嫌さえなおれば……)

伯爵夫人の手に口づけしながら、この世間知らずの男は早くも自分の栄達を夢想していた。彼の野心は仏蘭西の宰相になることだった。だがヴェルサイユには自分の栄達を妨げる敵がいる。その敵を抑えるためには王と王妃との寵愛《ちょうあい》がやはり必要なのだ。

「来年の今頃は」

その心理を見すかしたように伯爵夫人はわざと寂しそうに呟いた。

「わたしなど、お声もかけられぬような高い場所におられるでしょうね……」

「何を言う」

大司教は首をふって答えた。

「私の出世は……あなたの地位を高めるためにも役にたつだろうよ」

フェルセン

姉が小さな弟を見守るようにフェルセンを引きたてる——。

この遊びを思いついて、王妃マリー・アントワネットは浮き浮きとした。トリアノン宮殿の催物に彼を招き、自分の友だちたちに紹介し、婦人たちの注目をあびるように仕向け、その立居振舞が仏蘭西宮廷の作法と違うところがあれば、それとなく教えた。

「あなたは少し控え目すぎます。控え目であることはたしかに美徳にはちがいありませんが、しかし自分の意見を言うべき時に沈黙していれば、人々はあなたを考えを持たない人間だと思うでしょう。勿論、くだらぬ話を長々として皆を退屈させるような殿方にくらべれば、沈黙のほうがよいかもしれません。しかし、短い言葉のなかに深い考えをこめた発言をすることを、あなたはお学びになるように。

と言うのは昨日、私たちはボーマルシェの『フィガロの結婚』を上演すべきか、どうか話しあっていましたね。あの戯曲はわたくしたち王室や貴族社会を嘲《あざけ》り笑ったものだからと言って、上演を反対する声が多いのもあなたは御存知です。でもわたくしはたかが一つの芝居の上演を天下の一大事のように禁止しようとする大臣たちの気持がわかりません。そして昨日、トリアノンで皆がこの話題を話しあっていた時、あなたはずっと黙っておいででした。まるで何も意見がないように……。

仏蘭西では意見のない男は愚か者にしか見えないのですよ」

彼女はそう手紙に書き、自分が少し言いすぎたかと思った。

(でも本当を言えば……)

鵞《が》ペンを持ったまま、マリー・アントワネットは首をかしげて考えこんだ。

(わたくしはあのフェルセンの控え目なところが好きなのだわ)

自分の才能、機智をひけらかそうとする貴族はヴェルサイユ宮殿にあまたいる。注目をあび、人気を得ようとするそんな男たちなら毎日のようにマリー・アントワネットは見てきた。洒落た言葉、才智ありげな警句や皮肉、それを自由自在に操るのがこの宮殿での会話術なのだ。滑稽であることはヴェルサイユでは最大の悪徳だった。

だが今、自分が弟のように育ててやろうとしているあのスエーデン人にはこんな仏蘭西的な会話はできない。巧みな冗談や機智をこめた言葉で女性たちを楽しませる方法《すべ》も知らない。彼はまるで少年のようにすぐ顔を赤くする。嬉しさや淋しさをすぐその表情にあらわす。すべてが何となくぎこちない。

だが、そのぎこちなさがマリー・アントワネットには新鮮にみえた。術策や権謀にみちたこの宮殿のなかで、はじめて初心《うぶ》な男性にあったような気がした……。

フェルセン宛《あて》の手紙には王妃の紋章がすかして印刷されてある。その手紙を同じように特別に作った封筒に入れて彼女は蠟印《ろういん》をすると卓上に鈴をならした。侍女がうやうやしく入ってきた。はじめて見る顔だった。

「あなたは？」

とマリー・アントワネットはふしぎそうな顔をした。

「ジャンヌ・ラ・モットと申します。あたらしく王妃さまの女官の一人にさせて頂きました」

「そう。ポリニャック夫人がわたくしに話があると聞いていましたけど……」

マリー・アントワネットはそれ以上、疑わなかった。自分附《づ》きの侍女や女官が病気や休暇で時折、交代することはよくあることだった。

「既にカルタ室にお見えでございます。お呼びしてまいります」

「いいえ。わたくしが行くわ」

王妃はラ・モットと名のる侍女に儀礼的な微笑をむけると、滑るように部屋を出ていった。

親友のポリニャック夫人に会うために仰々しく供を連れる必要はなかった。

王妃がたち去ったあと、部屋のなかにはまだ馥郁《ふくいく》たる香が残っていた。その香を新しい侍女は眼をつぶって吸いこむと、急いで大理石の書きもの机に近よった。そしてまだ手をつけていない王妃専用の便箋《びんせん》と封筒とを、幾つかとりあげ、それを衣裳《いしょう》の袖のなかに素早くかくした。

王妃が書きものをする小部屋からカルタ室まではすぐだった。親しい友だちとトランプで遊ぶ部屋である。ポリニャック夫人はそのカルタ室で王妃を待っていた。

「お早いのね、今日は」

夫人との間にはとり澄ました作法はいらない。仲のよい姉妹のように何もかも打ちあけて話ができる。

「こんなに早く、ここにいらしったからには何か楽しい知らせがあるのでしょうね」

「いいえ」

顔を曇らせてポリニャック夫人は首をふった。

「それが……あまり良いお話じゃございませんの」

「良いお話でないなら聞きたくないわ。あなたはわたくしの性格を一番、御存知でしょう」

マリー・アントワネットは椅子に腰をおろして笑った。

「存じております。でもこのお話はお耳に入れておいたほうがいいかと思いました」

「何のお話かしら」

「もう御存知でいらっしゃいましょうが、巴里《パリ》では近頃、王室をからかう秘密のパンフレットが出まわっております。ロンドンやアムステルダムで印刷されたと称しておりますが、巴里のなかで作られていることは疑いございません」

「きっと王制に反対する革命家たちが印刷しているのでしょうね」

「いいえ、その連中だけではございません」

　ポリニャック夫人はじっと王妃の顔をみつめた。

　巴里で怪しからぬパンフレットがひそかに発行されて売られていることをマリー・アントワネットも聞かされていた。それは小むつかしい政治論文ではなく、小唄をまじえて王室の人々をからかう戯文やゴシップだという話である。どんなものかはまだ見たことはない。

「じゃあ、誰が作っていると、おっしゃるの」

「この宮殿のなかにいる方たちでございます」

「このヴェルサイユに？　貴族たちのなかで？」

　流石《さすが》にマリー・アントワネットは驚いて声をあげた。

「信じられないわ」

「わたくしも信じられませんでした。しかし貴族たちは勿論、やんごとない御身分の方のなかにも国王陛下や王妃さまに不満と不平を持っている方々のおられることをお忘れになりませんように……」

「わたくしたちに？　それはデュ・バリー夫人の一派でしょうね」

「いいえ。それだけではございません。では正直に申しあげます。国王陛下の弟君、プロヴァンス伯爵もその一人でございます」

「プロヴァンス伯爵が。王弟殿下が？」

「あの方は王位を陛下に奪われたと常々、申されております。プロヴァンス伯を擁立して権力を得ようとする貴族たちがこれに同調しております。そのなかにはシャルトル公爵もまじっています」

シャルトル公爵――かつて皇太子妃だった頃の自分の心を、時はまよわせたあの男。以来、彼は自分から遠ざけられている。それを恨みに思って、王弟のプロヴァンス伯爵に近づいたのかもしれない。

「その貴族たちを中心に、トリアノンに招かれず差別を受けたと思いこんでいる夫人たちがいます。この者たちは国王陛下や王妃さまをからかうパンフレットを悦んで買い求めるだけでなく、進んでその資金まで出している者もいるとわかりました」

「わたくしには……そんなに敵が多いのですか」

マリー・アントワネットは悲しそうにポリニャック夫人を見あげた。彼女の眼からは泪《なみだ》がこぼれ落ちそうだった。

「それは……わたくしがオーストリアの生れで……仏蘭西人の血がないためなのでしょうね」

「いいえ。彼等は妬《ねた》んでいるのでございます。王妃さまがあまりにお美しく、優雅であり、生れながらの女王でいらっしゃるために……」

この朝のポリニャック夫人の報告はマリー・アントワネットの心をふかく傷つけた。

自分が我儘《わがまま》な女であることはよく知っている。その我儘に眉をひそめる老貴族や貴婦人たちがいることも知っている。

しかしそれはヴェルサイユ宮殿の内輪の出来事だと彼女は思っていた。いくら蔭口《かげぐち》をきこうが、ひそかに悪口を言おうが、自分をよく思わぬ者たちもこのヴェルサイユで生きている限りは夫や自分を中心にして結ばれているのだと考えてきた。彼等も貴族であり、貴族である以上は王室と隙のない結束があると思っていた。

だがその貴族のなかにも、夫や自分を倒そうという野心の持主、その同調者がいると聞かされた時、マリー・アントワネットは悲しかった。

(可哀想な陛下……)

夫はそんなことにはつゆ気づいていない。彼の弟のプロヴァンス伯爵までがひそかに弓引く一人であるとは夢にも思っていない。なぜなら王弟は、おくびにもそのような腹黒さを王や王妃の前では顔に出さないからだ。出さないどころか、兄と義姉とのよき相談者のようにその面前では振舞っているのである。

他の貴族たち――彼等もまた同じである。彼等は少なくともマリー・アントワネットの眼には忠実な廷臣たちのようにうつった。それが、それぞれに腹に一物《いちもつ》を持って、陰険に狡猾《こうかつ》に王室を批判するパンフレットの書き手を応援していたのだ。

(何とかしなければ。いけないわ……)

マリー・アントワネットは夫を思い、自分の子供たちの運命を考えた。子供たちのことに心をはせる時、彼女の心にもやはり母としての本能が目ざめた。あの子供たちの未来の運命を狂わすような芽は早くつんでおかねばならない。

その翌日、王妃は手を打とうと決心した。宮内大臣ブルトゥイユが彼女の書斎に呼ばれた。

「わたくしは国王にもまだお耳に入れてない不愉快な話を聞いたのです。巴里で王室を揶揄《やゆ》するいかがわしいパンフレットが出ているのを、あなたは御存知でしょうね」

マリー・アントワネットはきびしい表情でこの宮内大臣に指図をした。

「なぜ、あれを取締らないのです」

「王妃殿下。パンフレットは秘密出版です。どこで印刷され、誰が書いているのか探るのは困難でございます」

「ではそれを持った者、読む者を厳罰にすると布告なさい」

ブルトゥイユは皮肉な微笑をうかべて首をふった。

「それは如何《いかが》なものでございましょう。もし、そのような布告をすれば言論の自由を弾圧するとして革命家たちが更に市民を煽動《せんどう》いたしますでしょう。あのような小唄まじりのパンフレットには何の力もございません以上は、放っておくのが良策かと存じます」

「しかし……そのパンフレットの出版に資金を出している者に貴族たちの一部がいると、あなたは知っていますか」

「まさか。信じられませぬ。そのようなことがあるとは考えられません」

「では申します」

マリー・アントワネットの眉と眉との間に炎のように怒りが走った。

「プロヴァンス伯爵やシャルトル公爵をお調べなさい。そしてもしこの方たちが悪戯《いたずら》半分にそれをされていたとわかったら、今度だけは不問にするとお伝えなさい。ただ二度とこのようなことがないように王妃が願っていると、はっきり申してください」

「畏《かしこ》まりました。しかし、私は王弟殿下やシャルトル公爵がそのような児戯に類したことをされるとは一向に思えませぬが……」

宮内大臣ブルトゥイユは一応は恭しく頭をさげて部屋を退出した。

「馬鹿が……」

部屋を出た途端、この長身の痩《や》せた男の頬に嘲りの笑いがうかんだ。

その夜、宮殿の一室にブルトゥイユを中心にプロヴァンス伯爵や十人ほどの貴族がひそかに集まったことをマリー・アントワネットは知らなかった。

「王妃たちがそれに気づいたとしても別に問題はありませぬ」とブルトゥイユは一同に説明をした。

「私もそのような事実はまったくなく、むしろ、根も葉もないこの噂《うわさ》を流した者こそ憎むべきだと国王に報告しておきましょう。ただパンフレットに資金を出すことは当分おつつしみください」

「だが、王妃は鼻持ちならぬ」とプロヴァンス伯爵は苦々しげに、

「彼女はこの私は勿論、叔母上たちまでも軽く扱うようになっている。王室の一族にたいし、最も尊敬の念のないのが王妃だ」

「御不満は存じております。だが今は御辛抱が大事かと思います」

とブルトゥイユはプロヴァンス伯爵をなだめた。

「時機をお待ちくださいませ。その時機が必ず参ります」


ブルトゥイユを呼びつけてから数日間、マリー・アントワネットは鬱々として心たのしまなかった。朝の謁見の折、挨拶にくる廷臣たちに会釈で応えながら、その一人一人の忠義ぶった顔、従順を装った表情が信じられない気がした。彼等がその仮面を剝《は》いだ時、狼《おおかみ》のような素顔が出るのかと思うと、彼女は何もかもが信じられぬ気がした。

宮内大臣から間もなく、調査の報告があった。

「まったく、その事実はございませぬ」

ブルトゥイユの報告のあと、彼女は夫から、こう言われた。

「あなたは少し行きすぎたことをしたようだ。弟は驚愕《きょうがく》して私のところにこのような誤解を受けたことに怒りさえ感じていると申してきた。プロヴァンス伯は自分には王位を求める野心などないと固く誓っている」

マリー・アントワネットは自分が孤立無援になったのを感じた。人のよい、善良な夫は廷臣の誰をも疑うことを好まない。そしてこの宮殿に波風たたぬことだけをひたすら願っている。

信じられるのはポリニャック夫人やごく少数の友だちだけだとアントワネットは思った。

そして偽善と虚偽にみちた貴族たちを避ける気持から、トリアノンの離宮で毎日を送ることが多くなった。

「あなたは、王妃であるわたくしが、きっと何時《いつ》も充ち足りて、倖《しあわ》せだとお思いでしょうね。でも王妃には王妃の寂しさや孤独があるのです」

彼女はある日、フェルセン宛の手紙につい、自分の心情を洩らしてしまった。それはやはり姉が弟に書く手紙のようだった。

「わたくしはもうヴェルサイユが好きでなくなりました。いいえ、昔からヴェルサイユはわたくしの性《しょう》にあわなかったのです。すべてが大袈裟《おおげさ》で、すべてが形式だけで本当の心というものがないヴェルサイユ。言葉と口との裏腹な人間たちの集まり。だからこそ、わたくしはトリアノンの小さな世界が好きなのですわ。この小さな世界に来てくださる人だけはわたくしの心を裏切らない心の友だと、そう願っています。王妃であることは時には寂しく、辛《つら》いものですわ」

王妃はそれ以後、トリアノンに招いたフェルセンの眼に自分をいたわるような影のあるのを感じた。その眼差《まなざ》しには貴族たちの口だけの慰めとはちがう、何か心にしみいるものがあった。控え目で口数の少ないフェルセンだけに、それ以上、何も言わない。言わないがこの青年だけは自分を王妃としてではなく、一人の女性として見てくれるような気がした。

ある日の夕暮、彼女はそのフェルセンを加えて何人かの友だちとトリアノン宮殿の庭園を散歩していた。田舎風につくったその庭園には小川がながれ、小川は沼にそそぎ、沼は夕陽をあびて薔薇《ばら》色に光り、薔薇色の光のなかで水鳥がしずかに泳いでいた。小川にかけた小さな橋をわたる時、フェルセンが手をさしのべてアントワネットを助けた。夕陽がフェルセンの金色の髪をうつくしく赫《かがや》かせていた。

「わたくしは……」

と突然、フェルセンがこの時、小さな声でひとり言のように言った。その呟《つぶや》きはアントワネットのほかには誰にも聞えなかった。

「どんな時も、何が起ろうとも、王妃さまに忠実でありたいと決心しております」

こうしてフェルセンの存在がマリー・アントワネットの心に少しずつ意味を持つようになった。彼女もいつか彼を少数の友の一人と思うようになった。

だがそれはまだ恋と名づけることのできる感情ではない。アントワネットには自分が王妃であるという立場を意識の底に絶えず持っていた。それは彼女の自尊心であり誇りだったからだ。他の貴婦人たちのように、男たちにたやすく心を動かすことは彼女にはできなかったのである。だがフェルセンをトリアノン宮殿で開くさまざまな催しに招き、その長身の姿を招待客のなかで発見する時、彼女の胸はやはり少女のようにときめいた。

「このトリアノンに来てくださったのは……」

客の一人一人に会釈をしながら王妃は愛想のいい言葉をかける。

「あなたの忠誠の徴《しるし》と考えておりますわ」

だがフェルセンには彼女はひとことも言わない。黙って彼の眼を見るだけである。北欧の青年らしい碧《あお》い澄んだ眼、それはあの国々の森のなかに静まりかえっている深い湖のようだ。フェルセンもまた王妃の眼をじっと見る。百万の言葉よりも二人の友情はそれでわかりあうのだ。

だがある日、ひとつの手ちがいがあった。トリアノンで開かれた「セビリヤの理髪師」の素人《しろうと》芝居で王妃はロジーヌの役を演じた。誰の目からみても名演とは言えぬその演技に大きな拍手が送られ、やがて舞台姿のままで王妃が一人一人の招待客の祝詞を受けていた時、急に彼女の顔色が変った。

招きたくない客があつかましくもそこにまじっていたのだ。宮廷司祭長のロアン大司教である。色じろの笑顔をこちらに向け、ロアン大司教は恭しく王妃の手にかがみこみ、「ながい間、このトリアノンにお招き頂けることを待っておりました。光栄に胸震えております」と挨拶をしてきたのである。

ロアン大司教をマリー・アントワネットは本能的に嫌悪していた。自分の故郷であるウィーンでこの男が聖職の身でありながら、ふしだらな毎日を送った話は母のマリア・テレジア女帝から手紙で知らされていたし、その母もまたロアンを嫌っていた。母の嫌った男を娘のアントワネットも好きにはなれなかったのだ。

だが、それだけではない。王妃はこの色の白い、脂肪質の、そして坊ちゃん的で神経質そうな彼の表情がいやだった。その儀礼的な挨拶の仕方も、女のような声も好きになれなかった。ロアンなどはこのトリアノン宮殿だけには絶対に呼びたくなかったのだ。

誰が自分の許しなくこんな人間を招待したのだろう。

挨拶をうけた時、不快の色が王妃の眉と眉との間を走った。だがそれに気づかず、ロアンは更に言葉をつづけた。

「お申しくだされましたこと、悦んでお受けさせて頂きます」

一体、この男は何を言っているのだろう。意味もわからず彼女は次の招待客に顔をむけた。フェルセンだった。不快な表情がたちまち、やさしい微笑に変った。

だがその翌日、彼女によばれた秘書のカンパンも親友のポリニャック夫人も自分たちはロアン大司教に招待状を送った記憶はないと弁解した。

「では、どうして彼が来たのでしょう、誰が彼を招いたのでしょう」

「わかりません」

自信なげにカンパンもポリニャック夫人も首をふった。

「狐に鼻をつままれたような気持でございますわ」

王妃も同じ思いだった。特にロアン大司教が口にしたわけのわからぬ、意味ありげな言葉は謎《なぞ》に包まれていた……。

この「セビリヤの理髪師」の上演のあと、今度はフェルセンがぱったりとトリアノンに姿をみせなくなった。

勤務の多忙がたのしい集《つど》いに伺えさせぬことをお許しくださいますよう——。

フェルセンはそんな断わりの返事をしてきた。近衛《このえ》師団にはスエーデン人だけの部隊があり、フェルセンはその部隊長である。それもマリー・アントワネットの口ぞえで任命されたのだ。

音楽会も芝居も、そして親しい友だちだけのトランプ遊びも、フェルセンがいないと王妃は味けないものに思われた。顔では楽しくしていても興がのらないのである。

あの碧色の、深い湖のような眼差しがどこか遠くに去ってしまったような気がする。アントワネットは今更のように彼の存在が自分にどんなに大切だったかを知った。

「もう、この二カ月、わたくしたちの集まりにはお見えになりませんわね。ええ、よく存じております。殿方にはやはり御自分のなさらねばならぬ義務があり、その義務を守らねばならぬことも。そして、あなたがその義務に忠実に従っていらっしゃいますことも。でもわたくしたちがそのためにすべての夜会で光沢を失った宝石を見るような思いをしていることもお忘れになりませんよう……」

彼女のこの手紙にフェルセンからは丁寧な詫《わ》び状が届いた。部隊長としての勤務が彼を縛りつけて当分は離してくれないだろうという返事だった。

だがその手紙の行間にアントワネットはあるよそよそしさを感じた。フェルセンらしい鄭《てい》重《ちょう》さのあふれたその文字に、なぜか意識して自分から遠ざかろうとしている心があるのを女の本能で嗅《か》ぎとったのである。

(どうしたのだろう。わたくしの我儘が彼の気に障ったのかしら……)

そう思うとアントワネットは突然、言いようのない不安に駆られた。彼女は王妃である身分を忘れ、ごく平凡な一人の女の心理を持ちはじめたのだ。

その日以来、フェルセンの欠席したパーティは彼女をいらいらとさせた。寂しいとか物足りぬという気持が少しずつ焦りに変っていった。

姉のように慈しもうとしたあの青年、あの青年が自分をこんなにいらだたせる。それは腹だたしく、誇りを傷つけることだった。

(いいわ。もう二度と彼のことは気にもかけないから……)

むかしシャルトル公爵に一時、心を奪われた時、同じような焦燥感や苦しみをたっぷり味わったことがある。あの感情がふたたび甦《よみがえ》ってきた……。

彼女はもう二度とフェルセンに手紙を書かぬことにした。その存在を意識にのぼらすまいとした。つめたく黙殺することに決めた。王妃の自分をないがしろにすることはこのヴェルサイユでは許されぬのである。

だが黙殺しようとすればするほど、彼のことが気になる。手紙を書くまいとすればするほど、書かない自分が意識される。そんないらだっている彼女にポリニャック夫人が気がついた。

「どうなさったのです」

ある日、ハープの練習をしているアントワネットに夫人はふしぎそうに訊《たず》ねた。

「一カ月前の王妃さまと思えないほど、お変りですわ。皆と興じておられる時も急に虚《うつ》ろな眼をなさいます。今もハープを何度もお間違いになりました」

夫人はじっとアントワネットを見つめた。

「わたくしには……わかっておりますわ。あのスエーデン人が姿を見せぬことが、その理由なのでございますね」

「いいえ。とんでもない」顔あからめて王妃は首をふった。「わたくしは夫以外に心を動かすことは許されない身です」

夫人はふかく肯《うなず》いて黙った。しかし彼女はマリー・アントワネットの口だけの弁解にはだまされなかった。

五日後、夫人はその王妃の居間をたずねると、自分がフェルセンに会ってきたと報告した。

「それで……何と言いましたの、彼は」

アントワネットは無関心を装って言った。

「フェルセン伯爵はこう答えました。初めは口ごもっていましたが……自分がトリアノンにお伺いしないのは、ひとえに王妃さまのためだと」

「わたくしのため……」

「巴里のパンフレット作者たちがフェルセンにたいする王妃さまの御友情をみだらなもののように書きたてようとしている……彼等の耳にそれを吹きこんだ高貴な方のお名前はここでは申しあげられませんし、フェルセン伯爵も口にはいたしませんでした。しかしそれに気づいた彼は王妃さまの御評判を傷つけぬため、自分を抑えているのです……」

マリー・アントワネットはうつむいたまま、しばらく沈黙していた。やがてその唇から次の言葉が溜息《ためいき》のように洩れた。

「そう、彼はそのような方ですわ、そのような……」

人間喜劇

不敵な芝居は続いていた。カリオストロとラ・モット夫人とが共謀したこの三幕の芝居は、あわれなロアン大司教を道化役にすることから幕をあけた……。

ラ・モット夫人はおごそかに大司教に告げた。

「わたくしは今日、重大なものを托《たく》されて参りました。お人ばらいを願います」

大司教が合図をすると、扉のそばに立っていた二人の秘書が急いで姿を消した。

「王妃さまからの直々《じきじき》のお手紙でございます」

「直々の……」

受けとった手紙はまさにマリー・アントワネットだけが使う金ぶちの、百合《ゆり》の紋章をすかし印刷した便箋だった。

「今日以後、あなたをもはや非難すべき人物と見なす必要のないことを悦びます。わたくしの願いを聴きいれてくださった御好意を感謝しているとお思いください。ただ、その点についてはわたくしの置かれている立場をお考えくださいまし」

マリー・アントワネット・ド・フランスと書いた最後の行の署名があきらかに王妃の手紙であることを証明していた。

悦びにうちふるえながらロアン大司教は立ちあがった。彼は手をさしだし、その指輪にラ・モット夫人が口づけするのを許した。

「あの首飾の支払いを御用だてると申しあげたことが、さほどお気に召されたのだな」

「王妃さまはいたく感動されたようですわ」

「有難いことだ」

「しかし王妃さまはあくまでも、このことを内密にしてほしいとお望みでございます」

とラ・モット夫人は手紙の終りの部分を指さして強調した。

「王妃さまのお考えでは御自分が大司教さまから首飾の代金を拝借したことを秘密にするために、まず支払保証人になって頂きたいとのことでございます」

「保証人に？　結構だ」

「そして王妃さま御自身の代理者としても首飾をお受けとりになり、それを後日、お引きわたし頂ければ嬉しいとの御伝言でした」

ロアン大司教は嬉しさのあまり、ラ・モット伯爵夫人の言うことを深く考えもせずにうなずいた。

「それらの日どりはわたくしが次々とお教えいたします。事が事だけに王妃さまに御迷惑のかからぬよう、充分に気をお使いになったほうが、およろしいですわ」

「私がどれほど感謝しているか……やがてその感謝をあなたにあらわす日がくるだろう」

大司教の館を出た伯爵夫人は馬車を走らせて女王通りにある高級レストランの「青湖亭《ラック・ブルー》」に急いだ。そこで彼女はカリオストロと食事をとりながら、次の芝居の打合わせをすることになっていた。

「わたくしは催眠術は知らないけれど、今日、あの人は催眠術にかかったようだったわ」

そう言って伯爵夫人は朗らかな声をだして笑った。すべてが順調に運んでいるという快感とおいしい葡萄酒が彼女を陶然とさせていた。

「しかし、我々二人は考えてみると、ふしぎな人間たちだな」

カリオストロも不敵な笑みをうかべて呟いた。

「だますこと、欺くこと――それに生き甲斐を感じているのだから。いや、私はこれをひとつの芸術だとさえ思うことがある……」

「悪の楽しさを味わえぬ男は……男にはみえないわ」

「にもかかわらず、私たちは恋人ではない。よい友人だ」

この時、カリオストロの頰に皮肉な微笑がうかんだのを伯爵夫人は気がつかなかった。

記録によるとカリオストロとラ・モット夫人とが共に食事をした日から五日目の十二月十九日、一人の貴族の婦人が宝石商ベーマーの店を訪れ、問題の首飾を見たあと、近いうちに王妃の名でこの素晴らしい装身具を買いあげるかもしれないと告げた。更に翌年の一月二十四日の朝、その女性はふたたび姿をみせて、王妃の代理人としてロアン大司教が今日、ここにあらわれると伝えてきた。

宝石商ベーマーは、はじめは半信半疑だったが、その午後、大司教が従者と共にあらわれた時は驚きと悦びとで口もきけぬほどだった。大司教ロアンたちは首飾をほめるとその値段をたしかめて引きあげていった。

一月二十九日、売りわたしの契約が成立した。百六十万リーブルの宝石は四回払いで二年間に支払うという条件で「ある、やんごとなき女性」に買いあげられることになったのである。そのやんごとなき女性が誰かはベーマーも、もうわかっていた。宝石はロアン大司教の館《やかた》に届けられた……。

「さあ、いよいよ、お前たちの出番だ」

ホテルの自分の部屋でカリオストロはヴィレットとその妻、兎のおばさん、そしてマルグリットに命令をくだした。

「かねてから教えた通りにやればよい。そうすれば何も心配はいらん。すべて、うまくいく筈だ」

その夕方、彼等はマルグリットだけをホテルに残して馬車にのりこんだ。つめたい霧雨が降っていて巴里《パリ》の街は寂寞《せきばく》として人影も少なかった。馬車はヴェルサイユに向う湿った路《みち》を走り、やがて宮殿を近くに見る邸《やしき》についた。

その邸でラ・モット伯爵夫人が一同を待っていた。

「早く扮装《ふんそう》をなさい」

彼女の指図でヴィレットは急いで用意してきた廷臣の服装を身につけた。ヴィレット夫人は貴婦人の衣裳《いしょう》を、兎のおばさんは召使の着物に着がえた。

「申し分ないわ。さあ、あのお馬鹿さんがここに姿を見せれば、手筈通りにやるのよ」

三十分ほどたつと、邸の車寄せに馬車のとまる音がきこえた。と兎のおばさんが入口に出迎え、馬車をおりた大司教に、

「伯爵夫人はお待ちかねでございます」

と告げた。

大司教は大事そうにひとつの箱を胸にかかえていた。あの首飾を入れた箱である。

「王妃おんみずから、ここに来られるのか」

心配そうに彼が訊ねるとラ・モット夫人は首をふって、

「それは御無理というものです。しかし王妃の代理としてシメー公爵夫人が宮殿の侍従の一人と来られることになっています」

色白い大司教の顔にはまだ不安な影が残っていたが、やがて、兎のおばさんが姿をあらわ

し、

「お見えでございます」

と告げると、あわてて椅子から立ちあがった。

ヴィレット夫妻の扮するシメー公爵夫人と侍従とはゆっくりと部屋に入ってきた。ラ・モット夫人は恭しく片膝《かたひざ》をついて挨拶をした。

「王妃さまに代って、厚く大司教に御礼申しあげます」

そして大司教がさしだした宝石箱を侍従が受けとり、シメー公爵夫人は王妃の信書をわたした。信書にはただ短く、こう書いてあった。

「この手紙を持参したものに宝石箱をおわたしくださいますよう」

書簡の紙は百合の紋章を印刷した王妃専用のものだった。

「王妃さまは近く……」とシメー公爵夫人はおごそかに教えた。「私的に大司教の謁見をおゆるしになるでしょう」

その言葉にロアン大司教は歓喜のあまり、ふかぶかと頭をさげた。そしてその頭《こうべ》をふたたびあげた時、シメー公爵夫人も侍従も既に姿を消し、ラ・モット夫人だけが微笑して彼を見つめていた。

「お祝い申しあげます。大司教さま。王妃さまが遂に私的な謁見をお約束なさいましたわね」

「こうも早く望みがかなうとは思わなかった」

「いえ、そのような小さな望みだけではなく、宰相におなりになるお望みも、きっと、かなえられますわ」

夫人の言葉はロアン大司教を有頂天にさせた。彼は思わず手をさしのべて、彼女をだきしめた。夫人のやわらかな手が大司教の首をやさしくなでて、

「愛《いと》しい方の御出世に役にたてるのが……女の倖せでございますもの」

あまい声がその耳にくすぐるように聞えた……。

こうして首飾を侍従とシメー公爵夫人に手渡してからヴェルサイユ宮殿を訪れるたび、ロアン大司教は王妃の謁見の許しがいつくるかと胸おどらせて待った。

だが、何の沙汰もない。ないだけではなく、貴族、貴婦人の挨拶をうけるマリー・アントワネットはなかにまじった大司教に見向きもしない。一声もかけはしない。相変らず彼女は冷たいと大司教は思った。

「それは表向きのことでございますわ」

とラ・モット伯爵夫人は説明した。

「残念ながら、王妃さまが大司教さまをお嫌いだったことは宮中の誰もが知っていることですもの。王妃さまも急にはその御態度を変えるわけにはいきません。でも私的な謁見をシメー公爵夫人があれほど約束なさったのですから……」

一カ月たった。二カ月たった。冬が終り、春になった。それでも王妃は口さえかけてくださらぬ。世間知らずの大司教の心にもようやく疑惑が湧《わ》きはじめた……。

「たしかに首飾は王妃のお手もとに届いたのだろうな」

宝石商ベーマーととりかわした契約では第一回の支払いをその月のうちにしなければならぬ。支払いをするからには王妃がたしかに首飾を受けとったという証《あかし》がほしいと大司教はラ・モット夫人に迫った。

「お気持、わかりますわ。シメー公爵夫人にわたくしからお願い申しあげてみます」

夫人はもっともだというふうに大きくうなずいた。

こうしてこの喜劇の第二幕があいた……。

「王妃さまが私的な御謁見をなさるそうです」

ラ・モット夫人からその知らせを受けた時、大司教は思わず持っていた杖《カヌ》を落すほど、嬉しがった。

「そうか。遂にお目通りが許されたのか」

「王妃さまはヴェルサイユ宮殿ではなく、トリアノン庭園で明後日、お会いになるそうです。夕暮、王妃さまが庭園を御散歩になることはよく御存知でいらっしゃいましょう」

愚かな男は伯爵夫人のこの言葉を信じた。

翌々日、彼は供をつれずに（供をつれることは遠慮してほしいというのが王妃の伝言だった）胸おどらせて夕暮のトリアノンの林にたっていた。その林のなかでラ・モット夫人が彼を迎えにくることになっていたのだ。

夕靄《ゆうもや》は既に林のなかを暗紫色にかげらせていた。やがて忍び足で伯爵夫人が姿をみせると、

「まもなくお見えでございます」

と口早やに囁《ささや》いた。

「御幸運をお祈りしていますわ。わたくしは王妃さまのそばに行く資格はございませんから、ここでお別れします」

うす暗い林のなかでふたたび一人になった大司教は胸に右手をあてて待っていた。心臓の鼓動がはっきりと強く聞え、暗記していた挨拶の言葉を思いだそうとしたが、それも忘れていることに気づいた。

林の向うから灰色の影が四つ、見えた。影は林のそばに立ちどまり、その一つがこちらに近づいた。

「ロアン大司教。こちらにお出でください」

姿と声とはあのシメー公爵夫人のもののように大司教には思われた。彼は夢遊病者に似た足どりで影に向って歩いていった。夕闇のなかで王妃らしい女性が縁《ふち》の広い帽子をかぶり、彼を待っていた。

「光栄に……」

大司教はそのあとの言葉を口に出せなかった。言葉は咽喉《のど》にひっかかり、声にならなかったのだ……。王妃が何か挨拶されたように思えたが、それさえも彼は聞きとることができなかった。

「お早く……」とシメー公爵夫人が王妃を促した。「誰かが参るようでございます」

四つの影はたちまち姿をかくした。大司教もまたいそぎ足で林のなかを立ち去った。夢のなかにまだいるような気持だった。宮殿の外に出ると、待たせてあった馬車に乗り、そこでようやく大きく息をついた。そして、あらためて何ひとつ、まともな礼を言えなかった自分をぶざまだったと苦笑した。

(でも、これでよい。王妃の御勘気がとけたことが、はっきりしたのだから……)

ラ・モット夫人を除いてホテルに戻った一同は、待っていたカリオストロの部屋に集まって祝杯をあげた。

「あの大司教の姿を見せたかったですぜ」

とヴィレットは唇の端に嘲笑《ちょうしょう》をうかべて、ロアン大司教のその時の身ぶりを真似してみせた。

「こう、王妃になりすましたマルグリットの衣裳の裾にやたらと接吻しましてね、光栄だの、有難いだの、わけのわからぬ言葉をくりかえしていましたぜ」

「マルグリットはよくやったわ。王妃さまらしく、じっとその大司教を見おろして」

ヴィレット夫人はマルグリットの腕をとって、

「本当にあんたは娘に似あわず大胆だねえ。こわくはなかったかい」

「可笑《おか》しくって。吹きだすまいと、それが辛《つら》かったわ」

一同の会話を相変らず、ひややかに聞いていたカリオストロはここで初めて口を開いた。

「今夜の祝いはこのくらいにしよう。まだ一つ仕事が残っているからな」

「まだ一つ？」

ヴィレットだけでなく女たちもびっくりしたようにこの魔術師を見つめた。

「そうだ。首飾はたしかにあの伯爵夫人がまきあげた。だがお前たちはまだ何の報酬ももらっていない」

「だが、あの首飾の宝石をばらばらにして皆で分けるというつもりじゃないんですかい」

「それが危《やば》い」

とカリオストロは強く首をふった。

「俺の考えでは遅かれ早かれ、この事件は発覚する。伯爵夫人は伊太利《イタリー》に逃げて、それから米国に飛べば安全だというが、それよりも俺たちが無罪になるほうが良いにきまっている。そうじゃないか」

「そりゃそうだ。だが、どうしようと言うんです」

「首飾の宝石などに手をつけるな。あの首飾に手をつければ重罪になる。重罪になるのは伯爵夫人、一人で結構だ。巻きぞえをくうのは——少なくともこのカリオストロは御免だな。お前たちも私についてくるか」

一同は顔をみあわせ、眼と眼で相談しあった。沈黙のうちに衆議が一決した。

「乗りかかった船だ。カリオストロ博士にお任せしますよ」

「じゃあ、明日、もう一仕事だ。シメー公爵夫人とヴィレット侍従に大司教の館まで出かけてもらおう。そしてこのことは勿論《もちろん》、あの伯爵夫人には内緒だぞ」

その翌日、朝のミサを終えたロアン大司教が祭衣を助祭に手伝わせてぬいでいる時、小姓が小部屋に入ってきた。そして王妃マリー・アントワネットのお使いがお見えでございますと伝えた。

見おぼえのある二人に大司教が昨日の礼をのべると、シメー公爵夫人は今後とも自分ができることはお助けしましょうと微笑《ほほえ》みながら言った。

「王妃さまも昨日の私的な御謁見にいたく御満足でした。そして……もしお差支えなければあの首飾に支払う代金を拝借させて頂ければとのお言葉でございました」

「あれは用意はいたしております。だがこの私が王妃さまの代理人として宝石商ベーマーに手渡すつもりでございましたが……」

「御好意は嬉しく存じますが、それでは拝借したことが世間に洩れてしまいます。王妃さまの御名誉のため、王室からの支払いという形にしていただければ、とお願いにあがりました。そしてこの大金を拝借するからには、その利子も当然、王妃さまはお考えのようでございます」

シメー公爵夫人はそう言って意味ありげに大司教をじっと見つめた。

「その利子とは……あなたさまが宰相におなりになるよう、蔭《かげ》ながらお助けするということです」

顔を赤らめてロアンは、頭をさげた。自分の野心を見ぬかれたことに狼狽《ろうばい》したのである。

彼はすぐに金庫室に行き、七十万リーブルの金貨の入った三つの箱を下男たちに運ばせた。

その三つの箱を馬車にのせ終った時、侍従と公爵夫人は、

「王妃さまも……きっと、お悦びでございましょう」

と謎《なぞ》のような笑いをみせて礼を言った。馬車はそのまま門から遠くに消えていった……。

その夕方、カリオストロとその仲間はホテルを引きはらった。風のように彼等は巴里を脱出したのだった……。


こうして疾風のようにカリオストロとその仲間が巴里から行方を晦《くら》ましたことを、ラ・モット伯爵夫人は勿論知らない。

数日後、ロアン大司教から公爵夫人とあの侍従とが首飾の代金の一部を王妃にかわって借りにきたと聞かされた時、

「なんだって。畜生《コマン・エ・アロオ》」

彼女は思わず貴婦人が口にも出さぬような下品な言葉で叫んだ。

「あの二人が……七十万リーブルを」

「勿論だ。貸してはならなかったのか」

「いえ。そのようなことはございませんが……」

我に返ったラ・モット夫人はあわてて感情を抑えようとしたが、顔にあらわれた狼狽の色

はかくす暇がなかった。

（おかしい）

大司教は夫人を見つめながら急にあることに気づいたようにひとりごちた。

「そう言えば、あの二人はこの私に王妃の借用証書をわたしもしなかった」

そして彼は夫人の両肩に手をおいて真蒼《まっさお》になって叫んだ。

「なぜだ。なぜなのだ」

「わかりません、わたしにも……」

夫人は大司教の手の強さに顔をしかめて、

「きっと王妃さまの御体面を考えてのことでございましょう」

「だが金額は七十万リーブルという高額だ。正直に言えばそれをお貸しするのに苦労もした。相手が王妃さまとは言え、借用証書は頂戴せねばならぬ。シメー公爵夫人はその点、あなたに何もおっしゃらなかったのか」

「明日わたくしが頂戴して参ります」

「本当にシメー公爵夫人は実在するのか。私はヴェルサイユ宮殿で彼女の名をついぞ耳にしたこともないが……」

「二度もお会いになったではありませんか」

抑えつけられた肩から大司教の手をはずし、ラ・モット伯爵夫人は立ちあがった。その眼に怒りの色が浮んでいた。

「ロアン大司教さま。ではこのわたくしが今日まですべて嘘をつき、すべて大司教さまをだましていたとお思いなのですね」

それからその眼に泪《なみだ》があふれ、頬をつたわっていった。完璧《かんぺき》な彼女のこの演技にあわてた大司教は、夫人の手をとると、

「いや、そういうつもりではないのだ。ただ私としても不安に駆られる気持をわかって頂きたい」

ようやく機嫌をなおしたように装って　伯爵夫人は大司教の邸を出た。彼女は御者に行先を告げると、

「そして、カリオストロさまが、まだ御宿泊かを聞いてちょうだい」

セーヌ河に近いそのホテルに馬車がとまると、女主人に命ぜられた通り、御者は帳場に行き、すぐに戻ってきた。

「カリオストロさまはもう、お引き払いになったそうでございますよ」

布を引き裂いたような笑い声がラ・モット伯爵夫人の唇からこぼれた。彼女は両手で顔を覆って、狂ったように笑いつづけた。

(なんという悪い奴《ケル・サロオ》。なんという《ケル》……。このわたしまでだますなんて)

七十万リーブルを奪って遁走《とんそう》したカリオストロの心中がこの悪女には手にとるようにわかった。今度の事件が発覚すれば、その責任をすべてこちらに背負わすつもりなのだ。

(だが、そうはさせないよ)

考えてみれば肝心の首飾は自分のものになっているのだ。カリオストロはその値の半分にも充たぬ現金を手に入れたにすぎない、発覚する前にこの仏蘭西を逃亡して伊太利に行く。遅かれ早かれ、革命が起き、あの王室が崩壊して民衆の政府ができれば、大手をふって巴里に戻ってこれるだろう。得をしたのは自分だとラ・モット夫人は考えた。

だがロアン大司教の疑念はまだ完全に晴れたわけではなかった。七十万リーブルをシメー公爵夫人と侍従とに手わたしたと聞いた時のあの女の狼狽した表情は彼には忘れることはできなかった。そういえば今日までのことはすべて腑《ふ》に落ちぬことが多いのだ。

（私はだまされていたのではないか）

黒雲のように不安が胸を横切ると、彼はいてもたってもいられなくなった。

まず調べねばならぬことは、シメー公爵夫人なる女性が果して存在するのか、存在するとしても王妃の使者となって万事切りまわすほどの側近者の一人なのかだった。

鵞《が》ペンをとりあげて一通の手紙をしたためた彼は、召使にこの手紙を渡して即刻、王妃の友人であるポリニャック夫人の夫、ポリニャック伯爵に届けるように命じた。

「そして、必ず御返事を頂いて参るのだ」

使者がヴェルサイユまで早馬で駆け、戻ってくるまでの数時間、大司教ロアンはその白い顔に焦燥の色をうかべて居間を歩きまわっていた。

夕刻――。

既に外が闇になってから使いは額《ひたい》に汗の粒をうかべながら帰館した。さし出されたポリニャック伯爵の返事の封をもどかしげに切って大司教は喰い入るような眼で読んだ。

「お訊《たず》ねの儀に御返事申しあげます。たしかにシメー公爵夫人はおられますが、我々は彼女が王妃殿下の御側近の一人であり、過去にもそうだったとは耳にしたことはございません。なぜなら彼女は六十歳をこされた老齢でありますから……」

六十歳をこした老貴婦人。だまされたことを知った時、ロアン大司教は獣のような呻《うめ》き声をあげた。


不敵にもそのロアン大司教の急な訪問を受け、彼の怒号を聞き終ったラ・モット夫人はその唇に挑むようなようす笑いさえ浮べていた。

既に真夜中近い時刻だった。

「いかにも、すべては嘘です」平然とこの女は返事をした。「だが首飾はわたくしの手もとにはございません。共謀いたしました者たちがそれを巴里の外に持ちだしました」

「では……返す気さえもないのか」

「ございません」

大司教が大声を出せば出すほど、夫人は冷静に落ちつき払った。

「お静かになさいませ。大声をお出しになったとて、問題は解決いたしませんもの」

「訴えてやる」

「何と、おっしゃいまして。訴える？　このわたくしを。どうぞ、お訴え遊ばしませ。そうなされば、わたくしがあなたさまと情を通じていたことも世間に知れわたります。おそらく巴里のパンフレット作者たちが悦びますでしょうね。巴里の大司教であり宮廷司祭長であるお方が、教会の掟《おきて》をやぶり、わたくしだけでなく、あまたの女と通じていたことを書きたてまして……」

壁にもたれたロアン大司教の顔色はその壁土よりもよごれていた。司教帽は床におち、髪はみだれ、眼は血走っている。彼は拳《こぶし》を握りしめたが、伯爵夫人を撲《なぐ》ることもできず一言《ひとこと》も言いかえせなかった。

「そうなれば宰相はおろか、現在の地位まで失われることは確かですわ。王さまや王妃さまはそのようなお方のミサをおききにはなれませんもの……」

「悪魔！」

「お好きなように何とでもおっしゃいませ。それで気が晴れるのでしたら」

それからこの悪女はまるで、むずかる男の子をなだめる母親のように優しく言った。

「それ以上、御自分をお苦しめなさいますな。わたくしを裁判にかけるなどと馬鹿馬鹿しいことをおっしゃらずに、もう一寸《ちょっと》、賢くおなりになることですわ。そして身持ちをよくなさって、人々から本当の聖職者だと尊敬されるようになってくださいまし。それをお悟りになるために百六十万リーブルをお払いになるとお考えになれば……だって手痛い試練ほど智慧《ちえ》を作るいい教訓はないと言いますもの」

ラ・モット夫人は大司教が自分を訴えることができぬ立場であることをよく承知していた。

「承知してくだされば、わたくしはあの首飾のうち六十万リーブルはお返ししますわ」

朗らかな笑い声をたてて彼女は衣裳の裾をひるがえし、大司教をそこに残したまま部屋を出ていった。


その時刻、ヴェルサイユ宮殿の奥ふかい寝室でマリー・アントワネットは何も知らず、何も気づかず、静かな寝息をたてていた……。

発覚

庭園での茶番劇が行われたその年の夏、王妃マリー・アントワネットは宝石商ベーマーからまことに謎のような手紙を受けとった。

「このたび、王妃さまよりお申しわたされました契約を我々は誠意と尊敬をもって承諾させて頂きましたが、これはひとえに我々の服従と献身を更に証明すると存じます」

契約？　一体、なんの契約かしら、と彼女は友人のポリニャック夫人とカンパン夫人に訊ねた。ポリニャック夫人は勿論のこと、王妃の秘書の妻であるカンパン夫人も肩をすぼめて首をふった。

「きっと、あの宝石商は頭がおかしくなったんでしょうね」

彼女は笑いながらその手紙を燭台《しょくだい》の灯にかざした。ベーマーの書簡は、はばたく蛾《が》のような炎に燃えて灰になった……。

それっきり、そのことをアントワネットはすっかり忘れてしまっていた。念頭にもおかなかった。

だがそれから三週間ほどたったある日、カンパン夫人が当惑しきったような表情で王妃に、あることを報告にきた。

「狐に鼻をつままれたような話でございますけど、あの宝石商が今度はわたくしの別荘にたずねて参りました。最初は何を言っているのか、合点がいきませんでしたけれど、彼は王妃さまからお約束のお支払いを受けたい、とばかり申しつづけるのでございます」

「支払い？　なんの支払いでしょう」

「それが……」とカンパン夫人は口ごもった。

「御存知でいらっしゃいましょう。あの男が作りました素晴らしい首飾の代金だそうでございます」

「首飾の代金？」

アントワネットにはまったく話が理解できない。首飾の代金をなぜ自分が払わねばならぬのだろう。

勿論、この絢爛《けんらん》たる首飾のことは彼女も知っていた。前国王がデュ・バリー夫人のために製作させたのだが、国王の死とデュ・バリー夫人の失脚のため宙に浮いている装身具だ。ベーマーはその首飾を持って、王妃にお買いあげ願いたいと哀願しにきたことがある。

カンパン夫人の言う通り、素晴らしい首飾《エスクラヴァージュ・フォルミダーブル》だった。アントワネットさえ、今日までこれほどの豪奢《ごうしゃ》な装身具は見たことはなかった。きらめく五百四十のダイヤの粒は星のように光り、その光は王妃の心をひいた。

だがその値は百六十万リーブル。流石《さすが》のアントワネットも手が出なかったのだ。跪《ひざまず》いて哀願をつづけるベーマーに彼女は首をふるしか仕方がなかった……。

その記憶を甦《よみがえ》らせて、

「あれを……わたくしが買いあげたと彼は申したのですか」

「ええ。ベーマーは既に品物は代理人で契約書に署名もなさったロアン大司教にお渡ししたと申しております。わたくしは勿論、そんな事はまったく考えられないと答えました。大司教に王妃さまがそのようなことをお頼みになる筈はないからとも説明いたしました」

「勿論だわ。で、ベーマーは納得しましたか」

「とんでもない。彼はこのわたくしこそ何も事実を知らないのだと主張いたしました」

「気が狂っているわ。あの男は」

アントワネットは愕然《がくぜん》として、

「大司教だの、代理人だの」

「どうなされます。この馬鹿げた話を。そのまま放っておきましょうか」

「いいえ。調べてください。これはわたくしの名前をかたってあの大司教が何かを企てたような気がするの。ウィーンの母がわたくしに書き送ってくださったことは本当だったわ。あの聖職者には注意しなさいって……」

カンパン夫人は早速、王妃の秘書である夫にこの謎のような事件を告げ、カンパン伯爵も早速、調査にのりだした。ベーマーにいっさいの事件の経過を覚書にして提出するよう命じた。

十日後、そのベーマーは言われたままに今日までのあらましを書きつづった報告書を持参した。

ただちに国王の執務室で国王の私的な緊急会議が開かれた。集まったのは国王夫妻と宮内大臣のブルトゥイユ男爵、それに官房長官のミロメニルの四人だけで、他の者はなかを覗《のぞ》くことも許されなかった。

怒りをあらわに面《おもて》にみせて王妃マリー・アントワネットは、

「ロアン大司教を逮捕してください。あの人はわたくしの名を使っていまわしい詐欺を働こうとしたのですわ」

と叫んだが、

「お怒り、もっともと存じます。が……大司教ともあろう人間を逮捕なされば、その影響も大きいかと存じます……」

ミロメニルは王妃をやんわりなだめようとした。

「これは想像ですが……」

今度はブルトゥイユ宮内大臣が眼をつむって呟《つぶや》いた。

「大司教は長年の濫費に資産を使いこみ、その穴うめをするため、このような過失を犯したのではないでしょうか」

彼は大司教ロアンを嫌悪する点では王妃と立場を同じくしていた。ただ彼の場合は宰相を狙うロアンの野心を見ぬいていたからである。

「そうですわ。それにちがいありませんわ」

宮内大臣のこの言葉に王妃は我が意を得たとばかり、うなずいて、

「いずれにせよ、わたくしの体面と名誉とが傷ついたのです」

議論はいつまでも続いた。大司教を逮捕すべしと王妃は主張し、ミロメニル官房長官はこれに反対した。宮内大臣が王妃の肩を持ったため、意見は二つに分れた。

「陛下はどうお考えになりますの」

妻にそう促された時、ルイ十六世は当惑の表情を顔にみせた。人の好い彼は事を荒だてるのを好まなかった。事件はできることなら穏便にすませたかったのである。

「私は官房長官と同じように逮捕はきびしすぎるように思うがね」

「では陛下はこのわたくしに笑ってすませよとおおせですの」

「いや、そういう意味ではないが……」

あわてて首をふるルイ十六世に官房長官が助け舟を出した。

「陛下。大司教とお話しなさいますれば。我々は宝石商の言い分は知っておりますが、大司教の釈明は聞いておりません。これは片手落ちと存じます」

「そうだな」

救われたように国王はうなずいて、

「そうしよう」

と呟いた。

大司教がただちに呼ばれた。彼は礼拝堂に行くところだったが、この話をきくと蒼白《そうはく》になって国王執務室に歩いていった。

執務室に入ると四つの顔がこちらを注目した。ルイ十六世の困ったような顔、官房長官ミロメニルの緊張した顔、大司教を嫌っている宮内大臣ブルトゥイユのうす笑いをうかべた顔、そしてその三つの顔の間に、炎のような怒りをありありとみせた王妃が腰かけていた。

「大司教」

ルイ十六世は少し眼をそらせて、

「困ったことができた。宝石商ベーマーがひき起した事件にあなたの名が出てくるのだ。あなたは……首飾をベーマーから買いあげたことがおありだろうか」

大司教は体を震わせながら、

「はい」

とかすかな声で答えた。

「それはあなたの名義で？」

沈黙がつづいた。それからやっと大司教は首をふった。

「王妃さまの名義で、私が代理人となりました」

「わたくしには」とマリー・アントワネットは高い声で叫んだ。

「あなたを代理人にした記憶はございませんよ」

「私は……何も知らなかったのです。ただシメー公爵夫人といわれる女性の御伝言で私を代理人になさるという御下命があり……」

王妃はびっくりしたようにこのあわれな男を凝視した。シメー公爵夫人？　その女性が自分の言葉を伝言した？　何を彼は言っているのだろう。

「それに王妃さまの侍従もわが邸《やしき》にお見えになり、首飾を受けとられましたから、私は既にそれはお手もとに渡ったことと考え……」

「一体、何をおっしゃりたいのです」

大司教ロアンは泪を眼にいっぱい溜《た》めて、自分はまったく被害者だったのだと言いはじめた。混乱し、しどろもどろになっている彼から事の真相をきくことはむつかしかった。

沈黙がしばらく続いたあと、

「私がだまされていたのです」ロアン大司教が喘《あえ》ぐように、

「すべて、ラ・モット伯爵夫人の企みだったのです」

「ラ・モット伯爵夫人？　誰です、それは」

とマリー・アントワネットは怒りで声を震わせながら訊ねた。

「私に王妃さまからの御書簡をいつも手わたしてくれた女性です。首飾を王妃さまに献上するよう奨めたのも彼女です」

「わたくしはあなたにそんな手紙を一枚も書いた憶《おぼ》えはございません。率直に申しあげてわたくしはあなたに好意を持っておりませんでしたもの」

「それはよく存じております。存じていましたから、その御勘気を解いて頂くよう、ラ・モット夫人が運動してくれると申しまして……シメー公爵夫人がその仲介になり……」

「何をおっしゃっておいでです。わたくしはそんな公爵夫人ともお話ししたことはありませんん」

ロアン大司教は両手で頭をかかえ、うなだれた。彼の閉じたまぶたのなかに破滅という二文字が黒々と、大きく浮びあがった。こなごなに自分の未来が今、砕かれた。あの女のために。あの女のせいで……。

「馬鹿でした。私は」

「同感ですわ」と王妃の声はつめたかった。

「決して賢い殿方のなさるお振舞いではありませんわ」

「大司教」ルイ十六世は助け舟をだした。

「あなたがその王妃が書いたという手紙を持っておられるなら、見せるべきだと思うが……」

我にかえった大司教はあわててポケットから一通の手紙をとり出した。沈黙のなかでその手紙が王から王妃へ、王妃から宮内大臣と官房長官にまわされた。

「王妃の筆跡でも署名でもない」と国王は諦《あきら》めたように言った。

「大司教で宮廷司祭長のあなたがこんな王妃の署名を信じたとは思われないが……フランスのマリー・アントワネットなどという署名を。王妃の署名はいつも洗礼名だけだと誰でも知っていることだ。気の毒だが、大司教、この事件はあなた一人ではないようだ。そのラ・モット伯爵夫人とかシメー公爵夫人を名のった女性たちとの関係も調べねばならぬ。あなたが……その間充分に御自分の弁明をされるよう……」

「陛下、私は逮捕されるのでしょうか」

ロアン大司教は立ちあがって絶叫した。国王は眼をそらせて黙っていた。マリー・アントワネットは怒りのため、涙をためて大司教を睨《にら》んでいた。

宮内大臣ブルトゥイユは扉をあけて、

「近衛《このえ》隊長。大司教を逮捕したまえ」

と大声で命じた。

制服を着て、剣の柄《つか》を手で押えた近衛隊長が大股《おおまた》で執務室の前に歩いてきた。

「さあ。大司教。陛下の御命令です」

死人のように顔あおざめたロアンは蹌踉《そうろう》として近衛隊長に腕をとられたまま国王の執務室

を出ていった。

控えの間、儀礼室、廻廊《かいろう》に群がった廷臣たちは茫然として連行されていく大司教を眺めていた。

「何事だ」

「何が起ったのだ」

ロアンの姿が消えると、人々はたがいに顔を見あわせて囁《ささや》きあった。

「大司教は不敬罪の嫌疑で、逮捕されました」

とブルトゥイユは大声で皆に説明をした。

ラ・モット伯爵夫人はヌーヴ・サン・ジル街の邸から既に遁走していた。夫人の家を襲った警吏たちは、もぬけの殻となった空虚な部屋のなかで切歯《せっし》扼腕《やくわん》した。

その日、シャンパーニュ地方のフォンテット村にむかって六台の四輪馬車が街道を走っていた。先頭の馬車にはラ・モット夫人と女中頭とが、他の五台には彼女が雇った料理人や従僕、給仕たちが乗っている。

彼女は既にこの村で館《シャトオ》とよばれる家を借りていた。ここで彼女はしばらくの間、滞在して、そのあと伊太利《イタリー》に逃げるつもりだった。

みどりの林をぬけて村に入った六台の馬車を見て、昼食に戻る百姓たちは鍬《くわ》や龍を持ったまま、びっくりしたように口をあけていた。

「ここはわたくしの先祖の所領地だったのよ」

とラ・モット伯爵夫人は誇らしげに女中たちに自慢した。

「わたくしの先祖は今のルイ一族などより、もっと早くこの仏蘭西の国王だったアンリ二世ですからね。彼はその息子のアンリ・ド・サンミレにこの地方を与えたの」

彼女は自分の犯行がまだ発覚していないと高を括《くく》っていた。ロアン大司教が自分を訴えることはできない。自分を訴えれば彼の情事がすべて表に出るからだ。だから当分はこの村で豪奢に生活ができる。あの首飾のダイヤやほかの宝石は、英国で少しずつ売られ、その代金が彼女の手に入る手筈になっているのだ。

「三日たったら村の百姓たちを招いて、宴会を開いておやりなさい」

彼女は女中頭にそう命じた。

「そして、わたくしがむかしの御領主の子孫だと教えておやりなさい」

一行がこの村に到着した三日後、館《やかた》の庭で盛大な宴《うたげ》が開かれた。村の人間なら誰でも出席できるという告示が教会の前で伝えられると、老いも若きも悦びの声をあげた。

飢えていた彼等は次々と焼かれる豚や鶏やそして樽《たる》ごと飲める葡萄酒に眼をみはり、やがて争って飲み食いをはじめた。ラ・モット夫人は一度だけ館の石段に立ち、彼等に微笑《ほほえ》みを投げ与え、手をふった。その姿はまるでこの村の領主夫人さながらだった。百姓たちのなかには地面に跪いてその彼女に頭をさげる者もいた。そしてその日から彼女は百姓たちにとって女神のように有難い存在となった。

一週間ほどたった日の朝、ラ・モット夫人たちの馬車があらわれた同じ林から、六人の騎馬の男が姿をみせた。

「ラ・モットと名のる女は何処《どこ》にいる」

隊長らしい男が百姓に訊ねた。そして館の場所を聞くと部下に合図して馬を走らせた。館を包囲すると隊長は石段をのぼり、その扉にぶらさがった鐘を打ちならした。

「ラ・モット夫人を逮捕する。そして彼女はバスチーユ監獄に送られ、裁判の判決がおりるまでそこに閉じこめられる」

逮捕状を見せられた女中頭は悲鳴のような叫び声をあげた。

その声をききつけた夫人は広間に姿をみせた。警吏たちの姿をみると、すべてを了解した。

「身におぼえのない話です」

と彼女は威厳をもって答えた。

「それでは釈明のため巴里《パリ》まで上《のぼ》られるほうがよいでしょうな」

と隊長は冷然として首をふると、夫人は、

「そのきたない靴でわたくしの邸をよごすのはよしてください。わたくしは自分の誇りのためにも、わたくしの馬車で巴里に参ります。あなたたちはうしろから従《つ》いてくればよいでしょう」

「悪あがきはやめられることですな。ロアン大司教はすべてを国王陛下に告白されましたぞ」

それを聞いた夫人の顔が蒼白になった。

村は大騒ぎになった。この地方の領主の子孫であった高貴な女性が今、供もつれず馬車に押しこめられ、警吏たちにかこまれながら邸を出ていくのを見て、百姓たちは驚きのあまり、口をあんぐりと開いていた。

「すぐ戻ってきますからね」

馬車の窓からラ・モット夫人はふてぶてしい微笑をうかべ、列をつくってこちらを注目している百姓たちに声をかけた。

「この警吏たちはやがてその職場を失うでしょうよ。わたしに非礼を働いたことで」

馬車は、みどりの林のなかに姿を消した。

この頃、ロアン大司教は既にバスチーユの監獄に入れられていた。昨日とはうって変ったあわれな姿で彼はむき出しの壁の部屋で頭をかかえ、毎日を過した。身分たかい彼には身のまわりの世話をする従僕二人をつけることは許された。

（あの女が……あの女が）

彼は顔を覆った指の間から、時折、その恨みの声をだした。そしてある日、彼の呪《のろ》うその女が同じバスチーユ監獄に入れられたことを知らなかった。

無頓着《むとんじやく》な王妃マリー・アントワネット。

彼女はロアン大司教とその背後でこの芝居の糸を引いていたラ・モット伯爵夫人という女を自分の視界から遠ざけてしまうことで、事件は落着したと信じていたようである。

彼女のような女性は一時烈しく怒っても、その相手が眼の前にいなくなれば、すぐにもその恨みを忘れてしまうのだ。そしてこんな侮辱を受けた自分を、廷臣も貴族も貴婦人も、更に巴里市民たちも心から同情してくれていると勝手に想像していたのである。

その証拠には大司教とラ・モット夫人が逮捕されて二カ月もたたぬうちに、王妃はセーヌ河に仲間と供の者をつれて河遊びを楽しんでいる。

大砲が轟《とどろ》く。十五頭の馬がマリー・アントワネットたちの乗った白く塗られた船に綱をつけ、それを曳《ひ》いていく。王妃はその軽快な船の上から河岸に立ってこちらを見ている見物人たちに手をふる。

「ごらんなさい」

と彼女は友人のポリニャック夫人とカンパン夫人をふりかえって、

「ほら、鈴なりになって、わたくしたちを歓迎していますわ。ねえ、革命なんか、想像ができまして」

だが、それら河岸に集まった巴里市民たちがどんなにつめたい眼差《まなざ》しで自分を眺めているか、何を囁いていたかを彼女は知らない。

「百六十万リーブルの首飾を買えるのさ。貧しい俺たちには一リーブルでも大事だということがあの女にはわからないのだ」

「そうよ」と女たちは叫ぶ。「うちの子供たちにパン一つも允分に食べさせられないと言うのに」

無頓着な王妃マリー・アントワネット。その市民の声は彼女の耳には届かない。そして彼女は巴里だけでなく、ヴェルサイユ宮殿でもこの事件を契機として王妃を嘲笑《ちょうしょう》し、誹謗《ひぼう》する声が更に充満してきたことに気がつかなかったのだ。

「王妃はあの首飾を手に入れたかったため、本当はロアン大司教を使ったのだ。だが事があかるみに出ようとしたので、御自分だけ素知らぬ顔をされ、いっさいの罪を大司教に負わされたのだ」

この噂《うわさ》は宮廷だけではなく、大司教の名誉を守ろうとする教会の聖職者たちの間に拡がっていた。

「いや、そうじゃない。王妃はあのロアン大司教をお嫌いだったから、彼を不快に思うブルトゥイユ宮内大臣とこんな罠《わな》にかけたのだ。これは始めから王妃自身も加わっておられた大司教追い出しの芝居だったわけだ」

廷臣たちのなかにはしたり顔でこの話を囁きあう者もいた。

いずれにせよ、マリー・アントワネットをめぐって、蔭口《かげぐち》と皮肉と嘲笑とが宮殿のあちこちでくり展《ひろ》げられていた。巴里では、飢えた市民や国民の辛《つら》さも知らず、あまりに高価な首飾を手に入れようとする王室や貴族に、恨みと怒りとが湧《わ》き起っていた。カフェでは革命を叫ぶ男たちが、この事件を問題にし、新聞は新聞で書きたてた。その声が次第に高くなり、その声が人々の激情をあおりたて、爆発するまではそう遠くなかった……。

バスチーユ監獄のなかでロアン大司教は隣室に一人の男を知った。男は獄中でほとんど部屋を出ず、陽のささぬ壁にむかって書きものをしていた。

蒼白《あおじろ》い顔をしたその男はサド侯爵と言った。彼は獄中の他の囚人ともあまり口をきこうとはしない。彼の罪名が政治犯でも思想犯でもなく、破廉恥罪だと知らぬ者はなかったからである。

（あの男は奇怪な悪に耽《ふけ》った男だ。アビニオンに近いラ・コストに領地を持っているそうだが、自分の城内に村の娘や若者を引き入れ、口では言えぬ催しを毎夜くりひろげたという話だ。マルセイユではいかがわしい女たちに下剤の入った菓子を与えて、その苦しむ姿を見て悦び、巴里では物乞いの女を誘って近郊に借りた部屋に閉じこめ、寝台に縛って叩いては悦んでいたという……）

この話はロアン大司教の耳にもすぐ入った。漁色家の大司教もさすがに薄気味がわるい相手である。

「毎日、夜おそくまで書きものをされておられるようですな」

ある日、大司教が中庭で監視を受けながら散歩していると、この奇怪な男も腕を組んで歩きまわっていた。大司教は仕方なく話しかけた。

「失礼ながらどのような本を書いておられる？」

すると、サド侯爵はロアン大司教を侮蔑《ぶべつ》のこもった眼で見すえた。

「どのような本？」彼は不敵な笑いをその唇のあたりに浮べて「それをお聞きになりたいの

ですか」

「お差支えなければ……」

「革命の本です」

「革命の本？」大司教ロアンは驚いて肩をすぼめた。

「私はあなたが近頃、流行《はやり》の急進派の一人とは思ってもいませんでしたが……」

突然サド侯爵の顔に怒りの色があらわれた。

「急進派というのはあの政治パンフレットを出している連中ですか。冗談ではない。私の言う革命とはあんな王制打破のような小さなものではない。勿論《もちろん》、王制は倒さねばならぬ。しかし私は人間の道徳革命を狙っている。あなたのようなエセ聖職者が口先だけで唱えるあの基督《キリスト》教道徳の偽善をひんむき、本当の人間の道徳を主張しているのだ」

まるで堰《せき》を切ってふき出た奔流のようにサド侯爵はしゃべりはじめた。

「今日まで善だったものは私の眼には偽善であり、今日まで悪だったものは私の眼には美の光を放つ善なのだ。私もあなたも女の尻は追いかける。だがあなたなどは小狡《こずる》い漁色家にすぎない。そう——軽蔑すべき埃《ほこり》のような小悪党にすぎない。あなたなどに私の話はおわかりになる筈はない」

くるりとうしろを振りむくとこの男は、大司教を小石のように無視して牢獄《ろうごく》のなかに姿を消した。あっけにとられた大司教は、

「狂人だ。あの男は」

と叫んだ。

年があけて一七八六年になった。その五月、ようやく高等法院はこの首飾事件の裁判を開いた。裁判開始にかくも時間がかかったのは、事件の奇怪さと共に仏蘭西《フランス》きっての名門の血をうけ、しかも大司教の地位にある人物を法廷に引き出すことに反対する者が多かったからだ。事件は今や社会的な問題まで含むようになっていた。

この五月三十日、ラ・モット伯爵夫人はバスチーユ監獄から馬車にのせられ、法廷に連れていかれた。

彼女は法廷のなかで自信にみちた、のびのびとした様子で訊問《じんもん》に答えた。

「もちろん、わたくしはこの事件に指一本関係しておりませんわ。わたくしが、どうして大司教さまや王妃さまの間をおとりなしできる力があるのでしょう。わたくしは大司教さまを御尊敬申し上げておりましたから、王妃さまの御機嫌がおなおりになることは心から祈っておりましたけれど……」

「しかし、大司教はそのために、あなたが運動をしようと約束したと言うのだが……」

「とんでもございません。わたくしにそんな資格も能力もないぐらい、大司教さまはよく御存知でございます」

「だが、あなたは王妃さまが大司教に書かれたという手紙をいつも運ぶ、運び役をしたそうだな」

「わたくしが？」

　突然、この女は朗らかな声を出して笑いだした。法廷は騒然となった。

「どんなお手紙でございましょう。たしかに王妃さまのお手紙でございますか」

「王妃さまのものではない。御署名がちがっているのだ」

「では、王妃さまのものでない手紙をこのわたくしが運んだのかとお問いでございますね。それでは私には別に罪はないではございませんか。誓って申しあげますが、わたくしはそんな記憶はまったく、ございません」

　勝ち誇ったようにこの女被告は裁判官を見あげた。

「しかし、わたくしは王妃さまが大司教にお書きになったお手紙を少しだけ拝見したことがございます」

　ふたたび法廷に波のように声が拡がった。

「ロアン大司教さまが見せてくださったのです。その手紙のなかで王妃さまは大司教さまを親しげなお言葉でお呼びになっておられました」


　巴里から遁走《とんそう》したカリオストロの一行はその根城だったリヨンに到着した。マルグリットや兎のおばさんが久しぶりに見るリヨンは何ひとつ変っていなかった。ローヌ河とソーヌ河とは相変らず悠々と街を流れ、その街の上をサン・ジャン教会の鐘の音が拡がっていく。

「いいか。遅かれ、早かれ、この事件は発覚する。それは覚悟しておいたほうがいい」

カリオストロは皆に言いわたした。

「だが摑《つか》まっても無罪になればいいのだ。私たちのなかで、さしずめ摑まるのはこの私とヴィレット夫妻ぐらいだろう。兎のおばさんやマルグリットは問題にもなるまい。要するに何のことやら、さっぱりわからないと言い張ればいいのだ」

それから彼はロアン大司教から巻きあげてきた大金をすべて仲間たちに分配した。ヴィレット夫妻がその三分の二を、残った金を兎のおばさんとマルグリットが三分した。

「カリオストロ博士。あんたは一文もいらぬとおっしゃるのですかね」

ヴィレットの質問にカリオストロは初めてニヤリと笑って、

「私は金のためにこの仕事をやったのではない。私は仏蘭西の王妃に一泡ふかせたことで充分なのだ。いや一泡だけではない。この事件は決してこのままでは終らん。ひょっとすると」

そこで彼は一息のんで呟いた。

「お前たちには想像もつかぬ出来事の導火線になるかもしれぬのだ」

「どんな出来事の……」

「仏蘭西をゆり動かすような、……革命《レボルシオン》とも言うべきだろうな」

彼はそれからヴィレットにむかって逮捕された時に言うべきことを細かく説明した。頭のいいヴィレットはカリオストロの言うことをすぐに呑みこんだ。

ラ・モット夫人とロアン大司教が逮捕されたというニュースはその翌日にはもう、このリヨンにも伝わっていた。

「さあ。私たちはこれで別れねばならん。この私はリヨンに留《とど》まるが、お前たちはめいめいに散らばるがいい。でなければ一味だったとすぐわかるからな。兎のおばさんやマルグリットはヴィレット夫妻にもこの私にもまったく会ったことはないと言うのだ。それから金は必ずどこかに匿《かく》しておかねばならぬ。大金を持っていれば、怪しまれるのは当然だろう」

このカリオストロの命令に従って翌日、ヴィレット夫妻と兎のおばさんとマルグリットは二組に分れてリヨンを離れた。夫妻は北方に向う街道を、兎のおばさんとマルグリットとはマルセイユに逃げることにした。

ストラスブールと巴里とリヨンとしか知らないマルグリットは馬車のなかから、北仏や中仏とはまったく違った南仏《ミディ》の風景に心うばわれた。

真白な花崗岩《かこうがん》の山。そして傘松の林。水車。まぶしい陽差しが田舎路《みち》にも、女たちが洗濯をしている小川の水面《みずも》にも照り赫《かがや》いている。そしてすべてが陽気で、たのしげだった。

だがそれら外見、陽気そうな風景を裏切るような光景にも時々、ぶつかった。鍬《くわ》や鋤《すき》を肩にかけた農民が裸足《はだし》のまま一団となり、大声で叫んでいた。

「パンを返せ、麦を返せ」

飢えはこの南仏にも拡がり、失政を呪う声はあちこちで起っていた。

マルセイユの街の空は碧《あお》かった。海もまた碧かった。港には林のように舟が集まり、漁師たちが網からあげた貝や魚が水にぬれ、南仏の光にキラキラと光っている。

マルセイユの盛り場にもカフェができて、巴里の女王通りと同じように談論風発する男たちが群がっていた。あの首飾事件の経過をたがいに伝えあい、その真相を議論する。そのなまりの強いマルセイユ弁からマルグリットたちは、裁判がはじまって法廷でラ・モット夫人が遂にカリオストロの名を口に出したことを知った。

遅かれ、早かれ、警吏が自分を逮捕しにくると知っていたカリオストロだったから、彼等があらわれた時も悠然として出迎えた。

「ラ・モット伯爵夫人が私を共謀者だと申したことは新聞で存じています。いや、私のほうから巴里に出むいて身の潔白をあかしたいと考えていたくらいです。悦んで上京しましょう」

逃げかくれるどころか、憤慨の色を面《おもて》に出し自分から進んで巴里に赴こうというカリオストロの礼儀正しい態度に警吏たちはほっと安心した。しかもその道中、彼等の労をねぎらってカリオストロが宿屋で宴会まで催すと、警吏たちはすっかりこのペテン師に同情の念を抱きはじめたのだった。

巴里に到着したカリオストロはここでも予審判事をやすやすと丸めこんだ。自分はたしかにロアン大司教を知ってはいる。しかしこの前、巴里に来た時は一度も大司教と会ったことはない、それは大司教自身も証明するだろうと彼は言いはった。

調査の結果、カリオストロの言葉通りだと判明した。この男がラ・モット伯爵夫人の言う通り、今度の事件に加担しているという具体的な証拠はどこからも出てこない。

その上、巴里市民のなかには、かつてカリオストロの見せたふしぎな魔術や病気の治療をまだ信じている者がいた。その連中がカリオストロの逮捕に抗議の声をあげ、これは王室の不当な弾圧だと主張すると、それに賛成する声が続々と出はじめた。カリオストロのことよりも、これを踏台にして王室を攻撃するのがこれらの同調者の目的だった。

大司教を逮捕された教会は今度の事件を聖職者の権威を冒瀆《ぼうとく》するものだと考え、裁判所を烈しく非難した。聖職者に歩調をあわせて、巴里市民の熱心な信者たちも、ロアン大司教の釈放を叫びはじめた。今や事件は政治的、社会的な問題となり、単純には判決をくだせぬ様相を示しはじめたのである。

五月三十一日、高等法院は最後の判決をくだすことを宣言した。

午後二時、既に高等法院の前には群集が集まり、固唾《かたず》を飲んで判決の発表を待っていた。

「カリオストロ博士は無罪だぞ」

「見捨てるな、大司教を。彼はオーストリアの女に罪をきせられたのだ」

群集のなかからそんな声が起り、その声は次の大きな合唱につながっていた。

「裁かれるのはオーストリアの女」

「人民が飢える日、女は百六十万リーブルの首飾を買う」

オーストリアの女とは誰を指しているかは誰もが知っていた。

その時、高等法院の暗い建物のなかでは、判決をめぐって六十二人の法官が駆引きや術策を使って対立していた。王室の意向をおびた法官とそれに反対する法官との間に論争が起った。ロアン大司教には有罪とすべき確たる証拠がない。彼がラ・モット伯爵夫人とよぶあの女にだまされたことは確かである。しかし彼は王室にたいして無思慮な不敬罪を犯した以上、何らかの形で罰せられねばならぬ。それは王室派の意見だった。それにたいして反対派はあくまでも訴訟却下を求めた。
午後四時、晴れていた空が急に黒い雲に覆われ、夕立が沛然《はいぜん》と降りはじめた。高等法院の外で気勢をあげていた群集は蜘蛛《くも》の子を散らすように四方に逃げた。
その雨音をききながら裁判長はおごそかに判決をくだした。
ロアン大司教　無罪・免責
カリオストロ　無罪
ラ・モット伯爵夫人　有罪・終身禁錮《きんこ》ならびに焼鏝《やきごて》の刑
雨があがり、ふたたび青空が巴里の空に拡がった。判決を聞いた群集は大声をあげて行進を開始した。判決の内容は国王と王妃の希望がいれられなかったことを示していた。王妃マリー・アントワネットはロアン大司教を陥れようとしたが敗れたのだ。
「バスチーユに行こう、バスチーユに」
行列はバスチーユに蟻《あり》のように行進していく。
可哀そうに
アントワネットは泣いている
我がまま通らず泣いている。

バスチーユ監獄の前で群集の口から唄が流れはじめた。

カリオストロはその唄を聞きながら、微笑を浮べ呟《つぶや》いた。

「小さな雪が、まもなく大きな雪崩《なだれ》となる」

文字づかいについて

新潮文庫の文字表記については、なるべく原文を尊重するという見地に立ち、次のように方針を定めた。

一、口語文の作品は、旧仮名づかいで書かれているものは現代仮名づかいに改める。
二、文語文の作品は旧仮名づかいのままとする。
三、一般には常用漢字表以外の漢字も音訓も使用する。
四、難読と思われる漢字には振仮名をつける。
五、送り仮名はなるべく原文を重んじて、みだりに送らない。
六、極端な宛て字と思われるもの及び代名詞、副詞、接続詞等のうち、仮名にしても原文を損うおそれが少ないと思われるものを仮名に改める。

遠藤周作著
白い人・黄色い人
芥川賞受賞
ナチ拷問に焦点をあて、存在の根源に神を求める意志の必然性を探る「白い人」、神をもたない日本人の精神的悲惨を追う「黄色い人」。

遠藤周作著
海と毒薬
毎日出版文化賞・新潮社文学賞受賞
何が彼らをこのような残虐行為に駆りたてたのか？　終戦時の大学病院の生体解剖事件を小説化し、日本人の罪悪感を追求した問題作。

遠藤周作著
留学
時代を異にして留学した三人の学生が、ヨーロッパ文明の壁に挑みながらも精神的風土の絶対的相違によって挫折してゆく姿を描く。

遠藤周作著
月光のドミナ
人間の心にひそむ暗い衝動や恐怖を誠実な筆致で描く初期短編集。表題作ほか「イヤな奴」「あまりに碧い空」「地なり」など10編。

遠藤周作著
大変だァ
闇鍋会に放射線を浴びた鶏が供された。男は女に、女は男に……時ならぬ性転換の悲喜劇からくりひろげられる騒動！　ユーモア長編。

遠藤周作著
牧歌
戦後初の留学生として赴いたフランスでの若く苦渋にみちた青春の日々——信仰を、愛を、真摯に模索したエッセイと海外紀行文を収録。

新潮文庫最新刊

及川和男著
村長ありき
—沢内村 深沢晟雄の生涯—
東北の一寒村を日本一の福祉村に変えた深沢晟雄の生涯を描き、医療と行政、そして自治とは何かを問いかける傑作ノンフィクション。

J・アーチャー
永井淳訳
十二本の毒矢
冴えない初老ビジネスマンの決りきった毎日に突如起った大椿事を描いた「破られた習慣」等、技巧を凝らした、切先鋭い12編を収録。

J・アーチャー
永井淳訳
新版大統領に知らせますか？
女性大統領暗殺の情報を得たFBIは、極秘捜査を開始した。緊迫の七日間を描くサスペンス長編。時代をさらに未来に移した改訂版。

連城三紀彦著
恋文
直木賞受賞
結婚十年目にして夫に家出された歳上でしっかり者の妻の戸惑い。男と女の人生の機微を様々な風景のなかにほろ苦く描いた5編。

原作竹山道雄
名作アニメシリーズ
ビルマの竪琴
キャラクターデザイン／白梅進
捕虜たちが日本に帰る日がやってきた。しかし、ビルマに屍をさらす戦友たちを弔うため日本に帰らない男がいた……。アニメ文庫化。

原作江戸川乱歩
名作アニメシリーズ
屋根裏の散歩者
キャラクターデザイン／石ノ森章太郎
天井裏からの覗き見を楽しみにする男が考案した奇妙な完全犯罪を描く表題作と、同じく初期の代表的短編「心理試験」の2編を収録。

王妃《おうひ》 マリー・アントワネット（上）

新潮文庫　え - 1 - 21

昭和六十年三月二十五日　発行
昭和六十二年九月三十日　十刷

著者　遠《えん》藤《どう》周《しゅう》作《さく》

発行者　佐藤亮一

発行所　株式会社 新潮社

郵便番号　一六二
東京都新宿区矢来町七一
電話　業務部(〇三)二六六―五一一一
　　　編集部(〇三)二六六―五四四〇
振替　東京四―八〇八番

定価はカバーに表示してあります。

乱丁・落丁本は、ご面倒ですが小社通信係宛ご送付ください。送料小社負担にてお取替えいたします。

印刷・二光印刷株式会社　製本・株式会社植木製本所

ISBN4-10-112321-7 C0193